Si vous ne deviez lire qu'un seul livre au cours de ce millénaire... que ce soit La force du "focus"*!*

La force du "focus" *est vraiment excellent, et il est certain qu'il aura un impact sur le monde des affaires pendant des générations à venir.*

Un livre très fort, pratique, qui vous poussera à réaliser vos rêves.

Les personnes et les entreprises qui réussissent le mieux font appel à des systèmes éprouvés — La force du "focus" *vous apprendra à faire de même.*

Un livre pour quiconque veut réussir, peu importe le domaine! Il résume l'habileté maîtresse pour atteindre ses objectifs et réaliser ses rêves. Non seulement j'en ai retiré beaucoup, mais j'ai eu aussi un réel plaisir à le lire.

Votre capacité à garder le focus, *ou à focaliser votre attention, est le savoir-faire le plus important que vous puissiez acquérir pour réussir. Ce livre vous enseignera comment développer cette habileté dans tous les domaines de votre vie. C'est extraordinair*

D1206619

Vous pouvez réussir n'importe quoi en la moitié du temps normal en apprenant comment focaliser votre attention. *Ce livre vous l'enseignera.* La force du "focus" *devrait être le livre de chevet de toute personne qui se lance en affaires, et de celles qui le sont déjà et désirent maximiser leur productivité et leurs revenus. Je possède onze restaurants mexicains. Si VOUS aussi voulez "tout le bazar", lisez ce livre!*

TOM HARKEN
Auteur, *The Millionaire's Secret*

Bien des gens ont de la difficulté à avoir un focus. *C'est la raison pour laquelle finalement ils finissent fauchés et désillusionnés. Ce livre changera tout ça.*

JIM ROHN
Le philosophe des affaires
le plus influent d'Amérique

Ce livre aidera votre carrière à progresser plus vite et plus loin, tout en vous apportant plus de bonheur et de succès dans votre vie personnelle.

SOMERS WHITE
Président, Somers White Company

Pour la première fois, un livre expose en termes simples, faciles à comprendre et pratiques, les grandes lignes d'un des principes les plus puissants, et pourtant souvent ignoré, qui peut aider quiconque à attirer l'argent comme un aimant. Un livre à lire si vous voulez devenir une machine qui génère de l'argent.

KEVIN TRUDEAU
Fondateur, Shop America

Des conseils pratiques géniaux! À notre époque d'information continue, la capacité de centrer son attention et d'exclure les distractions est une condition essentielle à notre succès.

J.B. FUQUA
Chef de la direction, The Fuqua Companies

Ce livre est un itinéraire clair, simple, qui vous montre comment garder le focus sur ce qui est essentiel, plutôt que sur la multitude de futilités.

DR TONY ALESSANDRA
Auteur, *The Platinum Rule*

Ce livre peut aider toute personne, quelle que soit sa profession, à faire des bonds prodigieux dans sa croissance personnelle, spirituelle et professionnelle.

RABBI DOV PERETZ ELKINS
The Jewish Center, Princeton, New Jersey

Dans notre monde chaotique, il est trop facile de perdre le focus. À toute personne assez brave pour dire "Je veux devenir meilleur", ce livre offre une méthode pour s'aider soi-même, qui permet de se débarrasser de ces vieilles habitudes qui vous retiennent et d'en développer plutôt de nouvelles, porteuses de changement et de réussite. Refuser de changer équivaut à nier qui vous êtes réellement. La vie est ce qu'on décide d'en faire et l'atteinte d'un plein potentiel est un choix quotidien. La force du "focus" vous enseignera comment ne choisir que ce qu'il y a de mieux.

LARRY JONES
Président-fondateur, Feed The Children

Utilisez ce livre comme un pont pour traverser d'une rive à l'autre. Si vous êtes cloué sur la rive "À trois, je suis prêt", il vous aidera à traverser vers "À quatre, je suis parti". Dans mon cas, c'est le "Ah! Ha!" qui a été le lien entre les habitudes et le focus. La force du "focus" vous mettra certainement sur la bonne voie.

ROSITA PEREZ, CPAE
Présidente, Creative Living Programs, Inc.

Un livre formidable, rempli d'une sagesse infinie.

CHARLIE "TREMENDOUS" JONES
Auteur, *Life is Tremendous*

La force du "focus" *vous apprend comment préciser* votre *itinéraire et entreprendre* votre *programme d'action. C'est un abrégé étonnant, aussi stimulant que pratique.*

JIM TUNNEY
Ex-arbitre de la NFL

Jusqu'ici, on a semblé oublier toute la question du focus. *Tous ceux et celles qui sont en affaires peuvent profiter de l'étude et de la mise en pratique de ces stratégies.*

RICHARD CARLSON
Auteur, Don't Sweat the Small Stuff
...and it's all small stuff

Les meilleures lentilles au monde peuvent vous donner une acuité visuelle parfaite, mais elles ne vous permettent pas nécessairement de comprendre ce que vous voyez. Ce livre, contrairement à ces lentilles, vous donnera cette compréhension.

JIM CATHCART, CSP, CPAE
Auteur, Relationship Selling

Ce livre unique qu'il faut absolument lire a saisi l'essence même du pouvoir personnel. Focaliser votre attention *sur le contenu et les questions. Vous en serez grandement récompensés.*

EILEEN MCDARGH
Auteure, Work for a Living and Still be Free to Live

Si vous vous débattez avec des problèmes de temps et d'argent, ou si vous voulez établir un bon équilibre dans votre vie, lisez ce livre — et mettez-le en pratique.

GEORGE THOMSON, CFP
Directeur régional, Investors Group

Ces auteurs à succès ont donné au monde un nouveau livre formidable qui apportera certainement La force du "focus" *à chacun de nous, alors que nous entrons dans un nouveau siècle plein de promesses.*

WYLAND
Célèbre artiste de la vie marine

Qu'il s'agisse d'appareils photo, de jumelles, de microscopes, tous ces appareils ne peuvent être performants sans une mise au point de l'image. Ce livre fait, clairement et passionnément, cette mise au point dans la salle du conseil d'administration, dans le vestiaire et dans votre salon. La force du "focus" *a changé toute ma vie!*

DAN CLARK
Conférencier international, consultant et auteur à succès

Un superbe plan d'action, point par point, qui vous permettra d'obtenir ce que vous désirez.

TED NICHOLAS
Auteur, *Magic Words That Bring You Riches*

Un livre puissant et motivant que vous voudrez relire souvent. La force du "focus" *est une mine de principes, de méthodes, de concepts, de conseils, de techniques et d'idées qui changeront votre vie. Quels que soient les autres livres de croissance personnelle que vous lirez au cours de votre vie, faites de celui-ci votre priorité.*

SCOTT DEGARMO
Ancien rédacteur en chef et éditeur
des magazines *Success* et *Working at Home*

Des directives claires et concises pour une vie meilleure.

MICHAEL GERBER
Auteur, *The E-Myth*

La force du "focus" *changera votre vie. Il vous motivera à poser ces petits gestes quotidiens, hebdomadaires et mensuels qui, ensemble, feront éventuellement de votre vie un chef-d'œuvre. Achetez ce livre dès maintenant — et mettez-vous en route.*

ROBERT G. ALLEN
Auteur, *No Money Down*

Pour vraiment réussir, il vous faut apprendre à centrer votre attention. Assurez-vous de lire ce livre.

PATRICIA FRIPP, CSP, CPAE
Auteure, *Get What You Want*

Je recommande La force du "focus" *à tous mes clients. Le sujet est un des plus importants pour ceux qui sont en affaires. L'information est claire, riche en renseignements, et elle profitera à tous ceux qui la mettront en pratique.*

ELDON EDWARDS
Propriétaire, Inco Business Sales

Voici le meilleur livre jamais écrit sur le focus, *le ciblage et l'acquisition de bonnes habitudes. Gardez-le à proximité pour le consulter souvent. C'est un vrai gagnant.*

NIDO R. QUBEIN
Président du conseil, Creative Services, Inc.

Sans focus, *il est difficile de construire une entreprise prospère. Ce livre trace un itinéraire efficace qui vous permettra de rester sur la bonne voie.*

PAUL ORFALEA
Président-fondateur, Kinko's, Inc.

J'ai vu la vie d'une amie se transformer et s'épanouir. Pendant quatre ans, elle a mis en application ces stratégies du focus *pour sa croissance personnelle et sa poursuite du succès. Ce n'est pas de la théorie — c'est de la dynamite — ce livre a transformé sa vie, et la vôtre le sera aussi.*

LANCE H.K. SECRETAN
Auteur, *Reclaiming Higher Ground*

Si vous êtes dans la vente ou les services, ce livre changera votre vie.

DOUG WEAD
Adjoint spécial au président à la Maison-Blanche,
administration Bush

LA FORCE DU FOCUS

COMMENT ATTEINDRE VOS OBJECTIFS PERSONNELS AVEC UNE ABSOLUE CERTITUDE

JACK CANFIELD
MARK VICTOR HANSEN
LES HEWITT

Traduit par
Fernand A. Leclerc et Lise B. Payette

BÉLIVEAU
★
éditeur

Montréal, Canada

L'édition originale de cet ouvrage a été publiée sous le titre
THE POWER OF FOCUS: how to hit your business,
personal and financial targets with absolute certainty
© 2000 Jack Canfield, Mark Victor Hansen et Les Hewitt
Health Communications, Inc., Deerfield Beach, Floride (É.-U.)
ISBN 1-55874-752-4

Conception et réalisation de la couverture : Alexandre Béliveau

Tous droits réservés pour l'édition française
© 2002, *Éditions Sciences et Culture Inc.*

Dépôt légal : 3ᵉ trimestre 2002
Bibliothèque nationale du Québec
Bibliothèque nationale du Canada

ISBN 2-89092-295-2

5090, rue de Bellechasse
Montréal (Québec) Canada H1T 2A2
(514) 253-0403   Télécopieur : (514) 256-5078

www.beliveauediteur.com
admin@beliveauediteur.com

Nous reconnaissons l'aide financière du gouvernement du Canada par l'entremise du Programme d'Aide au Développement de l'Industrie de l'Édition pour nos activités d'édition.

IMPRIMÉ AU CANADA

Jack

À ceux qui m'ont enseigné le plus
sur les principes de *La force du focus* :

W. Clement Stone, Billy B. Sharp, Lacy Hall,
Bob Resnick, Martha Crampton, Jack Gibb,
Ken Blanchard, Nathaniel Branden, Stewart Emery,
Tim Piering, Tracy Goss, Marshall Thurber,
Russell Bishop, Bob Proctor, Bernhard Dohrmann,
Mark Victor Hansen, Les Hewitt, Lee Pulos,
Doug Kruschke, Martin Rutte, Michael Gerber,
Armand Bytton, Marti Glenn et Ron Scolastico.

Mark

À Elisabeth et Melanie :

« L'avenir est entre bonnes mains. »

Les

À Fran, Jennifer et Andrew :

« Vous êtes le *focus* de ma vie. »

Table des matières

Les citations

Pour chacune des citations contenues dans cet ouvrage, nous avons fait une traduction libre de l'anglais au français. Nous pensons avoir réussi à rendre le plus précisément possible l'idée d'origine de chacun des auteurs cités.

REMERCIEMENTS

Il a fallu trois années pour écrire ce livre et plusieurs personnes nous ont encouragés pendant tout ce temps. Parfois, il nous a semblé que nous n'en viendrions jamais à bout. Cependant, avec de la persévérance et un bon *focus,* nous l'avons finalement terminé. Nous voulons remercier tous ceux qui y ont participé pour leur aide et leur appui sans lesquels ce projet n'aurait jamais vu le jour.

Fran Hewitt, tu es une force de la nature. Il t'a fallu une incroyable détermination pour vivre avec toutes les frustrations, les échéances insensées et les révisions de dernière minute. Un merci du fond du cœur. Jennifer et Andrew Hewitt, merci de vos encouragements, de vos commentaires et de vos idées innovatrices. Vous nous avez inspirés.

Dan Sullivan, merci de ton formidable leadership dans le domaine de la formation en affaires, et merci d'avoir été un mentor et d'avoir eu une influence si grande. Merci à Jim Rohn, George Addair, Patricia Fripp, Ed Foreman, David McNally, Lance Secretan, Somers White, Rosita Perez, Danny Cox, Valerie Morse, Peter Daniels, Richard Flint et à tous nos autres maîtres, trop nombreux pour les nommer tous, merci de votre sagesse et de vos conseils depuis les 15 dernières années.

Merci à Tim Breithaupt, dont l'excellent livre *Take This Job and Love It!: The Joys of Professional Selling* nous a encouragés à terminer celui-ci. Gail Pocock, tu es une vraie championne. Merci de ton engagement et de ton immersion totale dans ce projet. Ta créativité et ta compétence dans la mise en page, la conception du texte et le design de couverture de l'édition américaine sont exceptionnelles. Merci à Rod Chapman, dont les talents de réviseur ont donné un produit de qualité supérieure. Nous voulons aussi remercier Georgina Forrest et Shirley Flaherty, d'Achievers, pour avoir dactylographié et redactylographié ce texte, un véritable miracle, car il leur a fallu travailler à partir de gribouillages illisibles. Merci à Elverina Laba pour son enthousiasme et ses efforts de vente pendant « l'absence » de Les.

Un bravo tout spécial à tous nos clients chez The Achievers Coaching Program qui ont mis ces stratégies en pratique et démontré qu'elles fonctionnaient vraiment. Merci aussi à la promotion de 1998 du séminaire Facilitating Skills de Jack Canfield — nous avons apprécié votre enthousiasme et vos encouragements. Philip Keers et Ken Johnston, vous êtes porteurs de la flamme vers l'avenir et de merveilleux associés.

À tout le personnel au bureau de Jack, une équipe magnifique dont la synergie a généré l'élan nécessaire au respect de plusieurs de nos échéances. Un merci spécial à Deborah Hatchell pour ton influence apaisante et ton talent génial de communicatrice quand les choses sont devenues vraiment trépidantes. Merci à Nancy Mitchell Autio qui a coordonné la tâche exigeante d'obtenir les autorisations, avec Shirley Flaherty. Shirley, ta ténacité et ta persistance nous ont permis de respecter nos délais. Bravo! Merci à Ro Miller, « la reine du standard téléphonique », pour ta vivacité et ton aide pour ces innombrables appels. Merci à Veronica Romero qui s'est assurée que les manuscrits parviennent à temps aux lecteurs et, plus important encore, qu'ils reviennent à temps! Teresa Esparza, merci de ton attitude positive et de ta disponibilité. Chris Smith, nous te remercions de ton talent unique à tester les muscles.

Merci à Robin Yerian et Leslie Forbes Riskin, deux travailleurs dans l'ombre, dont le grand talent et le dévouement ont permis de régler de façon experte une foule de détails. Merci, Patty Aubery, pour tes observations justes et tes connaissances en marketing. Ta détermination et ton énergie se traduisent en résultats concrets.

Nous voulons aussi exprimer notre gratitude à Inga Mahoney et Christopher Canfield qui ont permis à Jack de *focaliser son attention* sur ce projet et lui ont permis de garder un juste équilibre entre les affaires et sa vie familiale.

Merci aux deux personnes dont le *focus* à propos de quiconque, où que ce soit, est unique, Elisabeth et Melanie Hansen. Merci à Patty Hansen qui a été une partie intégrante des opérations du quotidien et du processus décisionnel. Un gros merci à Laura Rush du bureau de Mark qui a été si efficace pour assurer la liaison et la coordination des importants appels-conférence, si souvent déplacés.

Merci aux gens de Health Communications, notre éditeur, qui nous ont totalement appuyés dans ce projet et qui ont coordonné en douceur l'impression et la distribution, en respectant les délais. Merci à Peter Vegso, Tom Sand et Terry Burke qui ont rassemblé et dirigé une si merveilleuse équipe.

Un merci tout spécial à Christine Belleris et Allison Janse qui nous ont guidés dans le dédale de la multitude de détails et qui ont répondu si rapidement à chacune de nos demandes. Merci à Kim Weiss et Larry Getlen qui dirigent l'équipe de relations publiques et à Kelly Maragni qui nous a ouvert de nombreuses portes pour stimuler les ventes.

Merci à Chuck Bush qui a peaufiné le manuscrit final. Un merci du fond du cœur à tous les membres appliqués de notre panel de lecteurs qui ont pris le temps de digérer, creuser et analyser nos idées : Anna Alton, Barry Spilchuk, Eileen McDargh, David McNally, Philip Keers, Ken Johnston, Tim Breithaupt, Ralph Puertas, Steve Cashdollar, Bill Cowles, John P. Gardner, Walt Harasty, Keith Jacobsen, Tom Justin, Jeanne Kaufman, Audrey Kelliher, John Olsen, Elye Pitts et Dottie Walters. Vos commentaires et suggestions ont contribué de façon importante à la réalisation d'un produit grandement amélioré.

Un merci tout spécial à Fred Angelis qui a fait une analyse en profondeur et qui nous a offert plusieurs excellentes idées de marketing.

Nous remercions aussi nos amis et clients qui nous ont fourni directement et indirectement de nombreux exemples et articles. Comme ce projet a été long à produire, nous avons peut-être omis certains noms de personnes qui nous ont aidés en cours de route. Si tel est le cas, nous nous en excusons et désirons vous dire que nous vous apprécions.

La rédaction et l'édition de ce livre ont été un véritable travail d'équipe, ce qui prouve, une fois de plus, que la magie ou les tours de passe-passe ne sont pas nécessaires pour mener un projet à terme avec succès. C'est simplement d'apprendre comment faire le *focus*.

PRÉFACE

Le but de ce livre : ce que vous en retirerez

« La personne qui désire atteindre le sommet en affaires doit se rendre compte de la puissance de la force de l'habitude — et doit comprendre que c'est la répétition qui crée les habitudes. Elle doit rapidement se défaire de ces habitudes qui peuvent la conduire à sa perte et s'empresser d'adopter des façons de faire qui deviendront les habitudes qui l'aideront à atteindre le succès qu'elle désire. »

— J. PAUL GETTY

Cher lecteur, ou lecteur potentiel si vous êtes en train de feuilleter ce livre,

Notre recherche en cours nous indique clairement que les trois plus importants défis que doivent relever les gens d'affaires aujourd'hui sont : les contraintes du temps, les pressions financières, et le maintien difficile d'un équilibre sain entre le travail et la famille.

Pour plusieurs, le rythme de la vie est trop rapide, comme s'ils étaient sur un tapis roulant qui ne s'arrête jamais. Le stress atteint des niveaux inégalés jusqu'ici. Les gens en affaires doivent devenir des êtres de plus en plus équilibrés pour éviter de tomber dans l'obsession du travail, de risquer le burn-out, de ne plus avoir de temps à consacrer à leur famille, à leurs amis et aux autres choses agréables de la vie. Chez plusieurs, il faut ajouter le poids énorme de la culpabilité qui augmente encore plus le stress. Ce n'est pas une façon de vivre!

Ces observations vous sont-elles familières?

La force du focus vous aidera de plusieurs façons. Vous en profiterez tous, que vous soyez PDG, vice-président, directeur, superviseur, représentant, entrepreneur, consultant, professionnel ou travailleur autonome.

Notre GARANTIE

Si vous étudiez et mettez graduellement en pratique les stratégies que nous nous apprêtons à partager avec vous, non seulement vous atteindrez invariablement vos objectifs personnels, professionnels et financiers, mais vous connaîtrez des résultats supérieurs à vos résultats actuels. Plus spécifiquement, nous vous apprendrons à garder le *focus* sur vos forces pour maximiser vos revenus tout en profitant d'un style de vie plus sain, plus heureux, plus équilibré.

De plus, vous apprendrez à construire des fondations plus solides pour l'avenir selon une technique peu connue qu'on appelle *Clarté inhabituelle*. Surtout, vous découvrirez comment vous sentir financièrement rassuré en faisant appel aux méthodes éprouvées de plusieurs multimillionnaires. Vous trouverez aussi un buffet d'idées qui vous aideront à nourrir et à enrichir vos relations les plus importantes.

La raison pour laquelle nous sommes si confiants que les idées exposées dans ce livre vous apporteront des résultats est qu'elles ont déjà fonctionné pour nous et des milliers de nos clients. À nous trois, nous totalisons soixante-dix-neuf années d'expérience en affaires. Une expérience concrète du monde réel. Nous l'avons acquise en faisant bien des erreurs, ainsi qu'en *focalisant notre attention* à faire extrêmement bien certaines choses. Nous partagerons avec vous nos découvertes personnelles les plus importantes, et nous vous dirons les choses telles qu'elles sont au lieu de vous présenter de vagues théories et philosophies. Ceci vous permettra d'éviter dans la vie beaucoup de tâtonnements et vous fera épargner beaucoup de temps, d'énergie et de stress inutile.

Comment tirer le meilleur parti de ce livre

Mise en garde : Si vous cherchez une formule magique « instantanée », vous ne la trouverez pas ici. L'expérience nous enseigne qu'une telle chose n'existe pas. Il faut être vraiment engagé pour effectuer une transformation positive. C'est pourquoi 90 pour cent des gens qui participent à des séminaires de courte durée ne voient pas de résultats concrets dans leur vie. Ils ne prennent pas le temps de mettre en pratique ce qu'ils apprennent et leurs notes finissent par s'empoussiérer sur les tablettes.

Notre objectif premier a été de rendre cette information si convaincante qu'elle vous poussera à passer immédiatement à l'action. Ce livre est convivial — il est vraiment facile à lire. Vous y trouverez même en le parcourant des caricatures qui le rendent amusant.

Chaque chapitre contient un certain nombre de stratégies et de techniques illustrées par des anecdotes et des histoires motivantes. Les trois premiers chapitres constituent la fondation. Chaque chapitre suivant aborde une nouvelle série de stratégies, centrées autour d'une habitude précise, qui vous aideront à *focaliser votre attention* et à mieux travailler. Individuellement, chacune de ces habitudes est importante pour votre succès futur. Combinées ensemble, elles constituent une véritable forteresse qui vous assurera de profiter au maximum de la vie. À la fin de chaque chapitre, vous trouverez une série d'actions, *Plan d'action*. Elles sont rédigées de façon à faciliter votre progression. Si vous voulez atteindre une plus grande prospérité, il est essentiel que vous les suiviez toutes intégralement. Vous pouvez les appliquer une à la fois. Servez-vous de ce livre comme un « travail en progression » auquel vous pourrez vous référer encore et encore.

Nous vous suggérons fortement d'utiliser un surligneur, ou une tablette et un crayon pendant votre lecture. Servez-vous-en pour retenir immédiatement les idées qui vous frappent le plus.

N'oubliez pas, tout est question de *focus*. C'est simplement le manque de *focus* qui est la cause principale des difficultés que les gens éprouvent dans leur vie professionnelle ou personnelle.

Ils remettent à plus tard, ou se laissent trop facilement distraire ou interrompre. Vous avez maintenant la possibilité d'être différent. Le seul but de ce livre est de vous inciter à passer à l'action. C'est tout, point à la ligne. Les pages qui suivent contiennent une mine de sagesse. Alors, à l'œuvre! Utilisez *La force du focus* pour vous assurer un meilleur avenir. Puisse cette démarche enrichir votre vie!

Sincèrement,

Mark Victor Hansen

P.-S. — Si vous êtes propriétaire d'une entreprise et que vous prévoyez une croissance rapide au cours des années à venir, achetez un exemplaire de ce livre pour chaque membre de votre équipe. L'élan créé par la mise en application en équipe de ces stratégies de *focus* vous assurera d'atteindre vos objectifs beaucoup plus tôt que prévu.

1RE STRATÉGIE DE *FOCUS*

Vos habitudes définiront votre futur

« Ce qu'on imagine à l'avance si difficile
est si facile quand on le fait. »
— ROBERT M. PIRSIG

Brent Vouri savait qu'il allait mourir.

La sérieuse attaque d'asthme s'était transformée en syndrome de détresse respiratoire de l'adulte. En termes simples, ses poumons étaient complètement paralysés, tout comme le moteur d'une automobile qui manque d'huile.

Son dernier souvenir de cette soirée était le plancher de l'hôpital qui venait à sa rencontre, puis le noir complet. Il était resté dans le coma pendant quinze jours et avait perdu vingt kilos. Quand il a finalement repris conscience, il a été incapable de parler pendant deux autres semaines. C'était une bonne chose, car pour la première fois depuis des années il a eu le temps de réfléchir. Pourquoi, à vingt ans à peine, avait-il failli perdre la vie? Les médecins avaient fait des miracles pour le garder en vie alors que d'autres doutaient de ses chances de survie.

Brent a réfléchi profondément. L'asthme faisait partie de sa vie depuis sa naissance. Il était bien connu à l'hôpital à la suite des nombreuses visites pour stabiliser son état. Enfant, il avait beaucoup d'énergie. Malgré cela, il n'avait pu participer à aucune activité physique comme les autres enfants, par exemple patiner ou jouer au hockey. Ses parents ont divorcé alors qu'il avait dix ans et toutes ses frustrations refoulées ont alors éclaté. Les années qui ont suivi n'ont été qu'une spirale descendante ininterrompue, de la drogue à l'abus d'alcool et à la consommation de trente cigarettes par jour.

Il n'avait pas terminé son cours secondaire et passait d'un emploi temporaire à un autre. Même si sa santé se détériorait régulièrement, il a choisi de l'ignorer — jusqu'à cette soirée tragique où son corps a crié « Assez! » Son temps de réflexion lui a permis d'en arriver à une conclusion importante : « Je suis responsable de ce qui m'arrive parce que j'ai fait de mauvais choix pendant des années. » Sa nouvelle résolution est devenue : « Jamais plus. Je veux vivre. »

Brent s'est progressivement rétabli et a enfin quitté l'hôpital. Peu de temps après, il s'est tracé un plan de match positif pour améliorer sa vie. Il s'est d'abord inscrit à un programme de conditionnement physique. Un de ses premiers buts était de gagner le T-shirt qui était remis à ceux qui terminaient douze séances. Il l'a atteint. Trois ans plus tard, il enseignait l'aérobie. Il progressait. Cinq ans plus tard, il a participé aux championnats nationaux d'aérobie. En cours de route, il a décidé de terminer ses études — il a d'abord obtenu son diplôme d'études secondaires, puis il s'est rendu jusqu'à l'université.

Ensuite, avec un ami, il a lancé une entreprise manufacturière, Typhoon Sportswear Ltd. (*www.typhoonsports wear.com*), spécialisée dans la production de vêtements pour les chaînes de vente au détail. Lancée avec quatre employés seulement, la compagnie a récemment célébré son quinzième anniversaire.

Aujourd'hui, c'est une entreprise multimillionnaire qui emploie soixante-six personnes et possède un réseau international de distribution qui fournit des clients de prestige comme Nike. En décidant de faire de meilleurs choix et de prendre de meilleures habitudes, Brent Vouri a changé sa vie — un nul hier, un héros aujourd'hui!

N'est-ce pas là une histoire inspirante?

Voici ce qu'il faut retenir : la vie n'est pas quelque chose qu'on subit. C'est une question de choix et de réaction à chaque situation. Si vous avez l'habitude de toujours faire les mauvais choix, vous courez au désastre. Ce sont vos choix quotidiens qui déterminent en fin de compte si vous vivrez dans l'abondance ou dans la pauvreté. Cependant, la vie ne ferme jamais définitivement la porte à la chance.

Les choix cohérents forment la base de vos habitudes, comme vous le verrez dans les pages qui suivent. Et vos habitudes jouent un rôle important dans le déroulement de votre avenir. Ceci comprend les habitudes que vous appliquez chaque jour dans vos affaires en plus d'une variété de comportements qui se manifestent dans votre vie personnelle. Tout au long de ce livre, vous trouverez des stratégies qui s'appliquent tant au travail qu'à la maison. Votre tâche consiste à les considérer toutes et à mettre en pratique celles qui vous apportent le plus de satisfaction. Soit dit en passant, toutes ces stratégies s'appliquent aussi bien aux hommes qu'aux femmes. Elles sont universelles. Si vous ne l'avez pas déjà remarqué, un des progrès les plus passionnants sur le marché d'aujourd'hui est la croissance rapide du nombre de femmes entrepreneures.

Dans ce chapitre, nous avons formulé les éléments les plus importants concernant les habitudes. D'abord, vous découvrirez comment les habitudes fonctionnent réellement. Ensuite, vous apprendrez à identifier les mauvaises habitudes et comment les changer. Cela vous permettra d'évaluer vos propres habitudes et de déterminer celles qui sont improductives. Enfin, nous vous enseignerons la **Formule des habitudes gagnantes**, une stratégie simple mais puissante, qui vous aidera à transformer vos mauvaises habitudes en habitudes fructueuses. Mettre cette technique en pratique vous assurera de garder le *focus* sur ce qui réussit, plutôt que sur ce qui ne réussit pas.

LES GENS PROSPÈRES ONT
DES HABITUDES GAGNANTES.

Ceux qui ne sont pas prospères n'en ont pas!

1.
Le véritable fonctionnement
des HABITUDES

VOS HABITUDES DÉTERMINERONT
VOTRE AVENIR

Qu'est-ce qu'une habitude? En termes simples, une habitude est une chose que vous faites si souvent qu'elle devient facile. Autrement dit, c'est un comportement que vous répétez sans cesse. Si vous persistez à adopter un nouveau comportement, celui-ci deviendra éventuellement automatique.

Par exemple, si vous apprenez à conduire une voiture à transmission manuelle, les premières leçons sont habituellement intéressantes. Un des grands défis est d'apprendre à synchroniser les pédales de l'accélérateur et de l'embrayage pour obtenir des changements de vitesse en douceur. Si vous libérez l'embrayage trop tôt, le moteur s'étouffe. Si vous pesez trop fort sur l'accélérateur sans libérer l'embrayage, le moteur vrombit mais vous n'avancez pas. Parfois, la voiture sautille dans la rue comme un kangourou, par secousses, pendant que l'apprenti conducteur se débat avec les pédales. Pourtant, avec de la pratique, les changements de vitesse se feront finalement en douceur et vous n'y penserez plus.

LES :

Nous sommes tous des créatures d'habitude. Chaque jour, pour rentrer de mon bureau à la maison, je croise neuf feux de circulation sur mon itinéraire. Il m'arrive souvent de ne me souvenir d'aucun d'eux. C'est comme si j'étais inconscient en conduisant. Lorsque mon épouse me demande de faire un détour pour une course en rentrant, il n'est pas rare que j'oublie complètement parce que je me suis programmé à suivre chaque soir le même itinéraire vers la maison.

La bonne nouvelle est qu'il est possible de se reprogrammer aussi souvent qu'on le désire. Si vous éprouvez des difficultés financières, c'est une chose importante à savoir!

Disons que vous cherchez à être indépendant financièrement. Ne serait-il pas sensé d'analyser vos habitudes qui génèrent votre revenu? Avez-vous l'habitude de vous payer en premier chaque mois? Mettez-vous régulièrement au moins 10 pour cent de votre revenu de côté pour l'investir? La réponse est ou bien « oui » ou bien « non ». Vous pouvez déjà voir si vous allez dans la bonne direction. Le mot-clé ici est *régulièrement*. Cela veut dire chaque mois. Et chaque mois est une bonne habitude. La plupart des gens sont des amateurs quand vient le temps de faire fructifier leur argent. Ils sont très irréguliers.

Disons que vous entreprenez un programme d'épargne et de placement. Pendant les premiers six mois, vous économisez religieusement votre 10 pour cent. Puis, quelque chose survient. Vous empruntez cet argent pour aller en vacances et vous vous dites que vous le rembourserez au cours des prochains mois. Évidemment, vous ne le faites pas et voilà votre programme d'autonomie financière compromis avant même de prendre son envol. Incidemment, savez-vous combien il est facile d'être à l'abri des soucis financiers? Si vous investissez, à compter de l'âge de dix-huit ans, cent dollars par mois à un intérêt composé de 10 pour cent par année, vous aurez accumulé plus de 1,1 million $ à l'âge de 65 ans. Même si vous ne commencez qu'à l'âge de quarante ans, il y a de l'espoir, mais il vous faudra mettre plus qu'un dollar par jour de côté pour y arriver.

On appelle ceci une **politique sans exceptions**. En d'autres termes, vous investissez chaque jour pour un avenir financier amélioré. C'est ce qui distingue ceux qui ont des avoirs de ceux qui n'en ont pas. (Au chapitre 9, « Prendre des mesures décisives », vous en apprendrez beaucoup plus sur la création de la richesse.)

Considérons une autre situation. Si vous avez fait de votre santé une grande priorité, il est possible qu'un minimum de trois séances d'exercice par semaine soit nécessaire pour vous garder en forme. Une politique sans exceptions veut que vous respectiez ce programme d'entraînement peu importe les circonstances parce que vous tenez au bénéfice à long terme.

Les gens amateurs de changement abandonneront après quelques semaines ou quelques mois. Habituellement, ils vous donnent une longue liste d'excuses pour justifier leur échec. **Si vous désirez vous distinguer des masses et profiter d'un mode de vie unique, vous devez comprendre ceci — vos habitudes définiront votre futur.**

C'est d'une importance capitale. Souvenez-vous que les gens qui réussissent n'arrivent pas au sommet par hasard ou par inertie. Il faut garder le *focus* sur les gestes à poser, il faut de la discipline personnelle et mettre beaucoup d'énergie chaque jour pour que les choses arrivent. Les habitudes que vous développerez à compter d'aujourd'hui détermineront en fin de compte ce que sera votre avenir. Riche ou pauvre. En santé ou malade. Satisfait ou insatisfait. Heureux ou malheureux. Le choix vous appartient, alors choisissez sagement.

Vos habitudes détermineront votre qualité de vie

Bien des gens s'inquiètent de leur qualité de vie. On entend souvent dire « Je cherche une meilleure qualité de vie » ou « Je veux simplifier ma vie ». Il semble que l'empressement vers le succès matériel et les pièges d'une vie soi-disant réussie ne suffisent plus. La vraie richesse n'est pas seulement la liberté financière mais l'établissement de relations enrichissantes et significatives, l'amélioration de votre santé, et un sain équilibre entre votre carrière et votre vie personnelle.

Il est aussi essentiel de nourrir votre âme et votre esprit. Il faut du temps pour découvrir comment y arriver et le faire. C'est un processus sans fin. Mieux vous apprendrez à vous connaître — votre façon de penser, vos émotions, votre but réel et la vie que vous souhaitez — plus votre vie sera harmonieuse.

Plutôt que de simplement travailler fort chaque semaine, vous commencerez à faire de meilleurs choix en vous fiant à votre intuition et en sachant instinctivement ce qu'il faut faire. C'est ce niveau supérieur de conscience qui détermine la qualité de votre vie quotidienne. Au chapitre 10, « Avoir une raison de vivre », nous vous enseignerons un système unique qui vous permettra de rendre tout cela possible. C'est une façon très excitante de vivre.

Ce n'est que beaucoup plus tard dans votre vie que les effets de vos mauvaises habitudes se manifesteront

Assurez-vous d'être bien attentif en lisant les deux prochains paragraphes. Si ce n'est pas le cas, allez vous asperger d'eau froide pour vous assurer de bien saisir l'importance de ce concept fondamental.

De plus en plus de gens recherchent la gratification immédiate. Ils achètent des objets qu'ils n'ont pas les moyens de s'offrir et ils étalent leurs paiements le plus longtemps possible. Des voitures, des meubles, des appareils ménagers, des chaînes de divertissement ou le dernier-né des « jouets », pour n'en nommer que quelques-uns. Les gens qui s'adonnent à cette pratique ont l'impression de toujours courir après quelque chose. Il y a toujours un autre paiement à faire le mois prochain. Il en résulte souvent de plus longues heures de travail ou un deuxième emploi pour arriver, ce qui crée encore plus de stress.

À l'extrême, si vos dépenses sont régulièrement plus élevées que vos revenus, vous en arrivez au résultat ultime : la faillite! Si vous développez une mauvaise habitude chronique, la vie vous en fera éventuellement payer le prix. Et vous n'aimerez peut-être pas les conséquences. Voici ce qu'il vous faut absolument comprendre : la vie vous fera quand même subir les conséquences. Que cela vous plaise ou non n'a rien à voir avec la question. En réalité, si vous continuez à faire les choses d'une certaine façon, vous obtiendrez toujours un résultat prévisible. **Les habitudes négatives engendrent des conséquences négatives. Les habitudes positives créent des résultats positifs.** La vie est ainsi faite.

Voyons d'autres exemples. Si vous voulez vivre longtemps, vous devez avoir des habitudes saines. Avoir une bonne alimentation, faire de l'exercice et étudier les secrets de la longévité ont ici un rôle important. La réalité? La plus grande partie de la population du monde occidental est obèse, manque d'exercice et se nourrit mal. Comment expliquer cela? C'est encore une fois la philosophie de vivre l'instant présent, sans se soucier ou très peu des conséquences futures. Il y a une longue liste de choses qui affectent la santé. En voici quelques-unes — travailler quatorze heures par jour sept jours par semaine mène tout droit au burn-out. Si vous mangez du *junk food* et des *fast foods* à la course chaque jour, la combinaison du stress et un haut taux de cholestérol augmente le risque de crises cardiaques ou d'attaques. Ce sont des conséquences qui menacent la vie, et pourtant bien des gens ignorent cette évidence et poursuivent allègrement leur chemin sans se douter qu'une crise majeure peut les guetter au prochain tournant.

Prenons les relations amoureuses. L'institution du mariage est en difficulté, près d'un mariage sur deux se terminant par un divorce. Si vous avez pris l'habitude de priver votre relation la plus importante de temps, d'énergie et d'amour, comment espérer un heureux dénouement?

Dans le cas de l'argent, vos mauvaises habitudes vous forceront à devoir continuer à travailler à un moment où vous devriez avoir plus de temps pour vous amuser.

Voici cependant une bonne nouvelle :

VOUS POUVEZ TRANSFORMER
DES CONSÉQUENCES NÉGATIVES
EN RÉCOMPENSES POSITIVES.

Il vous suffit de changer vos habitudes dès maintenant.

Il faut du temps pour DÉVELOPPER
DES HABITUDES GAGNANTES

Combien faut-il de temps pour changer une habitude? Les réponses les plus fréquentes à cette question sont « environ vingt et un jours » ou « de trois à quatre semaines ». C'est probablement vrai quand il s'agit d'apporter des corrections mineures à votre comportement. Voici un exemple personnel :

LES :

Je me souviens que j'égarais régulièrement mes clés. En rentrant, je stationnais la voiture dans le garage, j'entrais dans la maison et je lançais mes clés n'importe où. Plus tard, au moment de partir pour une réunion, évidemment, je ne trouvais pas mes clés. Pendant que se déroulait la chasse au trésor pour mes clés, mon stress augmentait de façon notoire et lorsque je finissais par les trouver, je partais à la course pour mon rendez-vous, avec vingt-cinq minutes de retard, dans un état d'esprit qu'on ne pourrait décrire comme positif.

La solution à ce problème récurrent était simple. Un jour, j'ai cloué une petite planche de bois au mur face à la porte du garage sur laquelle il y avait deux crochets avec une large inscription : « clés ».

Le lendemain soir en rentrant, j'ai passé devant la « place de stationnement » de mes clés sans regarder et je les ai lancées quelque part dans la pièce. Pourquoi? Parce que c'est ce que j'avais toujours fait. Il m'a fallu près de trente jours d'effort pour les accrocher au mur avant que mon cerveau n'enregistre le message «Ah! nous faisons les choses différemment maintenant» et que la nouvelle habitude s'enracine. Je ne perds plus mes clés, mais il m'a fallu un effort considérable pour me recycler.

Ce qui est fascinant, c'est qu'après avoir répété une nouvelle habitude de vingt et une à trente fois, il est plus difficile de ne pas s'y conformer que de s'y conformer. Avant de pouvoir changer une habitude, il faut savoir depuis combien de temps vous l'avez. Si vous faites la même chose depuis trente ans, il vous faudra peut-être plus que quelques semaines pour modifier votre comportement. Reconnaissez le fait qu'une vieille habitude a de profondes racines. Cela ressemble à essayer de couper une fibre faite de plusieurs fils qui, avec le temps, se sont fusionnés pour devenir un câble solide. Il est très difficile de le briser. Ceux qui fument depuis longtemps savent combien il est difficile de se débarrasser de l'habitude de la nicotine. Certains n'y arrivent jamais même s'il est prouvé que le fait de fumer peut raccourcir considérablement votre espérance de vie.

De même, ceux qui depuis longtemps manquent de confiance en eux ne devraient pas s'attendre à se transformer en individus très confiants, prêts à affronter le monde entier, en vingt et un jours. Il leur faudra peut-être une année ou plus pour développer un ensemble positif de croyance. Ces transitions importantes peuvent affecter à la fois votre vie professionnelle et votre vie personnelle.

Dans le cas de changements d'habitudes, il faut aussi tenir compte de la possibilité que vous retombiez dans vos anciens comportements. Cela peut se produire lorsque le niveau de stress augmente ou que survient une crise imprévue. La nouvelle habitude n'est peut-être pas suffisamment bien ancrée pour résister à ces circonstances et il faudra y consacrer plus de temps et d'effort. Pour s'assurer une cohérence constante, les astronautes utilisent une liste de contrôle pour chaque tâche afin d'obtenir chaque fois le même résultat. Vous pouvez vous créer un système similaire. Il faut simplement pratiquer. Les résultats en valent la peine, comme vous le verrez bientôt.

Imaginez que vous changez quatre habitudes chaque année. Dans cinq ans, vous aurez acquis vingt nouvelles habitudes positives. Posez-vous la question — vingt habitudes positives feront-elles une différence dans vos résultats? Bien sûr. Vingt habitudes gagnantes peuvent vous procurer tout l'argent que vous voulez ou dont vous avez besoin, des relations amoureuses merveilleuses, une meilleure santé et plus d'énergie, sans compter toutes sortes d'opportunités nouvelles. Et si vous avez créé plus de quatre nouvelles habitudes par année? Imaginez les possibilités!

Jusqu'à 90 pour cent de notre comportement naturel est basé sur des habitudes

Comme nous l'avons dit plus haut, plusieurs de nos activités quotidiennes sont routinières. De votre lever le matin jusqu'à votre coucher le soir, il y a des centaines de choses que vous répétez de la même manière. Cela comprend la manière de vous habiller, de vous préparer pour la journée, de prendre votre petit déjeuner, de lire le journal, de brosser vos dents, de vous rendre au travail, de saluer les gens, de disposer votre bureau, de prendre des rendez-vous, de travailler à vos projets, de participer aux réunions, de répondre au téléphone, et ainsi de suite. Si vous faites ces choses depuis des années, vous êtes maintenant ancré dans de solides habitudes. Elles touchent tous les domaines de votre vie, y compris le travail, la famille, les revenus, la santé, les relations et plus encore. L'ensemble de ces habitudes détermine le déroulement de votre vie. En termes simples, c'est votre comportement normal.

Nous sommes des créatures d'habitudes, donc prévisibles. De bien des façons, cela peut s'avérer positif, car les autres peuvent nous considérer crédibles, dignes de confiance et constants. (Il est intéressant de noter que les gens qui sont imprévisibles ont aussi une habitude — celle d'être inconséquents!)

Par contre, si la routine prend trop de place, la complaisance s'installe et la vie devient ennuyeuse. Nous donnons moins que notre pleine mesure. En fait, plusieurs des activités que nous accomplissons pendant une journée normale sont faites de façon inconsciente — sans y penser. Voici ce qu'il faut retenir : votre comportement quotidien normal a de lourdes conséquences dans votre vie. Si vous n'êtes pas satisfait de ces résultats, il faut changer quelque chose.

> LA QUALITÉ DE VIE N'EST PAS
> LE RÉSULTAT D'UNE ACTION,
> C'EST LE RÉSULTAT D'UNE HABITUDE.

LORSQUE BIEN ANCRÉE, UNE NOUVELLE HABITUDE DEVIENT VOTRE NOUVEAU COMPORTEMENT NORMAL

C'est une vraie bonne nouvelle! En remplaçant votre comportement actuel par un nouveau, vous pouvez créer une toute nouvelle façon de faire les choses. Ce nouveau comportement normal devient alors votre nouveau critère de performance et de productivité. En d'autres termes, vous commencez à remplacer simplement vos anciennes mauvaises habitudes par de nouvelles habitudes gagnantes.

Par exemple, si vous êtes toujours en retard aux réunions, votre niveau de stress est probablement élevé et vous vous sentez mal préparé. Pour changer, promettez-vous d'arriver dix minutes avant l'heure de chaque rendez-vous au cours des quatre prochaines semaines. Si vous êtes assez discipliné pour aller jusqu'au bout, vous remarquerez deux choses :

1. La première semaine ou même les deux premières semaines seront difficiles. En fait, il vous faudra probablement vous encourager mentalement pour y arriver.

2. Plus vous arriverez à l'heure souvent, plus cela vous sera facile. Puis, un jour, cela deviendra votre comportement normal. C'est comme si vous aviez été reprogrammé. Vous découvrirez aussi que les avantages du nouveau programme sont bien plus grands que ceux que vous procurait l'ancien.

En améliorant méthodiquement un comportement à la fois, vous pouvez de façon spectaculaire améliorer globalement votre style de vie. Y compris votre santé, vos revenus, vos relations et vos loisirs.

MARK :

J'ai un ami dans la cinquantaine qui a modifié vingt-quatre habitudes alimentaires en deux ans. Avant ces changements, il était fatigué et avait des kilos en trop; il manquait d'énergie et de motivation au travail. L'abus des desserts, les repas rapides et une bouteille de vin par jour faisaient partie de ses mauvaises habitudes. Puis, il a décidé de changer. Il a fallu du temps et beaucoup d'autodiscipline. Avec l'aide d'un bon nutritionniste et d'un entraîneur personnel, il a changé du tout au tout. Il a cessé de boire, il n'a plus de difficulté à éviter les desserts et il mange de plus petites portions d'aliments bien équilibrés qui lui procurent un maximum d'énergie. Il a plus d'enthousiasme au travail et il n'a jamais été si confiant.

Si d'autres peuvent réussir des changements significatifs, pourquoi pas vous? N'oubliez pas que rien ne changera avant que vous ne changiez. Considérez le changement comme un catalyseur positif qui vous donnera plus de liberté et une plus grande tranquillité d'esprit.

> SI VOUS CONTINUEZ À FAIRE
> CE QUE VOUS AVEZ TOUJOURS FAIT,
>
> *Vous continuerez d'obtenir*
> *ce que vous avez toujours eu.*

2.
Comment IDENTIFIER les mauvaises habitudes

CONNAISSEZ LES HABITUDES QUI TRAVAILLENT CONTRE VOUS

Plusieurs de nos habitudes, de nos modèles, de nos particularités et de nos bizarreries sont invisibles, ce qui a amené le célèbre auteur Oliver Wendell Holmes à observer : « Nous avons tous besoin de nous faire enseigner l'évidence. » Examinons donc de plus près les habitudes qui vous nuisent. Vous en connaissez probablement quelques-unes. Voici une liste des plus fréquentes qui nous ont été communiquées par nos clients lors de nos ateliers.

- Négliger de retourner les appels dans un délai raisonnable.
- Arriver en retard aux réunions et aux rendez-vous.
- Mauvaise communication avec les collègues et le personnel.
- Manque de précision face aux attentes, aux objectifs mensuels, aux buts, etc.

- Ne pas se donner assez de temps pour les déplacements entre les rendez-vous à l'extérieur.
- Ne pas s'occuper de la paperasserie rapidement et efficacement.
- Ne pas répondre au courrier sur-le-champ.
- Négliger de payer les factures, ce qui entraîne des pénalités.
- Ne pas suivre d'assez près les comptes clients en souffrance.
- Parler au lieu d'écouter.
- Oublier le nom d'une personne, soixante secondes (ou moins) après qu'on nous l'ait présentée.
- Appuyer sur le bouton de rappel du réveil-matin plusieurs fois le matin avant de se lever.
- Travailler de longues journées sans faire de l'exercice ni pause régulière.
- Ne pas passer assez de temps avec vos enfants.
- Se nourrir de *fast-food* du lundi au vendredi.
- Manger à des heures irrégulières.
- Quitter la maison le matin sans serrer dans ses bras sa femme, son mari, ses enfants et/ou son chien.
- Apporter du travail à la maison.
- Socialiser trop longtemps au téléphone.
- Faire ses réservations à la dernière minute (au restaurant, pour les voyages, le théâtre ou les concerts).
- Ne pas respecter les délais promis, conformément à la demande des autres.
- Ne pas prendre assez de temps pour les loisirs et la famille — se sentir coupable!
- Ne jamais fermer son téléphone portable.
- Répondre au téléphone pendant les repas en famille.
- Contrôler toutes les décisions, particulièrement les choses sans importance que vous devriez déléguer!
- Remettre tout à plus tard, des comptes de taxes au nettoyage du garage.

Maintenant faites votre inventaire en dressant la liste de toutes les habitudes qui vous rendent improductif. Réservez une heure ou plus pour vous consacrer tout entier à cette tâche. Organisez-vous pour ne pas être interrompu. C'est un exercice valable qui vous donnera une base solide pour améliorer vos performances au cours des prochaines années. En fait, ces mauvaises habitudes ou ces obstacles qui vous empêchent d'atteindre vos objectifs vous serviront de tremplin pour votre succès futur. Tant que vous n'aurez pas compris ce qui vous freine, il vous sera difficile de développer des habitudes plus productives. La *Formule des habitudes gagnantes,* à la fin de ce chapitre, vous suggérera des moyens concrets de transformer vos mauvaises habitudes en stratégies de réussite.

Une autre façon d'identifier vos comportements improductifs est de demander l'opinion des autres. Parlez à des gens que vous respectez et que vous admirez, des gens qui vous connaissent bien. Demandez-leur quelles sont les mauvaises habitudes qu'ils ont observées chez vous. Recherchez la cohérence. Si vous parlez à dix personnes et que huit d'entre elles vous disent que vous ne retournez jamais vos appels, soyez attentif. **N'oubliez pas — votre comportement extérieur est la vérité, alors que votre perception intérieure, intime, de votre comportement n'est souvent qu'une illusion.** Si vous êtes ouvert aux opinions honnêtes, vous pourrez vous ajuster plus rapidement et éliminer les mauvaises habitudes pour de bon.

L'ENSEMBLE DE VOS HABITUDES ET DE VOS CROYANCES EST LE PRODUIT DE VOTRE ENVIRONNEMENT

Voici une idée très importante. Il faut comprendre que les personnes que vous fréquentez et l'environnement dans lequel vous vivez influencent fortement votre conduite. Une personne qui a grandi dans un milieu négatif, soumise à des abus physiques ou verbaux continuels, aura une vue du monde différente de celle d'un enfant élevé dans une famille chaleureuse, aimante et qui l'a soutenu. Leur attitude et leur niveau d'estime de soi seront différents. Un environnement où il y a de l'abus crée souvent une impression d'être sans valeur et d'avoir un manque de confiance en soi, sans oublier la peur. Un ensemble de croyances négatives, qui se prolongent à l'âge adulte, peut créer toutes sortes d'habitudes improductives dont l'usage des drogues, la criminalité et l'incapacité de se tracer un plan de carrière.

La pression des pairs peut aussi jouer un rôle négatif ou positif. Si vous fréquentez des gens qui se plaignent sans cesse que les choses vont mal, vous finirez peut-être par les croire. D'autre part, si vous êtes entouré de gens forts qui ont une attitude positive, il est plus probable que vous voyez un monde plein d'opportunités et d'aventures.

Dans son excellent livre, *NLP : The New Art and Science of Getting What You Want,* l'auteur Harry Adler va plus loin:

> Même les petits changements à la racine des croyances fondamentales peuvent produire des modifications étonnantes dans le comportement et la performance. On le voit de façon plus apparente chez les enfants que chez les adultes, car ils sont plus sensibles aux suggestions et changent plus facilement leurs valeurs. Par exemple, des enfants qui croient être bons dans un sport ou dans une matière obtiendront de meilleurs résultats. Ces meilleurs résultats renforceront leur confiance en eux, et ces jeunes continueront d'exceller.

> Dans quelques rares cas, une personne pourra avoir un sentiment dominant qui lui dit « je ne suis bon à rien » et cela aura un effet destructeur sur tout ce qu'elle entreprendra — si tant est qu'elle entreprenne quelque chose. Mais il est beaucoup plus fréquent de voir un mélange de croyances face à soi-même. Certaines de ces croyances sont positives, donc on se les « approprie », et d'autres sont négatives, donc on ne se les « approprie pas ». Un homme pourrait avoir une faible image de soi concernant sa carrière et ne se verrait pas comme un bon « directeur » ou « patron » ou « leader ». Par contre, cette même personne pourrait se voir douée d'un « talent

naturel » pour le sport, les relations sociales, un passe-
temps ou un violon d'Ingres. Il est tout aussi fréquent de
voir, dans le milieu de travail, une femme qui a une haute
considération d'elle-même en termes professionnels —
elle sait qu'elle peut bien faire son travail techniquement
— mais ne pas être satisfaite de sa façon de mener le côté
« politique de bureau ». L'inverse est aussi vrai. Chacun
de nous a donc une gamme de croyances face à lui-même
qui touchent tous les aspects de sa vie au travail, en
société ou en famille. Nous devons être très précis dans
l'identification des croyances qui affectent ce que nous
faisons. Nous devons remplacer les croyances qui nous
empêchent de développer notre pouvoir, de nous prendre
en main, par des croyances qui nous permettent de nous
émanciper.

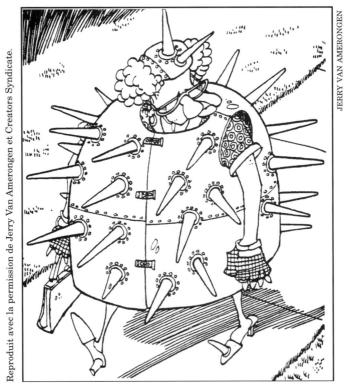

La bonne entente ne fait plus partie
de l'ensemble des convictions de Gloria.

Même si vous avez la malchance d'être issu d'un milieu fortement désavantagé, vous pouvez quand même faire des changements. Vous n'aurez peut-être besoin que d'une seule personne pour vous aider à faire la transition. Un excellent entraîneur, un professeur, un thérapeute, un mentor ou un modèle positif peut avoir un impact extraordinaire sur votre avenir. **La seule condition préalable est que vous devez vous engager à changer.** Lorsque vous serez prêt à le faire, les bonnes personnes croiseront votre chemin pour vous aider. Notre expérience nous a appris la véracité de l'adage « Le maître arrive quand l'élève est prêt ».

3.
Comment CHANGER les mauvaises habitudes

ÉTUDIEZ LES HABITUDES DE CEUX QUI ONT RÉUSSI

Nous l'avons dit plus tôt, ceux qui réussissent ont développé des habitudes gagnantes. Apprenez à observer ces gens et identifier leurs habitudes. Étudiez la vie de ceux qui ont réussi. Comme l'a dit le philosophe des affaires bien connu Jim Rohn : « Ils laissent des indices. » Et si vous interviewiez chaque mois une personne qui a réussi? Invitez-la à un petit-déjeuner ou à un déjeuner et posez-lui beaucoup de questions sur sa discipline, sa routine et ses habitudes. Que lisent ces personnes? De quels clubs ou associations sont-elles membres? Comment planifient-elles leur temps? Si vous écoutez attentivement et prenez de bonnes notes, vous obtiendrez une mine d'idées puissantes en peu de temps. Si votre demande est sincère, les gens qui ont vraiment réussi seront heureux de partager leurs idées. Ils aiment avoir l'occasion de conseiller des gens qui cherchent sérieusement à améliorer leur vie.

JACK et MARK :

Quand nous avons terminé la rédaction de notre premier livre de la série *Bouillon de poulet pour l'âme*, nous avons demandé à des auteurs à succès de notre connaissance — Barbara De Angelis, John Gray, Ken Blanchard, Harvey Mackay, Harold Bloomfield, Wayne Dyer et Scott Peck — quelles stratégies particulières nous devrions adopter pour nous assurer que notre livre deviendrait un best-seller. Toutes ces personnes ont été généreuses en nous donnant leurs idées et leurs observations. Nous avons fait tout ce qu'elles nous ont suggéré. Nous avons pris pour habitude de donner au moins une entrevue à la radio chaque jour, sept jours par semaine pendant deux ans. Nous avons embauché notre propre agent de publicité. Chaque jour, nous avons envoyé cinq livres à des critiques littéraires ou des leaders d'opinion potentiels. Nous avons donné les droits gratuits de reproduction de nos histoires aux journaux et aux magazines. Nous avons proposé des séminaires de motivation à tous ceux qui s'occupaient de la vente de nos livres. Bref, nous avons demandé quelles devraient être nos habitudes pour créer des best-sellers et nous les avons mises en application. À ce jour, nous avons vendu soixante millions de livres dans le monde entier.

Le problème est que la plupart des gens ne demandent pas. Ils se donnent plutôt toutes sortes d'excuses. Ils sont trop occupés, ou se disent que les gens qui réussissent n'auront pas de temps à leur consacrer et, de toute façon, se demandent comment les rejoindre. Les gens qui ont réussi ne se tiennent pas au coin des rues en attendant les entrevues. Évidemment. N'oubliez pas, il faut du travail. Cela signifie que vous devez être ingénieux et trouver des moyens de découvrir où ces gens qui ont réussi travaillent, vivent, mangent, et les endroits qu'ils fréquentent. Faites-en un jeu. Amusez-vous. Cela en vaut la peine! (Au chapitre 5, qui met le *focus* sur « Développer d'excellentes relations », vous apprendrez comment trouver et entrer en contact avec des mentors qui ont réussi.)

Il y a un autre moyen de connaître les gens qui ont réussi : lisez leur autobiographie ou leur biographie. Il en existe des centaines. Ce sont de belles histoires vraies remplies d'idées, et vous trouverez ces livres à la bibliothèque ou à la librairie de votre quartier. Lisez-en un par mois et en un an, vous en aurez appris plus que dans bien des cours universitaires.

De plus, soyez à l'affût des documentaires télévisés consacrés aux gens qui ont réussi. Nous avons, tous trois, acquis une autre habitude : celle d'écouter des cassettes de motivation et d'information pendant que nous conduisons nos autos, faisons nos exercices ou marchons. Si vous écoutez de telles cassettes trente minutes par jour, cinq jours par semaine, dans dix ans, vous aurez eu accès à plus de mille trois cents heures d'information nouvelle et utile. C'est une habitude acquise par presque toutes les personnes de notre connaissance qui ont réussi : elles écoutent des cassettes. (À la page 344, vous trouverez une liste des meilleures dans notre Guide ressources.)

Notre ami Jim Rohn dit : « Si vous lisez chaque mois un livre traitant de votre secteur d'activité, dans dix ans vous aurez lu 120 livres. Cela vous placera dans le *top* 1% de votre secteur. » À l'inverse, Jim ajoute sagement : « **Tous les livres que vous n'avez pas lus ne peuvent pas vous aider!** » Visitez les magasins spécialisés qui vendent les cassettes audio et vidéo des meilleurs formateurs du développement personnel et des chefs de file du monde des affaires. Toute cette information fantastique est là et vous attend. Alors régalez-vous et voyez comment vos connaissances augmenteront. Bientôt, si vous mettez en pratique ce que vous avez appris, votre revenu s'envolera également vers des sommets.

PRENEZ L'HABITUDE
DE CHANGER VOS HABITUDES

Les gens qui sont riches dans tous les sens du terme ont compris que la vie est une suite d'expériences d'apprentissage. Ce n'est jamais terminé. Apprenez à constamment raffiner vos habitudes. Il y a toujours un nouveau niveau à atteindre, peu importe votre compétence actuelle. Si vous cherchez toujours à vous améliorer, vous formez votre caractère. Vous devenez une meilleure personne et vous avez plus à offrir. C'est un voyage excitant qui vous mènera finalement à la plénitude et à la prospérité. Malheureusement, il nous arrive parfois d'apprendre des leçons à nos dépens.

LES :

Avez-vous déjà eu des pierres au rein? Ce n'est pas drôle et c'est un bon exemple de la manière dont les mauvaises habitudes peuvent rendre la vie misérable.

Après avoir consulté mon médecin, il est devenu évident que la source de mes souffrances était ma mauvaise alimentation. Les conséquences se sont manifestées sous la forme de plusieurs grosses pierres. Nous avons conclu que la meilleure manière de les enlever était la lithotritie. C'est une technique au laser qui ne prend qu'une heure et le patient est sur pied au bout de quelques jours.

Avant cet incident, j'avais organisé un week-end spécial père-fils à Toronto. Mon fils venait d'avoir neuf ans et il n'était jamais allé à Toronto. Notre équipe favorite de football jouait dans la finale nationale et les Kings de Los Angeles, l'équipe de hockey préférée de mon fils, étaient en ville. Nous avions prévu prendre l'avion le samedi matin. Ma lithotritie devait avoir lieu le mardi d'avant, ce qui, à mon avis, me donnait amplement le temps de récupérer avant le vol.

Cependant, le vendredi après-midi, après une crise sérieuse de coliques rénales et trois jours de douleurs atroces qui n'étaient soulagées que par des injections régulières de morphine, mon voyage surprise avec mon fils semblait compromis. Encore les conséquences! Heureusement, à la dernière minute, mon médecin m'a déclaré apte à voyager et a signé mon congé de l'hôpital.

Nous avons eu un week-end extraordinaire. Notre équipe de football a gagné, nous avons vu un très bon match de hockey, et mon fils et moi partageons des souvenirs inoubliables. Dire que j'ai failli rater cette occasion merveilleuse à cause de mes mauvaises habitudes!

Je suis maintenant déterminé à ne jamais plus souffrir de pierres au rein. Je bois dix verres d'eau par jour et j'évite les aliments qui peuvent causer la formation de pierres. Le prix à payer est bien minime. De plus, mes nouvelles habitudes m'ont permis d'éviter bien d'autres problèmes, du moins jusqu'à présent.

Nous avons raconté cette histoire pour montrer comment la vie nous fait toujours payer le prix de nos actes. Avant de vous embarquer dans une voie, soyez certain de regarder vers l'avant. Êtes-vous en train de vous créer des conséquences négatives ou des récompenses potentielles? Réfléchissez bien. Faites des recherches. Posez des questions avant d'adopter de nouvelles habitudes. Si vous le faites, vous profiterez plus des nombreux plaisirs de la vie et vous n'aurez pas à demander à grands cris qu'on vous donne de la morphine pour apaiser vos souffrances!

Maintenant que vous savez comment vos habitudes fonctionnent vraiment et comment les identifier, terminons par la partie la plus importante — comment changer vos habitudes de façon permanente.

4.
La formule
des habitudes gagnantes

C'est une méthode par étapes qui vous aidera à acquérir de meilleures habitudes. Elle fonctionne parce qu'elle est simple. Vous n'avez pas besoin d'une stratégie compliquée. Cette grille peut s'appliquer à tous les domaines de votre vie, professionnelle ou personnelle. Si vous la mettez en pratique de façon constante, elle vous aidera à réussir tout ce que vous désirez. Il y a trois étapes fondamentales.

IDENTIFIEZ CLAIREMENT
VOS MAUVAISES OU STÉRILES HABITUDES

Il est important que vous réfléchissiez aux conséquences éventuelles de vos mauvaises habitudes. Elles ne se manifesteront peut-être pas demain, ni la semaine prochaine, ni le mois prochain. Leurs véritables incidences pourraient ne se produire que dans plusieurs années. Pris une journée à la fois, votre comportement improductif ne semble peut-être pas si sérieux.

Le fumeur se dit : « Quelques cigarettes changeront quoi aujourd'hui? Elles m'aident à relaxer. Je n'ai pas de difficulté à respirer, je ne tousse pas. » Pourtant, les jours s'accumulent et vingt ans plus tard, dans le bureau du médecin, les radiographies sont probantes. Pensez à ceci : Si vous fumez dix cigarettes par jour pendant vingt ans, cela fait soixante-treize mille cigarettes. Croyez-vous que soixante-treize mille cigarettes peuvent affecter vos poumons? Évidemment! En fait, les conséquences pourraient être fatales.

Ainsi, quand vous analysez vos propres mauvaises habitudes, pensez à leurs conséquences à long terme. Soyez totalement honnête. Votre vie pourrait en dépendre.

DÉFINISSEZ
VOTRE NOUVELLE HABITUDE GAGNANTE

Règle générale, il s'agit de l'opposé de votre mauvaise habitude. Pour notre fumeur, ce serait « Cesser de fumer ». Qu'allez-vous faire concrètement? Pour vous motiver, pensez à tous les avantages et à toutes les récompenses qui viendront avec votre nouvelle habitude gagnante. Cela vous aidera à vous faire une idée claire de ce que cette nouvelle habitude vous procurera.

Plus saisissante sera votre description des avantages, plus vous serez susceptible de passer à l'action.

PRÉPAREZ UN PLAN D'ACTION

C'est ici que tout se joue. Dans notre exemple du fumeur, il y a plusieurs options. Lisez de la documentation sur l'abandon du tabac. Suivez une thérapie par l'hypnose. Quand l'envie se fait pressante, remplacez la cigarette par autre chose. Faites un pari avec un ami pour vous rendre plus responsable. Entreprenez un programme d'exercices au grand air. Utilisez le traitement aux timbres de nicotine. Évitez les autres fumeurs. La chose importante est de décider quels seront les gestes précis que vous poserez.

Vous devez passer à l'action. Commencez par une habitude que vous voulez vraiment changer. *Focalisez votre attention* immédiatement sur vos trois étapes fondamentales et mettez-les en pratique. Faites-le maintenant.

**N'oubliez pas que rien ne changera
si vous ne changez pas vous-même.**

Conclusion

Désormais, vous connaissez le vrai fonctionnement des habitudes et comment identifier les mauvaises. De plus, vous disposez d'une méthode qui a fait ses preuves et qui vous mettra sur la voie de vos nouvelles habitudes gagnantes. Elle est aussi efficace pour améliorer vos habitudes de travail que vos habitudes dans votre vie personnelle. Nous vous incitons fortement à compléter le *Plan d'action* qui est décrit à la fin de ce chapitre. Ce n'est qu'en mettant sur papier votre décision de changer et de vous engager dans cette *Formule des habitudes gagnantes* que les véritables avantages vous apparaîtront clairement. Ce n'est pas suffisant de garder ces informations dans votre tête, car vous les oublierez rapidement. Nous voulons que vous viviez une transformation — dans vos résultats et dans votre style de vie. Le prochain chapitre renforcera cette base solide. Il traite de la manière de *centrer votre attention* sur votre force. Attendez-vous à des découvertes importantes.

PLAN D'ACTION

Les personnes qui ont réussi
et que je désire interviewer

La formule
des habitudes gagnantes

A. Les personnes qui ont réussi et que je désire interviewer

Dressez une liste de personnes que vous respectez, qui ont déjà très bien réussi. Fixez-vous comme objectif d'inviter chacune d'elles à un petit-déjeuner ou à un déjeuner, ou prenez rendez-vous pour les rencontrer à leur bureau. N'oubliez pas d'apporter un carnet de notes ou un magnétophone pour noter leurs meilleures idées.

Nom	Téléphone	Date d'entrevue
1.		
2.		
3.		
4.		
5.		

B. La formule des habitudes gagnantes

Étudiez les exemples qui suivent. Il y a trois parties — A, B et C. Dans la partie A, décrivez l'habitude qui vous nuit. Soyez précis. Ensuite, évaluez les conséquences si vous continuez à répéter ce comportement. Chacune de vos actions a des conséquences. Les mauvaises habitudes (les comportements négatifs) entraînent des conséquences négatives. Les bonnes habitudes (les comportements positifs) apportent des avantages et des récompenses.

Dans la partie B, décrivez votre nouvelle habitude gagnante. En général, il vous suffira d'écrire le contraire de la partie A. Si votre mauvaise habitude était *Aucune épargne en vue de l'avenir*, votre nouvelle habitude pourrait être *Épargner 10 pour cent de tout ce que je gagne*. Dans la partie C, faites une liste des trois actions que vous entreprendrez pour que votre nouvelle habitude gagnante devienne réalité. Soyez précis. Choisissez une date et... au travail!

A. L'habitude qui me nuit

EXEMPLE :   CONSÉQUENCES :

Pas d'épargnes ou d'investis-   Devrai continuer à travailler à
sements pour l'avenir.   l'âge de la retraite, pas de liberté
Dépense tout ce que je gagne.   de choix, pauvreté.

B. Nouvelle habitude gagnante

EXEMPLE :   CONSÉQUENCES :

Investir 10 pour cent de   Aucune dette, choix de mon
chaque dollar que je gagne.   propre style de vie, beaucoup de
                                 loisirs, indépendance financière.

C. Le plan d'action en trois étapes pour démarrer ma nouvelle habitude

1. Retenir les services d'un excellent planificateur financier pour m'aider à préparer une stratégie à long terme.

2. Ouvrir un compte de déduction mensuelle automatique pour investir.

3. Établir la liste de mes dépenses et éliminer les dépenses inutiles.

Date de mise en action : lundi, 5 mars.

A. L'habitude qui me nuit

EXEMPLE :

Je me laisse distraire et interrompre à tout moment pendant ma journée de travail.

CONSÉQUENCES :

Tâches prioritaires jamais terminées, moins de temps pour les activités lucratives, plus de stress, heures de travail plus longues, moins de temps avec ma famille.

B. Nouvelle habitude gagnante

EXEMPLE :

Embaucher un adjoint pour filtrer mes appels, pour réduire les interruptions et pour m'aider avec la paperasse.

CONSÉQUENCES :

Capable de terminer mes projets, plus de temps pour les activités lucratives, moins de stress, plus d'énergie, meilleur équilibre à la maison.

C. Le plan d'action en trois étapes pour démarrer ma nouvelle habitude

1. Préparer une description de tâche idéale pour mon adjoint.

2. Placer une annonce, interviewer et choisir le meilleur candidat.

3. Lui donner une bonne formation.

Date de mise en action : mardi, 6 juin.

Sur une feuille séparée, utilisez cette grille pour y inscrire vos habitudes et vos plans d'action.
FAITES-LE MAINTENANT!

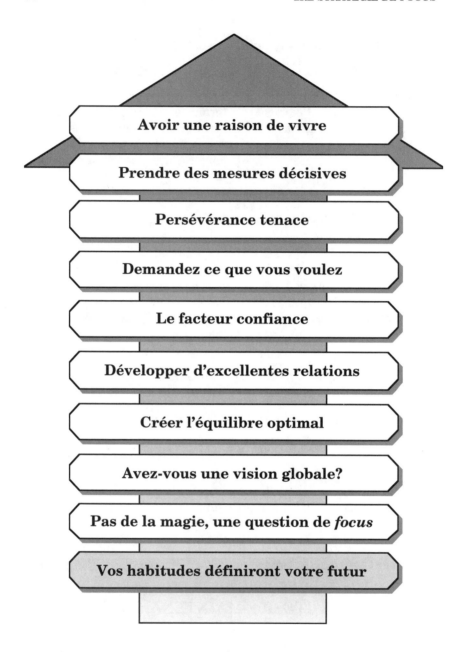

Vous avez complété la première étape — bravo!

2ᴱ STRATÉGIE DE *FOCUS*

Pas de la magie, une question de *focus*

« Je n'aurais jamais pu me passer des habitudes
de ponctualité, d'ordre et de diligence...
la détermination à me concentrer
sur un sujet à la fois. »
— CHARLES DICKENS

Le dilemme de l'entrepreneur.

Si vous êtes propriétaire de votre entreprise ou si vous prévoyez l'être bientôt, vous devez connaître le dilemme de l'entrepreneur. (Vous pouvez également transposer ceci si vous faites partie de la direction ou exercez toute autre fonction d'administration.) Voici le scénario : vous avez une idée géniale pour vendre un nouveau produit ou offrir un service unique. Vous vous imaginez que vous pouvez le faire mieux que quiconque et, bien sûr, vous ferez beaucoup d'argent.

Initialement, le but premier de l'entreprise est de se trouver de nouveaux clients et de garder ceux que vous avez déjà. Ensuite, il faut faire un juste profit. Au départ, beaucoup de petites entreprises en démarrage manquent de capitaux. Il en résulte que l'entrepreneur doit porter plusieurs chapeaux, surtout au cours de la première année, et consacrer de longues journées et des nuits à son entreprise, sans beaucoup de temps de loisir. Pourtant, c'est une période excitante où on négocie des contrats, rencontre les clients potentiels et améliore le produit ou le service.

À mesure que les choses avancent, il faut ajouter des gens et des systèmes pour assurer la stabilité. Graduellement, l'entrepreneur est de plus en plus accaparé par des tâches administratives. La paperasserie augmente et ce qui était à l'origine un projet passionnant devient une routine quotidienne où on passe beaucoup plus de temps à éteindre les feux, à gérer les problèmes de personnel, les défis fiscaux et le fonds de roulement mensuel.

Cela vous dit quelque chose? Dites-vous que vous n'êtes pas seul. En soixante-dix-neuf ans de notre expérience d'affaires cumulative, nous l'avons vécu très souvent. Le dilemme est aggravé parce que plusieurs entrepreneurs (et gestionnaires) sont contrôlants. Ils ont beaucoup de difficulté à déléguer, à permettre à d'autres personnes de faire leur part. La délégation n'est pas leur plus grande qualité et, bien sûr, ils ont un attachement émotif à l'entreprise. Après tout, ils l'ont créée, l'ont soignée et l'ont nourrie. Ils connaissent chaque détail et, dans leur esprit, personne ne peut accomplir ces importantes tâches journalières mieux qu'eux.

C'est le pire des cercles vicieux. Vous ne pouvez vous occuper des nouvelles occasions qui se présentent, des plus gros contrats à signer, parce que vous êtes prisonnier de la routine quotidienne. C'est frustrant. Vous vous dites alors : « Si je travaillais plus fort et si je suivais un cours de gestion du temps, je pourrais tout faire. » Cela ne vous sera d'aucun secours. Travailler plus fort et plus longtemps ne règlera pas votre dilemme. Croyez-nous, nous l'avons essayé à de nombreuses reprises. Quelle est la solution? La voici, en une seule phrase : **Vous devez consacrer à chaque semaine la plus grande partie de votre temps à ce que vous faites le mieux et laisser les autres faire ce qu'ils font le mieux.**

En un mot, voilà votre solution.

Centrez votre attention sur les activités auxquelles vous excellez et desquelles vous obtenez des résultats extraordinaires. Si vous ne le faites pas, vous ne réussirez probablement qu'à augmenter votre stress et à vous mener vers un burn-out. Ce n'est pas une perspective attrayante. Vos activités brillantes vous donnent de l'énergie, entretiennent votre enthousiasme et vous donnent le temps d'exploiter toutes les nouvelles occasions d'affaires. Vous vous demandez pourtant comment vous libérer de toutes ces choses qui mangent votre temps. Vous avez raison. Elles ne disparaîtront pas. Plus loin dans ce chapitre, vous apprendrez comment faire face à ces contraintes et vous en débarrasser.

Carl est une de ces personnes qui a décidé de jouer les cartes qu'il avait en main.

1.
Focaliser votre attention sur vos talents NATURELS

Vous devez absolument comprendre ceci. Pour vous aider à y arriver, allons jeter un coup d'œil dans le monde de la musique *rock and roll*.

Les Rolling Stones sont un des groupes les plus productifs et les plus durables de l'histoire du *rock and roll*. Leur carrière dure depuis quarante ans. Mick Jagger et ses trois amis ont dépassé la cinquantaine et leurs concerts se donnent encore dans des stades à guichet fermé partout dans le monde. Vous n'aimez peut-être pas leur musique, mais il est difficile de nier leur succès.

Allons dans les coulisses, juste avant que leur concert commence... La scène est prête. Il a fallu plus de deux cents personnes pour ériger cette énorme structure haute de plusieurs étages et aussi longue qu'un demi-terrain de football. Il a fallu un convoi de plus de vingt camions-remorques pour la transporter jusqu'ici. Deux avions privés transportent le personnel-clé, incluant le groupe, d'une ville à l'autre. C'est une opération gigantesque. Leur tournée mondiale de 1994 a rapporté un profit de plus de 120 millions $. De toute évidence, un effort bien récompensé!

Une limousine arrive derrière la scène. Les quatre membres du groupe en descendent et attendent leur signal d'entrée en scène. On peut voir qu'ils sont un peu nerveux et excités au moment où soixante-dix mille personnes se mettent à crier à l'annonce de leur nom. Les Stones montent sur scène et prennent leurs instruments. Pendant les deux heures qui suivent, ils donnent une performance brillante et leur légion de fans retournent alors chez eux heureux et satisfaits. Après le dernier rappel, les artistes saluent, remontent dans la limousine qui les attend et sortent du stade.

Ce sont des maîtres dans l'art de mettre leur *Focus sur les priorités*. Cela signifie qu'ils ne se concentrent que sur ce qu'ils font brillamment — enregistrer et donner des spectacles sur scène — rien d'autre. Prenez-en note. Après la planification initiale, ils ne s'occupent pas du transport de l'équipement, ni de l'itinéraire complexe de la tournée, ni de monter la scène, ni des centaines d'autres tâches que nécessite une tournée réussie et profitable. Ils laissent à d'autres personnes compétentes le soin de s'occuper de ces choses. Les Stones se concentrent sur ce qu'ils font le mieux — chanter et donner des spectacles.

Voici un message important pour vous, cher lecteur : **Lorsque vous centrez le plus possible votre temps et vos énergies à faire les choses que vous faites brillamment, vous récoltez éventuellement de généreuses récompenses.** C'est une vérité fondamentale et elle est cruciale pour votre succès futur.

PRATIQUEZ, PRATIQUEZ, PRATIQUEZ

Prenons quelques autres exemples. Le sport en est un bon. Chaque athlète champion *focalise son attention* sur ses talents exceptionnels et cherche constamment à améliorer son niveau de performance. Peu importe le sport choisi, tous les champions ont un point commun. Ils passent la plus grande partie de leur temps à garder le *focus* sur leurs forces, sur les choses pour lesquelles ils ont un talent naturel. Ils gaspillent très peu de temps à des activités non productives. De plus, ils pratiquent, pratiquent et pratiquent encore, souvent plusieurs heures par jour, pour perfectionner leur art.

La très célèbre vedette du basketball, Michael Jordan, a fait des centaines de tirs en suspension par jour, chaque jour, sans exception. George Best, un des meilleurs footballeurs (*soccer*) du monde au cours des années soixante, restait souvent sur le terrain longtemps après le départ des autres joueurs. George savait que ses pieds étaient son principal atout. Il plaçait des ballons à des distances différentes des buts et raffinait sans cesse ses talents de marqueur. Il en est résulté qu'il a été le meilleur buteur du Manchester United pendant six saisons consécutives. C'est ce genre de discipline qui mène au génie.

Observez les meilleurs, ils consacrent très peu de temps à leurs points faibles. Plusieurs de nos systèmes scolaires devraient prendre note de ceci. Souvent, on dit aux enfants de focaliser leur attention sur leurs faiblesses et de passer moins de temps sur les sujets où ils réussissent. On dit aux enfants qu'il faut développer le plus d'habiletés possible dans le plus grand nombre de sujets au lieu de garder le *focus* sur quelques-uns. Erreur! Comme le disait le formateur en affaires Dan Sullivan : « Si vous consacrez trop de temps à améliorer vos points faibles, vous vous retrouverez finalement avec plusieurs fortes faiblesses! » Ce n'est pas ainsi que vous obtiendrez une position compétitive dans le marché ou que vous vous acheminerez vers la richesse. Cela vous maintiendra juste dans la moyenne. En fait, c'est une insulte à votre intégrité de vous spécialiser dans les choses secondaires.

Il est très important de bien distinguer vos forces et vos faiblesses. Il est probable que vous êtes doué pour plusieurs choses, et même génial dans certaines. Dans d'autres domaines, vous êtes compétent et, si vous êtes honnête, il y a des domaines où vous êtes totalement nul. En utilisant une échelle de 1 à 10, vous devriez classer chacune de vos habiletés, un point pour les plus faibles et 10 points pour celles où vous excellez. Dans la vie, vous recevrez vos plus grandes récompenses en consacrant la grande majorité de votre temps aux domaines où vous avez inscrit un 10 sur l'échelle de vos talents.

Pour bien déterminer vos domaines d'excellence, posez-vous quelques questions. Quelles sont les choses que vous faites sans effort — sans beaucoup d'étude ou de préparation? Quelles sont celles que vous faites et que les autres trouvent difficiles? Ils s'émerveillent de votre talent et ne parviennent même pas à l'égaler. Quelles sont les opportunités, dans le marché d'aujourd'hui, pour les domaines de votre génie? Que pourriez-vous créer en utilisant vos talents uniques?

DÉCOUVREZ VOTRE GÉNIE

Dieu nous a tous gratifiés de quelques talents naturels. Une grande partie de votre vie consiste à les découvrir puis à les utiliser au meilleur de vos habiletés. Plusieurs personnes mettent des années à les découvrir et d'autres ne parviennent jamais à identifier leurs plus grands talents. En conséquence, la vie leur apporte moins de satisfaction. Ces gens ont tendance à avoir de la difficulté parce qu'ils passent une grande partie de leur temps à des emplois ou dans des entreprises qui ne conviennent pas à leurs points forts. C'est comme essayer de rentrer de force une cheville carrée dans un trou rond. C'est irréalisable et source de beaucoup de stress et de frustration.

Jim Carrey, comédien et étoile du cinéma qui exige 20 millions de dollars US ou plus par film, possède un talent unique. Son visage et son corps peuvent faire toutes sortes de

contorsions inhabituelles. Parfois, il semble fait de caoutchouc. Adolescent, il passait des heures tous les jours à se
pratiquer devant le miroir. Il a aussi réalisé qu'il excellait
dans les imitations et, à ses débuts sur le circuit de la comédie, il en a fait son numéro.

En route vers la célébrité, Carrey a relevé plusieurs défis.
À un certain moment, il a pris un congé sabbatique de deux
ans, aux prises avec un manque de confiance et de l'incertitude. Cependant, il était si convaincu de son génie comique
qu'il a persisté jusqu'à ce qu'on lui offre le rôle principal dans
le film *Ace Ventura — Pet Detective*. Ce rôle lui a donné l'occasion de faire des choses tout à fait bizarres. Le film a connu
un grand succès au box-office et l'a propulsé comme célébrité
sensationnelle. Notez qu'au début de sa carrière, il n'a pas
cherché à jouer des rôles dramatiques. Son suprême talent
était la comédie insolite. Sa grande confiance en ses talents
plus les nombreuses heures de pratique quotidienne ont fini
par porter fruit.

Carrey a augmenté son *focus* en faisant appel à la visualisation. Il s'est fait un chèque de 10 millions $US pour
« Services rendus », l'a postdaté et le traînait dans sa poche.
Pendant les périodes difficiles, il allait s'asseoir sur une col-
line tranquille dominant Los Angeles et il imaginait être une
vedette du cinéma. Ensuite, il ressortait son chèque pour se
rappeler qu'il connaîtrait bientôt le succès. Il est intéressant
de noter que, quelques années plus tard, il a signé un contrat
de plus de 10 millions $US pour être la vedette du film *The
Mask*. La date? Presque la même qu'il avait écrite sur le chèque qu'il avait gardé si longtemps dans sa poche.

Centrer son attention sur les priorités donne des résultats. Faites-en une de vos activités quotidiennes, et vous verrez votre productivité et vos revenus augmenter très
rapidement. Nous avons une méthode pratique qui vous facilitera la tâche et qui vous permettra d'identifier vos talents
uniques. On l'appelle *Atelier : Focus sur les priorités* et elle
est exposée à la page 78. Vous devez absolument savoir clairement ce que vous faites pendant votre semaine typique.

Cette vérification de la réalité est habituellement très révélatrice. En un mot, vous faites une liste de toutes les tâches que vous accomplissez au travail lors d'une semaine typique.

La plupart des gens arrivent à un total se situant entre 10 et 20 tâches. Un de nos clients en a compté quarante! Il ne faut pas être grand clerc pour comprendre qu'on ne peut faire quarante tâches par semaine et être vraiment centré. Même réduite à vingt activités, votre liste est encore trop longue. Vous vous éparpillez et êtes sujet aux interruptions et aux distractions.

Bien des gens sont renversés de constater à quel point leur semaine est fragmentée. Nous entendons souvent des commentaires comme « débordé », « hors de contrôle » et « super stressé ». Pourtant, vous prendrez un bon départ en répondant au questionnaire de l'*Atelier : Focus sur les priorités* à la fin de ce chapitre. Vous apprendrez au moins à quoi vous passez votre temps. Si vous avez de la difficulté à vous souvenir de toutes les choses que vous faites (c'est déjà un signe qu'il y en a trop), vous pouvez vous faire une feuille de temps. Il suffit de noter, par tranches de 15 minutes, tout ce que vous faites. Gardez une tablette à votre portée. Notez tout pendant quatre ou cinq jours et vous aurez ainsi un dossier très précis. Il faut un peu de discipline mais vous verrez que ça en vaut la peine. Vous saurez très clairement comment vous investissez, ou gaspillez, votre temps.

Après avoir fait l'*Atelier : Focus sur les priorités*, l'étape suivante consiste à noter trois domaines où vous êtes génial dans votre travail. Vous vous souvenez de la définition du génie? Ce sont les activités que vous faites sans effort, qui vous donnent de l'énergie, et qui génèrent les meilleurs résultats et les plus hauts revenus pour votre entreprise. Incidemment, si vous ne vous occupez pas directement des activités qui génèrent des revenus, qui s'en occupe? Ces gens sont-ils brillants dans cette tâche? Si ce n'est pas le cas, il est probable que vous ayez de graves décisions à prendre très bientôt.

Voici maintenant la prochaine question importante : Au cours d'une semaine normale, quel pourcentage de votre temps consacrez-vous aux activités où vous excellez? Soyez bien honnête. La réponse est souvent de 15 à 25 pour cent. Même si vous consacrez entre 60 et 70 pour cent de votre temps de façon profitable, il y a place à l'amélioration. Et si vous pouviez augmenter à 80 ou 90 pour cent? N'oubliez pas que vos revenus sont directement proportionnels au temps que vous consacrez aux activités où vous êtes génial.

> LE NIVEAU DE VOTRE GÉNIE
> DÉTERMINERA L'IMPORTANCE
> DE VOS CHANCES DANS LA VIE.

La prochaine étape consiste à choisir sur votre liste originelle d'activités hebdomadaires trois choses que vous n'aimez pas faire, que vous faites sans enthousiasme, ou pour lesquelles vous n'avez aucun talent. Il n'y a pas de honte à admettre que vous avez quelques points faibles. Les réponses les plus fréquentes dans ce cas sont la paperasserie, la comptabilité, la prise de rendez-vous et les appels de suivi. On retrouve habituellement sur cette liste la foule de petits détails qui font qu'un projet est mené à bon terme. Il est évident qu'il faut s'en occuper, mais pourquoi serait-ce nécessairement vous?

Avez-vous remarqué que ces activités drainent votre énergie au lieu de vous en donner? Si c'est votre cas, il est temps de vous réveiller! Plus vous persistez à faire des tâches que vous détestez, plus vous vous dites qu'elles sont futiles. Comme le dit la conférencière réputée Rosita Perez : « Quand le cheval est mort, il est temps d'en descendre! » Cessez de vous flageller. Il y a d'autres choix possibles.

2.
Êtes-vous un INITIATEUR ou un finisseur?

Voici un bon moment pour examiner pourquoi vous aimez faire certaines choses et d'autres pas. Posez-vous la question : *Suis-je un initiateur ou un finisseur?* Il est probable que vous faites les deux jusqu'à un certain point, mais lequel des deux faites-vous le plus souvent? Si vous êtes un initiateur, vous aimez créer de nouveaux projets, de nouveaux produits et de nouvelles idées qui améliorent les choses. Le problème des initiateurs est qu'ils ne sont pas très efficaces comme finisseurs. Les petits détails dont nous avons parlé plus haut? Ils ennuient les initiateurs. La plupart des entrepreneurs sont d'excellents initiateurs. Mais après avoir lancé le projet, ils ont tendance à l'abandonner pour passer à autre chose. Et il arrive souvent qu'ils laissent derrière eux un véritable fouillis. Il faut alors que d'autres personnes s'en occupent. On les appelle les finisseurs. Les finisseurs aiment terminer des projets. Ils ne sont souvent pas très habiles à initier des choses (c'est le domaine des initiateurs); cependant, ils excellent quand vient le temps de prendre les choses en main, d'évaluer ce qu'il faut faire et de s'assurer que les détails sont réglés efficacement.

Sachez donc qui vous êtes. Il est vraiment utile que vous connaissiez vos tendances naturelles. Si vous êtes un initiateur, vous pouvez cesser de vous sentir coupable parce que vous ne terminez jamais rien. Voici la clé : trouvez un finisseur brillant qui s'occupera des détails et, à vous deux, vous lancerez et terminerez beaucoup plus de projets.

Voici un exemple pratique. Le livre que vous lisez actuellement est parti d'une idée. La rédaction de ce livre — la création des synopsis des chapitres, le développement du contenu de chaque chapitre et l'assurance d'avoir un cheminement logique des idées — est essentiellement le travail d'un initiateur. Chacun des trois auteurs a joué un rôle important dans cette partie du projet. Cependant, pour en arriver au produit fini — la révision, la mise en page, l'impression, la publication et la distribution — il a fallu faire appel à une foule d'autres personnes qui sont de grands finisseurs. Sans elles, le manuscrit original aurait traîné sur les tablettes pendant des années. Voici la prochaine question importante que vous devez vous poser : qui d'autre pourrait faire les choses que vous n'aimez pas faire ?

Par exemple, si vous n'aimez pas la tenue de livres, trouvez un bon comptable. Si vous n'aimez pas prendre vos rendez-vous, demandez à un bon secrétariat téléphonique de vous aider. Vous n'aimez pas la vente ou « motiver » les gens ? Vous avez peut-être besoin d'un formidable directeur des ventes qui pourra recruter, former et suivre les résultats hebdomadaires de votre équipe de vente. Si le temps des impôts vous frustre, faites appel à un fiscaliste exceptionnel.

Réfléchissez avant de dire : « Je n'ai pas les moyens de m'offrir les services de ces gens — c'est beaucoup trop cher. » Combien de temps récupérerez-vous en déléguant efficacement les tâches que vous n'aimez pas de toute façon ? Vous déléguez ou vous stagnez. Vous pouvez prévoir embaucher ces gens de façon graduelle ou penser à confier ces tâches à des sous-traitants, à temps partiel pour ne pas trop gonfler vos frais fixes.

Une de nos clientes qui possède une entreprise florissante à domicile a trouvé une solution originale. Elle a retenu les services d'une femme qui vient faire sa comptabilité tous les mercredis matin. La même personne fait ensuite le ménage dans la maison pendant l'après-midi. Elle aime les deux tâches, elle a toujours fait du bon travail, et c'était efficace et économique.

3.
Si vous vous sentez DÉBORDÉ, demandez de l'aide!

APPRENEZ À VOUS LIBÉRER
DES « TRUCS SECONDAIRES » DANS VOTRE VIE

Si vous êtes dans la situation où vos affaires prennent de l'expansion et que votre rôle dans l'entreprise vous demande de mieux *focaliser votre attention,* une bonne façon d'absorber la charge de travail supplémentaire est d'embaucher un adjoint. Si vous trouvez la bonne personne, il est assuré que votre vie s'en trouvera incroyablement améliorée. Examinons de plus près cette stratégie-clé. En premier lieu, un adjoint n'est pas quelqu'un qui partage son temps avec deux ou trois autres personnes. Un véritable adjoint est exclusivement à votre service. Il ou elle excelle à faire ce que vous n'aimez pas ou ce que vous ne devriez tout simplement pas faire. Son rôle principal est de vous libérer des détails courants qui embourbent votre semaine de travail. Son rôle est de vous protéger pour vous permettre de garder entièrement votre *focus* sur les activités où vous excellez.

Votre santé future dépend du choix judicieux de cette personne-clé. Choisissez la bonne personne et votre vie s'en trouvera grandement simplifiée, votre niveau de stress diminuera et vous aurez beaucoup plus de plaisir. Choisissez la mauvaise et vous ne ferez qu'aggraver vos problèmes actuels.

Voici quelques conseils : d'abord, dressez la liste de toutes les tâches que vous voulez déléguer entièrement à cette personne. La plupart de ces tâches sont celles que vous ne voulez plus sur votre propre liste d'activités de la semaine. Pendant l'entrevue, demandez aux trois meilleurs candidats de remplir une formule d'évaluation personnelle de profil. Il en existe d'excellentes sur le marché. (Voir le Guide ressources, page 344.)

DILBERT reproduit avec l'autorisation de United Feature Syndicate, Inc.

Vous pouvez préparer le profil du candidat ou de la candidate idéale avant de recruter. Comparez le profil des trois meilleurs candidats au profil idéal. Règle générale, la personne qui se rapproche le plus de votre profil idéal sera la meilleure candidate pour le poste. Bien sûr, il vous faudra tenir compte d'autres facteurs comme l'attitude, l'honnêteté, l'intégrité, les antécédents et autres.

Prenez garde de ne pas embaucher une personne qui vous ressemble. Souvenez-vous que vous voulez que cette personne soit un complément à vos habiletés. Si vous embauchez une personne qui aime ou déteste les mêmes choses que vous, vous courez à la catastrophe.

Quelques autres observations à retenir : si vous êtes du type contrôlant, une personne qui ne délègue pas facilement, il est essentiel que vous capituliez totalement devant votre adjoint! Avant de paniquer à la vue du mot *capituler*, réfléchissez. Les contrôlants sont convaincus que personne ne peut faire les choses aussi bien qu'eux. Peut-être. Cependant, si votre adjoint pouvait faire ces choses aussi bien que vous à 75% dès le départ? Une bonne formation et une bonne communication chaque semaine pourraient amener le bon adjoint à finalement faire ces choses aussi bien que vous, et même mieux dans plusieurs cas. Alors, pourquoi n'abandonnez-vous pas le besoin de tout contrôler — c'est ce qui vous nuit. Capitulez avec joie devant une personne qui est mieux organisée que vous et qui a la passion du détail.

Si vous croyez toujours que vous pouvez tout faire, demandez-vous : « Combien est-ce que je vaux à l'heure? » Si vous n'avez jamais fait le calcul, faites-le maintenant. Utilisez le tableau qui suit.

Quelle est votre valeur réelle?

Votre revenu annuel	Équivalent à l'heure	Votre revenu annuel	Équivalent à l'heure
30 000 $	15 $	120 000 $	60 $
40 000 $	20 $	130 000 $	65 $
50 000 $	25 $	140 000 $	70 $
60 000 $	30 $	150 000 $	75 $
70 000 $	35 $	160 000 $	80 $
80 000 $	40 $	170 000 $	85 $
90 000 $	45 $	180 000 $	90 $
100 000 $	50 $	190 000 $	95 $
110 000 $	55 $	200 000 $	100 $

Calcul fait sur la base de 250 jours travaillés par année, à raison de huit heures par jour.

Il est à souhaiter que vous fassiez un fort revenu. Dans ce cas, pourquoi alors perdre votre temps à des activités qui génèrent si peu de revenus? Laissez-les tomber!

Un dernier mot sur les adjoints : il est essentiel de prévoir du temps chaque jour ou au moins une fois par semaine pour discuter de votre emploi du temps avec votre adjoint. Communiquez! Communiquez! Communiquez! La principale raison de l'échec de relations potentiellement formidables est le manque de communication. Assurez-vous que votre adjoint sait bien ce à quoi vous voulez consacrer votre temps.

De plus, donnez un délai raisonnable à votre nouvel « associé » pour apprendre vos méthodes de travail. Dites-lui quelles sont les personnes-clés à qui vous désirez accorder du temps. Établissez avec votre adjoint des méthodes de sélection qui vous protégeront contre toutes les distractions et les interruptions potentielles afin de vous permettre de *focaliser votre attention* sur ce que vous faites le mieux. Soyez réceptif à ses suggestions et réactions. Souvent, votre adjoint trouvera une meilleure façon d'organiser votre bureau. Réjouissez-vous si tel est le cas — vous avez tiré le bon numéro.

Voyons maintenant comment vous pouvez mettre en pratique l'habitude du *Focus sur les priorités* dans votre vie personnelle, afin que vous ayez plus de temps pour vous reposer avec la famille et les amis, ou pour vous consacrer à un passe-temps ou à un sport.

Peu importe où vous vivez, maintenir une maison en bon état demande de l'entretien. Si vous avez des enfants, le problème est triplé ou quadruplé selon leur âge et leur capacité de destruction! Songez au temps passé chaque semaine à cuisiner, nettoyer, laver, réparer, tondre la pelouse, entretenir la voiture, faire les courses et le reste. Avez-vous remarqué qu'il n'y a pas de fin? Ces activités ont la fâcheuse habitude de toujours être à recommencer. C'est la routine de la vie. Selon votre humeur, vous les aimez, vous vous résignez ou vous haïssez ces tâches.

Et si vous trouviez une façon de les minimiser, ou mieux, de les éliminer? Comment vous sentiriez-vous? Libre, plus détendu, capable de mieux profiter des choses que vous préférez faire? Évidemment!

Ce que vous allez lire au cours des prochaines minutes pourrait demander que vous changiez votre façon de penser, que vous fassiez un acte de foi en quelque sorte. Cependant, *focalisez votre attention* sur les récompenses et les bénéfices au lieu de penser au coût initial. Ils vont surpasser l'investissement que vous devrez faire. En un mot, si vous voulez avoir plus de temps — cherchez de l'aide. Il y a plusieurs façons d'obtenir une aide compétente. Dans l'ensemble, l'aide dont vous avez besoin n'est qu'à temps partiel. Par exemple, embauchez une personne pour faire le ménage de la maison une fois par semaine ou toutes les deux semaines.

LES :

Nous avons trouvé un couple merveilleux qui fait le ménage de la maison, depuis douze ans maintenant. Ils adorent leur travail. Ce sont des gens honnêtes et généreux. Il n'est pas étonnant qu'ils fassent un travail impeccable. La maison est propre de haut en bas. Le coût? Seulement quatre-vingt-dix dollars par visite. L'avantage? Chaque semaine, nous gagnons plusieurs heures et plus d'énergie pour profiter de notre semaine.

Dans votre quartier, y a-t-il un bricoleur à la semi-retraite qui adore réparer les choses? Plusieurs personnes plus âgées, expérimentées et très habiles, cherchent de petits travaux pour se tenir occupées. Ces activités leur donnent un sentiment de satisfaction. En règle générale, l'argent n'est pas leur priorité.

Dressez une liste de toutes les choses qui ont besoin d'entretien, de réparations ou d'améliorations dans la maison. Ces petits travaux que vous ne parvenez jamais à faire parce que vous manquez de temps. Réduisez votre stress et embauchez une personne pour les faire.

Vous contribuerez ainsi à permettre à une personne de continuer à exercer son savoir-faire. De plus, vous éliminerez des heures et des heures de frustration à essayer de faire ces réparations pour lesquelles vous n'avez aucun talent ni les outils appropriés. Vous n'étiez peut-être pas destiné à être plombier, électricien, charpentier ou bricoleur.

Et autour de la maison? Tondre la pelouse, enlever les mauvaises herbes, tailler, arroser les plantes et les arbustes, ratisser. Voici une excellente occasion. Parlez à vos voisins. Cherchez un jeune plein d'initiative qui veut gagner un peu d'argent pour s'acheter une nouvelle bicyclette, des patins à roues alignées ou les derniers CD. Contrairement à la croyance populaire, il y a plusieurs jeunes qui travaillent fort et bien. Trouvez-en un. Ils sont moins coûteux que les professionnels. Ne lésinez pas. Travail bien fait mérite juste compensation.

Si vous repoussez encore cette idée, réfléchissez encore. Pensez à tout le temps que vous récupérerez. Vous pourriez consacrer ce temps additionnel à vos activités génératrices de revenus, ou avoir vraiment le temps de vous détendre et de refaire vos énergies avec votre famille et vos amis. Libéré de ces « tâches » hebdomadaires, vous aurez peut-être le temps de vous adonner à ce passe-temps qui vous a toujours intéressé ou de consacrer plus de temps aux sports. Et je vous en prie, faites-le sans vous sentir coupable. Ne méritez-vous pas des loisirs, vous aussi?

N'oubliez pas, vous n'avez qu'un nombre limité d'heures par semaine. La vie devient plus agréable quand votre emploi du temps est efficace et libre d'obligations inutiles. D'autre part, si vous aimez vraiment travailler à certaines de ces tâches autour de la maison (soyez bien honnête à ce sujet), alors allez-y. Seulement à la condition que cela vous détende réellement et que vous en retiriez une certaine satisfaction.

4.
La solution des 4-D

Il est vital que vous puissiez efficacement distinguer les soi-disant tâches urgentes de vos plus grandes priorités. Si vous passez la journée à éteindre des feux, vous « cédez à la tyrannie de l'urgent », comme le dit l'expert en gestion du temps Harold Taylor. Cela signifie que vous vous empressez de répondre à chaque sonnerie du téléphone. Chaque fois que vous recevez une télécopie ou une lettre, vous répondez sur-le-champ à la demande, même si ce n'est pas urgent.

Focaliser plutôt *votre attention* sur vos priorités. Chaque fois que vous aurez à décider de faire ou de ne pas faire quelque chose, appliquez la *Formule des 4-D*. Elle vous aidera à mettre vos priorités à la bonne place. Quatre choix s'offrent à vous :

• **Délestez**

Apprenez à dire : « Non, je choisis de ne pas faire cela. » Soyez ferme.

• **Déléguez**

Certaines tâches doivent être faites, mais vous n'êtes pas la personne qui les fera. Déléguez-les à une autre personne, sans culpabilité ni regrets. Demandez-vous simplement : « Qui d'autre pourrait faire ceci? »

• **Différez**

Il y a des problèmes sur lesquels vous devez travailler, mais pas immédiatement. Ils peuvent vraiment être reportés, différés. Prévoyez un moment spécifique, plus tard, pour vous occuper de ce genre de travail.

• **Démarrez**

Passez à l'action. Entreprenez aujourd'hui les projets importants qui demandent votre attention immédiate. Allez de l'avant. Récompensez-vous lorsque vous terminez ces projets. Ne trouvez pas d'excuses pour les reporter. N'oubliez pas que, si vous n'agissez pas rapidement, vous souffrirez de toutes les mauvaises conséquences.

5.
Les frontières du GÉNIE

Focaliser votre attention sur les priorités signifie qu'il faut vous imposer de nouvelles frontières que vous ne transgresserez pas. Vous devez d'abord décider clairement dès le départ quelles sont ces frontières, au bureau comme à la maison. Discutez de ces nouveaux paramètres avec les gens les plus importants dans votre vie. Ils doivent comprendre la raison de ces améliorations. Vous aurez aussi besoin de leur appui pour rester sur la bonne voie. La plupart des gens d'affaires ont des difficultés parce qu'ils passent trop de temps à faire des choses pour lesquelles ils ne sont pas doués. Limitez-vous à ce que vous connaissez le mieux et améliorez constamment ces compétences. (Ce conseil est particulièrement valable quand il s'agit de placer votre argent!)

Pour illustrer plus clairement ce que signifie s'imposer des frontières, imaginez un jeune enfant sur une plage sablonneuse près de la mer. On a délimité une zone de sécurité dans l'eau en utilisant une série de bouées de plastique reliées par un gros cordage. On a attaché un solide filet au cordage pour empêcher l'enfant d'aller plus loin. Dans l'aire ainsi délimitée, l'eau est peu profonde. Elle est calme, et l'enfant peut s'amuser en toute sécurité.

Au-delà des câbles, les courants sont forts et on atteint rapidement, à cause d'une pente raide sous l'eau, une profondeur de six mètres. Des embarcations à moteur et des motomarines y filent à toute allure. Il y a des affiches qui annoncent : « Danger. Interdit aux nageurs. N'entrez pas. » Tant que l'enfant reste à l'intérieur de cette frontière, tout va bien. En dehors, il y a danger. Voici le message : lorsque vous vous aventurez dans des zones qui détruisent votre *focus*, vous allez au-delà des frontières sécuritaires. Ces zones sont une menace pour votre santé mentale et financière. Lorsque vous restez à l'intérieur des frontières de votre génie, c'est-à-dire votre attention centrée sur ce que vous faites le mieux, vous pouvez vous amuser toute la journée, en toute sécurité.

6.
La puissance du NON

Pour demeurer à l'intérieur de ces frontières, vous devrez être plus discipliné. En d'autres termes, chaque jour vous devrez porter une attention aux activités auxquelles vous aurez choisi de consacrer votre temps. Pour éviter de dévier de votre *focus*, posez-vous régulièrement cette question : « Ce que je suis en train de faire m'aide-t-il à atteindre mes objectifs? » Il faut y mettre de la pratique. Il faut aussi savoir dire « non » beaucoup plus souvent. Cela s'applique à trois domaines.

a) Vous-même

La bataille la plus importante de la journée se passe entre vos deux oreilles. Nous trouvons constamment de bonnes excuses pour butiner d'une tâche à l'autre. Ne le tolérez plus. Quand la petite voix négative en vous cherche à attirer votre attention pour prendre toute la place, arrêtez-vous. Motivez-vous. Concentrez-vous sur les bienfaits et les récompenses de persévérer dans vos priorités, et rappelez-vous les conséquences négatives si vous ne le faites pas.

b) Les autres

Bien d'autres personnes pourraient tenter de détruire votre *focus*. Parfois, elles s'arrêtent à votre bureau pour causer parce que vous avez adopté la politique de la porte ouverte. Voici la solution à ce problème — modifiez votre politique. Fermez votre porte pendant une partie de la journée pour vous permettre de vous concentrer sur votre prochain gros projet. Si cela ne donne pas de résultats, vous pourriez accrocher une affiche qui dit : « Ne pas déranger. Tout intrus sera congédié! »

Danny Cox, célèbre consultant en gestion des affaires en Californie et auteur à succès, utilise l'image colorée suivante pour illustrer comment centrer son attention sur les priorités. Il dit : « Si vous avez une grenouille à avaler, ne la regardez pas trop longtemps. Si vous devez en avaler plus d'une, commencez par la plus grosse!» En d'autres termes, attaquez-vous immédiatement à vos priorités les plus importantes.

Ne soyez pas comme ces gens qui ont une liste de six choses à faire durant la journée et qui commencent par la plus facile, ou celles qui sont les moins prioritaires. À la fin de la journée, la priorité la plus importante, la plus grosse grenouille, est toujours là.

Voici une suggestion. Achetez une grosse grenouille en plastique et mettez-la sur votre bureau quand vous travaillez sur un projet à haute priorité. Dites à votre personnel que la grenouille verte veut dire qu'il est absolument interdit de vous déranger. Qui sait, la pratique s'étendra peut-être au reste de votre équipe et vous aurez un service plus productif?

c) Le téléphone

L'intrus le plus insidieux est peut-être le téléphone. Il est étonnant de constater comment les gens permettent à ce petit appareil de contrôler leur journée. Si vous devez vous concentrer pendant deux heures consécutives, débranchez le téléphone. Fermez aussi votre cellulaire et tout autre appareil qui pourrait vous distraire. Utilisez le courriel, la messagerie vocale et le répondeur pour éviter ces interruptions agaçantes. Utilisez-les avec sagesse — il est évident que vous devez être disponible à certains moments. Faites comme les médecins et établissez vos rendez-vous à l'avance — de 14 h à 17 h, les lundis, de 9 h à midi, les mardis. Ensuite, déterminez les heures les plus productives pour faire vos appels, par exemple entre 8 h et 10 h. Si vous voulez obtenir de meilleurs résultats, il vous faudra vous isoler du monde extérieur pendant certaines périodes. Abandonnez votre habitude de toujours répondre au téléphone dès qu'il sonne. Dites « non ». Faites la même chose à la maison.

Notre ami Harold Taylor, spécialiste de la gestion du temps, nous a raconté un incident qui s'est produit à l'époque où il était « accro » de la sonnerie du téléphone. En rentrant chez lui, il a entendu la sonnerie du téléphone. Dans sa hâte de répondre avant qu'on ne raccroche, il a défoncé la mousti-quaire de la porte et s'est écorché la jambe. Intrépide, il a enjambé plusieurs meubles dans son effort désespéré pour savoir qui appelait. Il a décroché juste à temps, hors d'haleine : « Allo! » Une petite voix lui a répondu : « Êtes-vous abonné au *Globe and Mail*? »

Voici une autre suggestion. Pour éviter les appels de ven-tes par téléphone, débranchez le téléphone de la maison à l'heure des repas. N'est-ce pas à ce moment que les gens appellent le plus souvent? Votre famille appréciera cette occasion d'avoir de véritables conversations sans ces intru-sions agaçantes. Ne permettez pas que des interruptions constantes nuisent à votre meilleur avenir et à votre paix de l'esprit. Arrêtez-vous consciemment chaque fois que vous entreprenez quelque chose qui n'est pas dans votre meilleur intérêt. Désormais, ces activités non productives sont inter-dites. Vous n'irez plus dans ces zones.

7.
Établir de nouvelles FRONTIÈRES

Cette section traite de la manière de respecter ces nouvel-les frontières. Il faudra que vous changiez votre façon de pen-ser. Plus important encore, vous devrez passer à l'action. Commençons donc dès maintenant. Voici un bon exemple qui vous aidera. Dans la profession médicale, les médecins sont devenus très proactifs quand il s'agit d'établir les frontières. Comme ils ont de plus en plus de patients, plusieurs méde-cins doivent rationaliser leurs activités. Un des meilleurs experts dans le domaine de la *focalisation de l'attention* est le Dr Kent Remington. Kent est un dermatologue de grande réputation, spécialiste des thérapies au laser. Au cours des années, sa pratique a augmenté de façon constante parce qu'il obtient d'excellents résultats pour ses patients. En con-séquence, il lui est devenu essentiel de mettre au point des stratégies de gestion du temps efficaces et de centrer son attention sur son domaine de génie.

Dr Remington reçoit son premier patient à 7 h 30. (Oui, les gagneurs se lèvent habituellement tôt.) À leur arrivée, les patients sont enregistrés puis dirigés vers une des nombreuses salles d'attente. Une assistante médicale examine le dossier tout en informant le patient et en lui posant des questions sur son état actuel pour mettre son dossier médical à jour. On dit au patient comment se préparer avant l'arrivée du Dr Remington. Quelques minutes plus tard, il fait son entrée, après avoir lu d'abord le dossier que son assistante a laissé près de la porte de la salle.

Cette approche d'équipe permet au Dr Remington de mettre le *focus* sur le traitement de ses patients. Tous les préparatifs préliminaires sont réglés avant son entrée en scène. Après sa visite, de nouvelles instructions sont exécutées par son personnel compétent. Ainsi, beaucoup plus de patients sont traités, et le temps d'attente est réduit au minimum. Chaque membre de l'équipe se concentre sur les choses qu'il fait extrêmement bien, ce qui résulte en une entreprise superbement efficace. Comment cela se compare-t-il à ce qui se fait ailleurs? Vous connaissez la réponse aussi bien que nous.

Que pouvez-vous faire d'autre pour passer à un niveau supérieur d'efficacité et à un meilleur *focus*? Voici un excellent conseil :

Soyez conscient des vieilles habitudes qui vous éloignent de votre *focus*

Par exemple, trop de télévision. Si vous avez l'habitude de rester étendu sur le divan trois heures chaque soir et que votre seul exercice consiste à presser les boutons de la manette de commande à distance, vous devriez peut-être y réfléchir. Certains parents comprennent quelles sont les conséquences d'un tel excès et limitent leurs enfants à quelques heures de télévision pendant les week-ends. Pourquoi ne feriez-vous pas la même chose? Voici un défi pour vous. Ne regardez pas la télévision pendant une semaine complète et voyez ce que vous aurez pu accomplir de plus. Vous serez stupéfait.

La société Nielsen, spécialisée dans la compilation des téléspectateurs, de ce qu'ils regardent et pendant combien de temps (la cote d'écoute), a fait une étude révélatrice. En moyenne, les gens regardent la télévision 6,5 heures par jour! Le mot-clé est *en moyenne*. Cela signifie que certaines personnes regardent la télévision plus longtemps. À ce rythme, dans le cours d'une vie moyenne, vous passeriez environ onze ans à regarder la télévision! Au fait, si vous cessiez de regarder les messages publicitaires, vous baisseriez ce chiffre d'environ trois ans. Oui, nous savons bien qu'il est difficile de se débarrasser des vieilles habitudes, mais la vie présente n'est pas une répétition générale. C'est pour de vrai. Si vous voulez en profiter au maximum, commencez à vous débarrasser de vos vieilles habitudes. Développez de nouvelles stratégies qui vous aideront à accéder à un style de vie qui est riche à tous les points de vue.

JACK :

Quand j'ai commencé à travailler pour W. Clement Stone en 1969, il m'a fait asseoir pour un entretien d'une heure. Sa première question a été : « Regardez-vous la télévision? » Puis, il m'a demandé : « Pendant combien d'heures par jour? » Après quelques instants de réflexion, j'ai répondu : « Environ trois heures par jour. »

M. Stone m'a regardé droit dans les yeux et m'a dit : « Je veux que vous coupiez ce temps d'une heure par jour; limitez-vous à deux heures de télévision par jour. Si vous le faites, vous économiserez 365 heures par année. Si vous divisez cela par une semaine de travail de quarante heures, vous découvrirez que vous venez d'ajouter environ neuf semaines et demie de productivité à votre vie, annuellement. C'est comme ajouter deux mois additionnels chaque année! »

J'ai reconnu qu'il s'agissait là d'un excellent concept multiplicateur et j'ai demandé à M. Stone ce que je devais faire de cette heure récupérée chaque jour. Il m'a suggéré de lire des livres dans mon domaine, la motivation, et sur la psychologie, sur l'éducation, sur la formation et sur l'estime de soi. Il m'a aussi suggéré d'écouter des cassettes de formation et de motivation, de prendre des cours et d'étudier une langue étrangère.

J'ai suivi ses conseils et cela a fait une profonde différence dans ma vie.

Il n'y a pas de formule magique

Nous espérons que vous avez compris que, pour atteindre ce que vous désirez dans la vie, il n'y a pas de formule magique ou d'ingrédient secret. Il s'agit simplement de *focaliser son attention* sur ce qui donne des résultats par opposition à ce qui est improductif. Cependant, bien des gens se centrent sur les mauvaises choses. Ceux qui vivent de chèque de paie en chèque de paie chaque mois n'ont pas étudié comment se doter d'une intelligence financière. Ils mettent le *focus* plus sur les dépenses que sur l'acquisition d'une solide assise financière pour l'avenir.

Bien des gens sont prisonniers d'un travail ou d'une carrière qui ne leur donne pas satisfaction parce qu'ils n'ont pas *focalisé leur attention* à développer leurs domaines de génie (leurs points forts). Il y a un manque similaire de conscience sur les questions de santé. L'American Medical Association a dévoilé récemment que 63 pour cent des hommes américains et 55 pour cent des femmes américaines (de plus de 25 ans) ont un excès de poids. Il est clair qu'il y a dans la société beaucoup de gens qui centrent leur attention surtout sur la nourriture et pas assez sur l'exercice!

Voici ce qu'il faut retenir. Examinez soigneusement ce qui va et ce qui ne va pas dans votre vie. D'où tirez-vous vos plus grandes victoires? Sur quoi centrez-vous votre attention, ne vous rapportant que de faibles résultats? Pensez-y sérieusement.

Dans le prochain chapitre, nous vous montrerons une méthode par étapes pour développer ce que nous appelons une *Clarté inhabituelle*. Vous apprendrez aussi comment vous fixer des objectifs globaux. Nous vous apprendrons ensuite une méthode unique de *focus* qui vous assurera de les atteindre. Ces stratégies ont très bien réussi pour nous. Elles donneront d'aussi bons résultats dans votre cas.

LE SUCCÈS N'EST PAS DE LA MAGIE
NI UN TOUR DE PASSE-PASSE.

*Il s'agit simplement d'apprendre comment garder le **focus**.*

Conclusion

Nous avons vu beaucoup de matière dans ce chapitre. Relisez-le plusieurs fois jusqu'à ce que vous soyez totalement à l'aise avec ces concepts. Adoptez-les à votre situation personnelle et passez à l'action. Nous répétons encore qu'il est important de réaliser le *Plan d'action* qui suit. C'est un outil essentiel pour vous aider à faire du *focus sur les priorités* une habitude. Dans quelques semaines, vous verrez vraiment la différence. Votre productivité augmentera et vos relations personnelles en seront plus riches. Vous vous sentirez plus en santé et, bien entendu, vous apporterez une contribution appréciable aux autres. Vous aurez aussi plus de plaisir et vous pourrez atteindre certains objectifs personnels pour lesquels vous manquiez de temps auparavant.

En prime, votre nouveau *focus* enrichira votre compte en banque. Vous découvrirez que les avantages et les récompenses sont énormes lorsque vous choisissez de devenir un maître du *focus* sur les priorités. Mettez-vous à l'œuvre dès aujourd'hui!

PLAN D'ACTION

ATELIER :
FOCUS SUR LES PRIORITÉS

Atelier : *Focus* sur les priorités

Un guide pratique en six étapes pour optimiser votre emploi du temps et votre productivité.

A. Dressez la liste des activités au travail qui absorbent votre temps.

Par exemple : les appels téléphoniques, les réunions, la paperasserie, les projets, les ventes, les procédures de suivi. Subdivisez les grandes catégories comme les appels téléphoniques et les réunions. Notez tout, même les tâches qui ne vous demandent que cinq minutes. Soyez précis, clair et concis. Utilisez une feuille supplémentaire si votre liste dépasse dix tâches.

1. _____   6. _____
2. _____   7. _____
3. _____   8. _____
4. _____   9. _____
5. _____   10. _____

B. Décrivez trois domaines pour lesquels vous avez du génie en affaires.

1. _____
2. _____
3. _____

C. Quelles sont les trois plus importantes activités qui génèrent des revenus à votre entreprise?

1. _____

2. _____

3. _____

D. Quelles sont les trois plus importantes activités que vous n'aimez pas faire ou pour lesquelles vous êtes peu doué?

1. _____

2. _____

3. _____

E. Qui pourrait les faire à votre place?

1. _____

2. _____

3. _____

F. À quelle activité, qui prend beaucoup de votre temps, allez-vous dire « non » ou déléguer immédiatement?

_____

Quel avantage immédiat retirerez-vous de cette décision?

_____

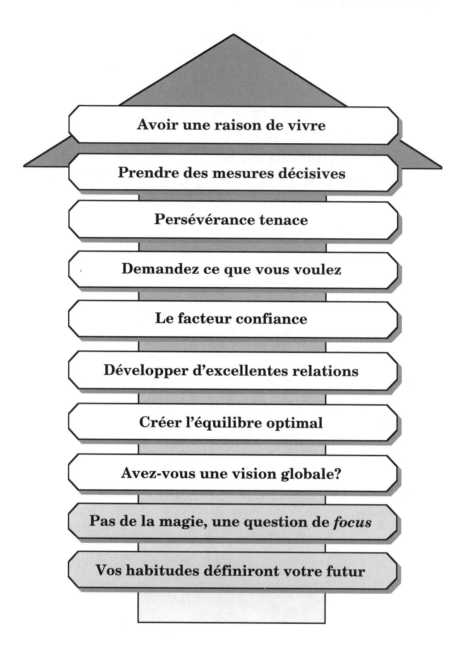

Avoir une raison de vivre

Prendre des mesures décisives

Persévérance tenace

Demandez ce que vous voulez

Le facteur confiance

Développer d'excellentes relations

Créer l'équilibre optimal

Avez-vous une vision globale?

Pas de la magie, une question de *focus*

Vos habitudes définiront votre futur

Vous gagnez du terrain — passons au numéro trois.

3^E STRATÉGIE DE *FOCUS*

Avez-vous une vision globale?

*« La vie durant laquelle on ne réfléchit pas
ne mérite pas d'être vécue. »*
— SOCRATE

Peter Daniels est un homme hors du commun et sa vie ressemble à une histoire de Horatio Alger.

Il est né en Australie et ses parents étaient la troisième génération d'assistés sociaux, habitués à la pauvreté. Peter fréquenta l'école élémentaire d'Adelaïde. Comme il avait des difficultés d'apprentissage, il lui était pénible de comprendre et d'épeler les mots. En conséquence, des professeurs, trop occupés ou peu intéressés à trouver la raison de ses problèmes, le qualifièrent de stupide. Un professeur en particulier, Mlle Phillips, exigeait de Peter qu'il se mette debout devant la classe pour le réprimander : « Peter Daniels, tu es un mauvais garnement et tu ne feras jamais rien de bon dans la vie. »

Bien sûr, son estime de soi en prit un coup. Comme résultat, il échoua dans tous ses cours. Un de ses premiers choix de carrière était de devenir maçon. Quelques années plus tard, marié et avec une jeune famille, il décida de se lancer en affaires à son propre compte. La première entreprise échoua lamentablement et un an après, il était sans le sou. Nullement ébranlé, il vit une autre possibilité et il canalisa ses énergies pour en faire une réussite. Le même sort l'attendait; il fallut dix-huit mois pour qu'il soit de nouveau en faillite. Avec la détermination farouche de venir à bout de ces revers, Peter se lança de nouveau dans le monde compétitif des affaires pour se retrouver fauché une troisième fois. Il possédait maintenant un dossier incroyable, trois faillites en cinq ans.

La plupart des gens, après de tels échecs, aurait abandonné. Pas Peter Daniels. Il avait la philosophie suivante : « J'apprends et je n'ai pas fait deux fois la même erreur. C'est une très bonne expérience. » Il demanda à sa femme, Robena, de l'appuyer une fois de plus et décida de vendre des immeubles résidentiels et commerciaux. Peter avait développé un talent au cours des années, celui de la persuasion. Il était naturellement un bon promoteur. Il avait acquis cette habileté par nécessité, pour faire face au flot constant de créanciers qui voulaient être payés. Au cours des dix années suivantes, le nom Peter Daniels est devenu synonyme de ventes immobilières résidentielles et commerciales. Grâce à un choix judicieux et à des négociations astucieuses, il a réussi à amasser un portefeuille valant plusieurs millions de dollars.

Aujourd'hui, Peter Daniels est reconnu internationalement comme un homme d'affaires qui a créé des entreprises prospères dans plusieurs pays du monde. Parmi ses amis, on trouve des têtes couronnées, des chefs d'État, et des hommes et femmes influents du monde du commerce. Il est aussi un philanthrope qui a la passion d'aider les autres, et dont la générosité a assuré le financement de plusieurs projets.

Quand on lui a demandé ce qui avait transformé sa vie, de trois faillites à un succès sans précédent, il a répondu : « Je prévoyais du temps pour réfléchir. En fait, je réserve une journée par semaine à mon agenda pour simplement penser. Toutes mes plus grandes idées, mes occasions et mes entreprises lucratives sont nées des journées où j'ai pris du temps pour réfléchir. J'avais pris l'habitude de m'enfermer dans mon cabinet de travail avec ordre strict à ma famille de ne me déranger sous aucun prétexte. » La même stratégie a été efficace pour Einstein, qui réfléchissait vraiment assis sur une chaise spécialement réservée à cette fin.

Cette mesure a transformé la vie de Peter Daniels, d'un cancre à l'école en un multimillionnaire. Au fait, Peter a écrit à ce jour plusieurs livres à succès, dont l'un s'intitule *Miss Phillips, You Were Wrong!* [Mlle Phillips, vous aviez tort!], un rappel à son ancien professeur de ne pas abdiquer trop rapidement devant ses étudiants.

1.
Développer
une CLARTÉ inhabituelle

Une autre des raisons pour lesquelles Peter Daniels connaît un succès continu, c'est sa capacité de créer des images stimulantes pour l'avenir. La plupart des gens n'ont pas une idée précise de ce qu'ils veulent. Au mieux, c'est flou. Et vous?

Est-ce que vous vous réservez régulièrement des périodes pour réfléchir à votre avenir meilleur? Vous direz peut-être : « Ça va pour Peter Daniels, mais je ne pourrais jamais trouver une journée chaque semaine pour réfléchir. J'ai besoin d'une journée additionnelle juste pour respecter mes engagements actuels. »

Pourriez-vous alors commencer par cinq minutes et en arriver graduellement à une heure? Ne serait-ce pas mettre votre temps à profit que de passer soixante minutes chaque semaine pour créer une image stimulante de votre avenir? La plupart des gens passent plus de temps à planifier deux semaines de vacances qu'ils le font à planifier leur vie, surtout leur avenir financier.

Voici une promesse : si vous vous efforcez de développer l'habitude d'une clarté inhabituelle, les dividendes que vous en retirerez seront énormes. Que vous vouliez vous libérer de vos dettes, devenir indépendant de fortune, profiter de plus de temps pour vous amuser ou bâtir une merveilleuse relation amoureuse, vous pouvez réussir tout cela, et plus, si vous avez une image limpide de ce que vous voulez.

Dans les prochaines pages, vous découvrirez une stratégie détaillée qui vous donnera une image panoramique des années à venir. Dans les chapitres suivants, vous apprendrez aussi comment renforcer et soutenir cette vision de l'avenir en ayant recours à des plans hebdomadaires, des groupes *Mastermind* (Les Cerveaux) et des mentors particuliers. En fait, vous érigerez une solide forteresse de soutien qui vous rendra impénétrable à la négativité et au doute. Alors, à l'œuvre.

AVEZ-VOUS DÉJÀ REMARQUÉ
QUE LES ENFANTS ONT UNE CLARTÉ INHABITUELLE?
EN VOICI QUELQUES PREUVES :

 « J'ai découvert qu'on peut être en amour avec quatre filles à la fois. »
— Neuf ans

 « J'ai appris que, juste au moment où ma chambre est à mon goût, maman me demande de faire le ménage. »
— Treize ans

 « J'ai appris qu'on ne peut pas cacher un morceau de brocoli dans un verre de lait. »
— Sept ans

SOURCE: *Live and Learn and Pass It On,* de H. Jackson Brown Jr.

2.
Pourquoi des BUTS?

Vous fixez-vous consciemment des buts? Si oui, tant mieux. Cependant, nous vous prions tout de même de lire l'information qui suit. Il y a des chances que vous bénéficierez d'un renforcement. De plus, cette vision élargie pour vous fixer des buts pourrait vous offrir de nouvelles perspectives.

Si vous n'établissez pas de buts de façon consciente, c'est-à-dire si vous ne planifiez pas sur papier ou si vous ne fixez pas de cibles pour les semaines, les mois et les années à venir, alors soyez particulièrement attentif à l'information qui suit. Elle peut améliorer votre vie de façon spectaculaire.

En premier lieu, quelle est la définition d'un but? Si vous ne le savez pas très bien, vous pourriez dérailler avant même de commencer. Nous avons entendu beaucoup de réponses depuis des années. Voici l'une des meilleures :

UN BUT EST LA POURSUITE CONTINUE D'UN OBJECTIF VALABLE JUSQU'À CE QU'IL SOIT ATTEINT

Pesez chacun des mots de cette phrase. « Continue » signifie que c'est un processus, parce que les buts sont à long terme. « Poursuite » indique qu'il peut y avoir une quête. Il y aura vraisemblablement des obstacles et des barrières à franchir. « Valable » démontre que la recherche en vaut la peine, qu'il y a au bout une récompense assez grande pour supporter les moments difficiles. « Jusqu'à ce qu'il soit atteint » permet de penser que vous ferez tout ce qu'il faut pour accomplir le travail. Ce n'est pas toujours facile, mais c'est essentiel si vous voulez obtenir une vie remplie de réalisations extraordinaires.

Établir et réaliser des buts constitue une des meilleures façons de jauger les progrès dans votre vie et de créer une clarté inhabituelle. Songez à l'alternative — errer sans but, en espérant qu'un jour, la chance vous sourie avec peu ou pas d'effort de votre part. Réveillez-vous! Vous avez plus de chances de trouver un grain de sucre sur une plage sablonneuse.

3.
LISTE DE CONTRÔLE
des 10 buts principaux

David Letterman, animateur du *talk-show* du même nom, prépare des listes farfelues des « top-10 » et les gens paient pour les obtenir. Voici une liste beaucoup plus valable — une liste de contrôle qui vous assurera d'utiliser une bonne base pour établir des buts. C'est comme un buffet. Prenez ce qui semble vous convenir le mieux et faites-en usage.

1) Vos buts les plus importants doivent être les vôtres

Cela semble évident. Toutefois, une erreur que font souvent des milliers de personnes est de permettre à quelqu'un d'autre de définir leurs buts premiers. Ce quelqu'un d'autre pourrait être la société pour laquelle vous travaillez, votre secteur d'activité, votre patron, votre banque ou votre société hypothécaire, ou vos amis et voisins.

Dans nos ateliers, nous enseignons aux gens à se poser la question : « Qu'est-ce que je veux réellement? » À la fin de ces séances, un homme nous a dit : « Je suis dentiste. Je le suis parce que ma mère le voulait. Je détestais cela. Un jour, j'ai fraisé le côté de la bouche d'un patient et j'ai dû lui verser 475 000 $ en compensation. »

Voici ce qu'il faut retenir : quand vous laissez d'autres personnes ou la société déterminer votre définition du succès, vous sabotez votre avenir. Alors, cessez donc immédiatement d'agir ainsi.

Réfléchissez à ceci un instant. Ce sont les médias qui exercent sur vous la plus grande influence au moment de prendre des décisions. Et la plupart des gens acceptent cela tous les jours. En fait, si vous habitez une ville assez importante, vous êtes bombardé par au moins deux mille sept cents messages publicitaires chaque jour. Il y en a à la radio et à la télévision, en plus des panneaux d'affichage, des journaux et des magazines, qui alimentent constamment ce matraquage. Tant au plan conscient qu'au plan subliminal, nous sommes influencés sans arrêt. Les médias définissent le succès selon les vêtements que nous portons, les voitures que nous conduisons, les maisons que nous habitons et les vacances que nous prenons. La façon dont vous vous mesurez dans ces catégories vous désigne comme une personne à succès ou à échec.

Voulez-vous d'autres preuves? Que retrouve-t-on sur la première page de la plupart des magazines populaires? Une *cover-girl* — une personne séduisante dont la coiffure et le visage sont parfaits, aucune ride apparente. Ou un beau garçon dont la musculature n'a certainement pas été développée avec un cinq minutes par jour sur un Ab-Roller. Quel est le message? Si vous ne ressemblez pas à cette image, vous êtes un échec. Est-il étonnant que beaucoup d'adolescents souffrent de désordres alimentaires comme la boulimie et l'anorexie, alors que la pression de leurs pairs ne tolère personne qui déroge un tant soit peu de la silhouette idéale, ou qui a l'air ordinaire. C'est ridicule!

Formulez maintenant *votre* définition du succès et cessez de vous inquiéter de ce que le reste du monde peut penser. Pendant des années, Sam Walton, le fondateur de Wal-Mart, actuellement la plus grande et la plus prospère chaîne de vente au détail de l'histoire, a pris plaisir à conduire une vieille camionnette Ford même s'il était un des hommes les plus riches en Amérique. Quand on lui demanda pourquoi il n'avait pas choisi un véhicule qui convenait mieux à sa position, il répondit : « Voyez-vous, j'aime mon vieux camion. » Oubliez donc l'image et établissez des buts qui vous conviennent.

En passant, si vous voulez absolument conduire un véhicule luxueux, ou vivre dans une belle maison, ou avoir un style de vie palpitant, faites-le! Soyez cependant certain que c'est ce que *vous* voulez, et que vous le faites pour les bonnes raisons.

2) **Vos buts doivent avoir un sens**

Le conférencier bien connu Charlie « Tremendous » Jones rappelle les premiers jours de sa carrière : « Je me souviens quand je me débattais pour lancer mon entreprise. Je passais de longues nuits au bureau, j'enlevais mon veston et le mettais en boule pour m'en faire un oreiller, et je dormais quelques heures, appuyé sur mon bureau. » Les buts de Charlie étaient si importants qu'il faisait tout le nécessaire pour contribuer à la croissance de son entreprise. Si cela voulait dire passer quelques nuits à dormir au bureau, soit. C'est un engagement total, un ingrédient essentiel si vous voulez devenir le meilleur. Au début de la trentaine, Charlie a fondé une société de courtage en assurances qui a généré des revenus annuels de plus de 100 millions de dollars. C'était au début des années soixante, alors que 100 millions représentaient encore beaucoup d'argent! (Avez-vous remarqué que les revenus des grandes sociétés se calculent maintenant en milliards?)

En vous préparant à mettre par écrit vos buts futurs, demandez-vous : « Qu'est-ce qui est vraiment important pour moi? Quelle est la raison de cet exercice? Que suis-je prêt à sacrifier pour réaliser mes buts? » Ce processus de réflexion clarifiera votre vision. Il est absolument important de le faire. Ce sont vos raisons, pour lesquelles vous adoptez une nouvelle ligne de conduite, qui vous donneront la motivation et l'énergie pour vous lever le matin, même les jours où vous n'en avez pas envie.

Demandez-vous : « Quels sont les récompenses et les bénéfices de cette nouvelle discipline? Mettez le *focus* sur le nouveau mode de vie passionnant dont vous pourrez profiter en vous engageant maintenant dans une action cohérente.

Si cette pensée ne stimule pas votre adrénaline, imaginez l'alternative. Si vous continuez à faire les mêmes choses que vous avez toujours faites, quelle sera votre vie dans cinq ans, dans dix ans, dans vingt ans? Quels mots pourront décrire votre situation financière à venir si vous ne changez rien?

Qu'en sera-t-il de votre santé, de vos relations et du temps que vous avez pour vous divertir? Profiterez-vous de beaucoup plus de liberté ou travaillerez-vous encore trop d'heures par semaine?

> ÉVITEZ LE SYNDROME DU
> « J'AURAIS DONC DÛ ».

Jim Rohn, philosophe réputé, remarque avec justesse qu'il y a deux grandes douleurs dans la vie. L'une est la douleur de la discipline, l'autre est la douleur du regret. La discipline ne pèse que quelques grammes, mais le regret pèse des tonnes quand vous permettez à votre vie de se dérouler dans l'insatisfaction. Vous ne voulez pas vous retrouver des années plus tard à dire : « Si seulement j'avais saisi cette occasion d'affaires; si seulement j'avais économisé et investi régulièrement; si seulement j'avais passé plus de temps avec ma famille; si seulement j'avais pris soin de ma santé... » N'oubliez pas que c'est votre choix. En fin de compte, vous êtes responsable de chacun de vos choix, alors choisissez sagement. Engagez-vous maintenant à créer des buts qui vous garantiront une liberté et un succès futurs.

3) Vos buts doivent être spécifiques et quantifiables

C'est ici que la plupart des gens s'embrouillent. C'est une des principales raisons pour laquelle certains n'arrivent jamais à réaliser pleinement ce dont ils sont capables. Ils ne définissent jamais précisément ce qu'ils veulent. De vagues généralisations et des déclarations sans fermeté ne suffisent pas. Par exemple, si quelqu'un dit : « Mon but est de devenir indépendant de fortune », qu'est-ce que cela signifie vraiment? Pour certains, l'indépendance financière veut dire 50 millions de dollars économisés et investis. Pour d'autres, ce sera de gagner 100 000 $ par année. Un autre sera satisfait de ne pas avoir de dettes. Qu'en est-il pour vous? Quel montant vous fixez-vous? Si vous attachez de l'importance à ce but, prenez maintenant le temps de le définir.

Votre définition du bonheur exige le même examen. Simplement « vouloir plus de temps avec sa famille » ne suffit pas. Combien de temps, quand, à quelle fréquence, qu'en ferez-vous, avec qui? Voici trois mots qui vous aideront énormément : **Soyez plus précis**.

LES :

Un de nos clients au *Achievers Coaching Program* [Programme d'entraînement des gagneurs] a indiqué que son but pour une meilleure santé était de commencer à faire de l'exercice. Il se sentait léthargique et voulait être plus énergique. « Commencer à faire de l'exercice » est une très vague définition de ce but. C'est trop général. Il n'y a aucune façon de le mesurer. Donc, nous lui avons dit : « Soyez plus spécifique. » Il a ajouté : « Je veux faire de l'exercice trente minutes par jour, quatre fois par semaine. »

Devinez ce que nous avons dit ensuite? Vous avez raison. « Soyez plus spécifique. » En répétant cette phrase plusieurs fois, son objectif de santé a été redéfini comme suit : Faire de l'exercice trente minutes par jour, quatre fois par semaine, le lundi, le mercredi, le vendredi et le samedi, de 7 h à 7 h 30. Il commence par faire dix minutes d'étirements et vingt minutes sur son vélo stationnaire. Quelle différence! Maintenant, nous pouvons facilement suivre ses progrès. Si nous allons vérifier ce qu'il fait dans les dites périodes, il fera ce qu'il a dit, ou il ne le fera pas. Il est maintenant responsable des résultats.

Voici ce qu'il faut retenir : quand vous établissez un but, mettez-vous au défi avec ces mots : « Sois plus spécifique. » Répétez-les jusqu'à ce que votre but soit clair comme de l'eau de roche et mesurable. En agissant de la sorte, vous augmenterez considérablement vos chances de parvenir au résultat désiré.

N'OUBLIEZ PAS,
UN BUT NON QUANTIFIÉ N'EST QU'UN SLOGAN

Il est important d'avoir une méthode pour quantifier vos progrès. Le *Achievers Focusing System* [Système du *focus* des gagneurs] est une stratégie générale unique que nous utilisons pour vous simplifier la tâche. Il est reproduit en détail dans le Plan d'action à la fin de ce chapitre.

4) Vos buts doivent être flexibles

Pourquoi est-ce important? Voici les deux raisons. Premièrement, vous ne voulez pas créer un système coulé dans le béton, si rigide que vous aurez l'impression d'étouffer. Par exemple, si vous concevez un programme d'exercices pour une meilleure santé, vous aimeriez varier les heures pendant la semaine et le genre d'exercice, pour éviter qu'il devienne ennuyeux. Un entraîneur personnel expérimenté pourra vous aider à tracer un programme sur mesure qui sera amusant, très varié et qui garantira quand même les résultats espérés.

Voici la deuxième raison : un programme flexible vous donne la liberté de modifier votre horaire si une vraie bonne occasion se présente, une occasion si belle que vous seriez idiot de ne pas la saisir. Attention, cependant. Cela ne signifie pas que vous commenciez à courir après chaque idée qui se présente à vous. Les entrepreneurs sont réputés pour se laisser distraire et perdre leur *focus*. N'oubliez pas qu'il n'est pas nécessaire de vous impliquer dans chaque nouvelle idée — garder le *focus* sur une ou deux idées peut vous rendre heureux et riche.

5) Vos buts doivent être stimulants et passionnants

Plusieurs propriétaires d'entreprises semblent « plafonner » quelques années après le début d'un nouveau projet. Ils perdent le feu sacré du début, qui était originellement ali-

Avez-vous déjà eu l'impression que vous étiez
sur le point de faire une percée incroyable?

menté par l'incertitude et les risques rattachés à leur produit ou service sur le marché. Ils sont devenus des opérateurs et des gestionnaires, alors que le gros du travail semble répétitif et ennuyeux.

Quand vous établissez des buts passionnants et stimulants, vous vous dotez d'un avantage qui vous empêchera de sombrer dans l'ennui. Pour ce faire, vous devez vous efforcer de sortir de votre zone de confort. C'est peut-être un peu terrifiant parce que vous n'êtes jamais certain de retomber sur vos pieds. Voici une bonne raison de vous pousser à le faire — vous apprenez toujours plus sur la vie et sur votre capacité de réussir quand vous n'êtes pas à l'aise. Souvent, c'est lorsque vous êtes adossé au mur de la peur que les plus grandes réalisations se produisent.

John Goddard, le fameux explorateur et aventurier, l'homme que le *Reader's Digest* appelle « le vrai Indiana Jones », est un modèle idéal pour ce concept. Tout jeune, à quinze ans, il a dressé une liste de 127 buts excitants, des défis à relever, qu'il voulait réaliser dans sa vie. En voici quelques-uns : explorer huit des plus grandes rivières au monde, dont le Nil, l'Amazone et le Congo; escalader seize des plus grandes montagnes, dont le Mont Everest, le Mont Kenya et le Matterhorn; apprendre à piloter un avion, faire le tour du globe (il l'a fait quatre fois); visiter les pôles Nord et Sud; lire la Bible du début à la fin; jouer de la flûte et du violon; étudier les cultures primitives de douze pays, dont Bornéo, le Soudan et le Brésil. Quand il a atteint cinquante ans, il avait complété avec succès plus de cent buts sur sa liste.

Quand on lui a demandé ce qui l'avait tout d'abord incité à dresser cette liste fascinante, il a répondu : « Deux raisons. Premièrement, j'étais fatigué d'entendre les adultes me dire quoi faire et quoi ne pas faire de ma vie. Deuxièmement, je ne voulais pas atteindre l'âge de cinquante ans et constater que je n'avais pas vraiment accompli grand-chose. »

Vous ne voulez peut-être pas relever les mêmes défis que John Goddard, mais ne vous installez pas dans la médiocrité. Pensez grand. Créer des buts qui vous stimuleront tellement que vous pourrez difficilement dormir la nuit. La vie a beaucoup à offrir — pourquoi ne pas profiter de votre juste part?

6) Vos buts doivent être en conformité avec vos valeurs

Synergie et *flot* sont deux mots qui décrivent tout processus qui avance sans effort vers son accomplissement. Quand vos buts sont en accord avec vos valeurs fondamentales, le mécanisme de cette harmonie est mis en mouvement. Quelles sont vos valeurs fondamentales? Tout ce que vous ressentez fortement et qui résonne à un niveau profond de votre être. Ce sont des croyances fondamentales, solidement implantées, qui ont forgé votre caractère pendant des années. L'honnêteté et l'intégrité, par exemple. (Vous pouvez faire votre propre liste à la page 110). Quand vous faites quelque chose qui va à l'encontre de ces valeurs, votre intuition ou votre instinct vous rappellera que quelque chose ne va pas.

Disons que vous devez beaucoup d'argent et que vous subissez une pression incroyable pour rembourser l'emprunt. En réalité, la situation est presque insoutenable. Un jour, un ami vous aborde et dit : « J'ai pensé à un moyen pour que nous gagnions de l'argent facilement. Il suffit de cambrioler une banque! Les plus gros dépôts du mois se font demain. J'ai un plan à toute épreuve — le tout ne prendra que vingt minutes. » Vous voilà devant un dilemme intéressant. D'un côté, votre désir de soulager votre fardeau financier est très fort, et mettre la main sur tant d'argent peut être très tentant. Cependant, si votre valeur d'honnêteté est plus forte que votre désir d'avoir de l'argent, vous ne cambriolerez pas la banque parce que vous savez que ce n'est pas la bonne chose à faire.

Même si votre « ami » vous a fait un boniment de vente extraordinaire et qu'il vous a convaincu d'aller de l'avant avec le vol, après vous en auriez l'estomac noué. C'est votre honnêteté qui a réagi. La culpabilité vous hanterait pour toujours.

Quand vous exploitez vos valeurs fondamentales vers des buts positifs, stimulants et significatifs, il devient facile de prendre une décision. Il n'y a aucun conflit intérieur qui vous retient — ce qui crée un écoulement d'énergie qui vous propulsera vers des niveaux de succès beaucoup plus élevés.

7) Vos buts doivent être bien équilibrés

Si vous deviez revivre votre vie, que feriez-vous de différent? Quand on pose la question à des octogénaires, ils ne répondent jamais : « Je passerais plus de temps au bureau » ou « J'assisterais à plus de réunions du conseil d'administration. »

Ils disent plutôt clairement qu'ils voyageraient plus, qu'ils passeraient plus de temps avec leur famille et qu'ils s'amuseraient davantage. Donc, quand vous vous fixez des buts, assurez-vous d'inclure les domaines qui vous permettront de relaxer et de profiter des choses agréables de la vie.

Travailler jusqu'à épuisement chaque semaine est un moyen infaillible de souffrir d'épuisement et de vous rendre malade. La vie est trop courte pour rater les bonnes choses.

Au quatrième chapitre, « Créer l'équilibre optimal », vous découvrirez une excellente stratégie qui vous permettra facilement de profiter d'un mode de vie bien équilibré.

8) Vos buts doivent être réalistes

Ceci peut sembler contradictoire aux commentaires précédents qui disaient de penser grand. Toutefois, un brin de réalisme vous assurera de meilleurs résultats. Là où la plupart des gens sont irréalistes à propos de leurs buts, c'est dans le laps de temps qu'ils se donnent pour les atteindre. Faites-vous un devoir de vous rappeler cette maxime :

> IL N'EXISTE PAS DE BUTS IRRÉALISTES,
> IL N'Y A QUE DES ÉCHÉANCES IRRÉALISTES.

Si vous gagnez trente mille dollars par année et que votre but est de devenir millionnaire en trois mois, c'est clairement impossible. Quand il s'agit d'une nouvelle entreprise, un bon principe de base consiste à doubler le temps estimé pour le démarrage. Généralement, il faut compter avec des retards d'ordre juridique, avec la bureaucratie, les défis financiers et une multitude d'autres choses qui ont tendance à vous ralentir.

Parfois, des gens établissent des buts purement fantaisistes. Si vous mesurez 1 m 20, vous ne jouerez probablement jamais dans une équipe professionnelle de basketball. Donc, n'hésitez pas, voyez grand et créez une image stimulante de l'avenir. Assurez-vous cependant que votre projet n'est pas tiré par les cheveux et allouez-vous une période de temps raisonnable pour le réaliser.

9) Vos buts doivent comporter une contribution

Une phrase bien connue de la Bible dit : « Vous récolterez ce que vous avez semé » (Galates 6,7). C'est une vérité fondamentale. Il semble que si vous donnez de bonnes choses et que vous semez le bien constamment, vous êtes assuré d'en retirer des récompenses. Voilà un bon marché, n'est-ce pas?

Malheureusement, plusieurs personnes qui veulent le succès — généralement défini par l'argent et des biens — manquent le bateau. Il n'y a tout simplement pas de temps ou de place dans leur vie pour donner en retour à la société. En d'autres mots, ils prennent mais ne donnent pas. Si vous continuez à prendre constamment, vous serez finalement perdant à long terme.

Une contribution peut prendre plusieurs formes. Vous pouvez donner votre temps, votre expérience, et vous pouvez, bien sûr, donner de l'argent. Alors faites-en une règle dans le programme de vos buts. Faites-le inconditionnellement. Ne vous attendez pas à des bénéfices dans l'immédiat. Ils viendront en temps et lieu, souvent de la façon la plus inattendue.

10) Vos buts doivent être soutenus

Cette dernière partie de la liste de contrôle de vos buts est controversée. Il y a trois points de vue. Certains préconisent de dire à tout le monde ce qu'ils projettent de faire. Ils expliquent qu'ils se sentent plus responsabilisés. Il est très difficile de reculer quand les gens vous observent pour savoir si vous allez vraiment faire ce que vous avez dit. Il y a beaucoup de pression quand vous choisissez cette stratégie et certaines personnes en sont stimulées.

Le Dr Robert H. Schuller en est un bon exemple. Il a dit à tout le monde qu'il allait construire une belle cathédrale en cristal dans Garden Grove, en Californie, à un coût de plus de 20 millions de dollars US. Plusieurs observateurs ont ri et se sont moqués de cette idée en disant qu'il ne pourrait pas réussir. Il est allé de l'avant et l'a quand même fait — la cathédrale Cristal a été construite sans endettement. Le coût? Un peu moins de trente millions de dollars US.

Le tout a été résumé dans un commentaire de Schuller : « Je crois que, lorsque vous avez de grands rêves, vous attirez d'autres grands rêveurs. » C'est ce qu'il a fait. En réalité, plusieurs personnes ont donné plus d'un million de dollars chacune pour contribuer à la réussite du projet.

Votre plan stratégique, brillamment conçu et magnifiquement exécuté, ne fonctionne pas.

Voici la deuxième option. Établissez vos propres buts, n'en parlez à personne et allez de l'avant. Les gestes sont plus éloquents que les mots, et vous surprendrez un grand nombre de personnes.

La troisième option, et c'est peut-être la stratégie la plus sage, consiste à partager sélectivement vos rêves avec quelques personnes de confiance. Ces personnes seront des êtres pro-actifs soigneusement choisis qui vous supporteront et vous encourageront quand les difficultés apparaîtront. Si vous avez de gros projets, vous aurez besoin de leur aide, car vous rencontrerez inévitablement quelques difficultés en cours de route.

4.
Votre stratégie globale

Maintenant que le travail préparatoire est terminé, c'est le moment d'entreprendre votre propre stratégie globale. C'est la partie stimulante — vous créer un meilleur avenir, et la vision qui l'accompagne. C'est votre **vision globale**. Il y a six grandes étapes. Nous vous suggérons d'abord de les lire toutes et de réserver ensuite une période de temps pour mettre en pratique chaque stratégie. Comme guide, servez-vous du Plan d'action à la fin du chapitre. Les étapes cinq et six seront discutées plus en profondeur aux chapitres 4 et 5.

1. Étudiez de nouveau la liste de contrôle de vos 10 buts principaux

Utilisez cette liste de contrôle comme base de référence quand vous créez vos buts actuels. Cela vous aidera à obtenir une image claire comme du cristal. Elle est résumée à la page 110.

2. Allez-y avec enthousiasme — 101 buts

Pour vous mettre dans le bain, dressez une liste de 101 choses que vous voudriez accomplir dans les dix prochaines années. Ayez du plaisir à le faire et ayez l'esprit ouvert à toutes les possibilités. Développez un enthousiasme d'enfant — ne limitez vos pensées en aucune façon. Soyez spécifique et personnalisez votre liste en commençant chaque phrase par « Je fais » ou « Je ferai ». Par exemple : « Je prends des vacances de six semaines en Europe », ou « J'économiserai ou

j'investirai dix pour cent de mon revenu net chaque mois. »
Pour vous aider, voici quelques questions importantes qui
vous aideront à rester en *focus* :

- Qu'est-ce que je veux faire?
- Qu'est-ce que je veux avoir?
- Où est-ce que je veux aller?
- Quelle est la contribution que je veux faire?
- Qu'est-ce que je veux devenir?
- Qu'est-ce que je veux apprendre?
- Avec qui est-ce que je veux passer mon temps?
- Combien est-ce que je veux gagner, épargner et investir?
- De combien de temps est-ce que je veux disposer pour les loisirs?
- Qu'est-ce que je ferai pour développer ma santé de façon optimale?

Pour vous assurer de profiter d'un équilibre parfait dans
votre vie, choisissez des buts dans chacun des domaines
suivants : carrière et affaires, finances, loisirs, santé et forme
physique, relations, personnel, de même que contribution,
plus tous les autres qui vous semblent particulièrement
importants.

METTEZ VOTRE LISTE EN ORDRE DE PRIORITÉ

Maintenant que vous avez utilisé votre imagination au
maximum, la prochaine étape consiste à définir l'ordre des
priorités. Examinez chacun des 101 buts et déterminez un
laps de temps réaliste pour leur réalisation.

Inscrivez un numéro près de chaque but — un, trois, cinq
ou dix ans. Ceci vous donnera un cadre général pour y travailler. Dans son magnifique livre *The On-Purpose Person*,
l'auteur Kevin W. McCarthy décrit une excellente technique
pour vous aider à établir les priorités. Il l'appelle le tirage au
sort du *Tableau principal* d'un tournoi. Cette formule est uti-

lisée pour toutes sortes de compétitions — des concours d'orthographe aux tournois de tennis, jusqu'aux finales du Super Bowl. Établissez la priorité de vos choix en faisant des listes de tirage au sort séparées pour vos groupes de buts à réaliser d'ici un an, trois ans, cinq ans et dix ans.

LE TABLEAU PRINCIPAL

Dressez la liste de vos buts à réaliser dans un an sur le côté gauche d'une feuille assez grande pour vous permettre d'y inscrire tous les points sur votre liste — seize, trente-deux ou soixante-quatre lignes. (Nous pensons que vous aurez plus de 8 buts à réaliser dans une année.) C'est le tableau préliminaire. Maintenant, vous choisissez les buts les plus importants, c'est-à-dire ceux qui passeront au tour suivant. Répétez l'exercice jusqu'à ce qu'il vous en reste huit. C'est votre *Tableau principal*[1]. Encore une fois, vous devez choisir lequel de ces huit est le plus important, en procédant par élimination jusqu'au tout dernier. Il deviendra votre priorité la plus importante. Pour vous aider à choisir, fiez-vous à votre instinct. Votre intuition est rarement mauvaise. Ce système tout simple vous oblige à choisir ce qui est le plus important pour vous, et ce qui l'est moins. Vous pouvez, bien sûr, réaliser les buts les moins importants plus tard, à votre convenance. Répétez l'exercice pour vos buts à réaliser dans trois, cinq et dix ans. Nous savons qu'une vision de cinq et dix ans est plus difficile à entrevoir. Toutefois, ce travail vaut l'effort. Ces échéances seront à votre porte plus tôt que vous ne le croyez! Ayez au moins un plan de trois ans.

Voici un autre conseil essentiel : avant d'établir la priorité, écrivez la raison la plus importante qui vous motive pour accomplir chaque but, et le plus grand avantage que vous en retirerez une fois réalisé. Comme nous l'avons déjà dit, les motifs importants sont la force motrice qui vous permet de continuer dans les moments difficiles. C'est faire bon

---

1. Le concept du Tableau principal : *The On-Purpose Person*, Kevin McCarthy, 1992, avec la permission de NavPress. Tous droits réservés. 1 800 366-7788.

usage de votre temps que d'identifier clairement vos raisons d'agir avant de commencer. Cela vous confirmera que vos buts inscrits au Tableau principal sont vraiment les plus importants sur votre liste.

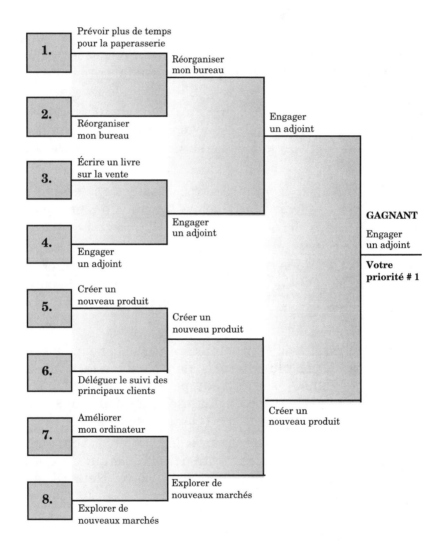

3. Créez un Livre d'images de vos buts

Pour améliorer votre *focus* sur le nouveau style de vie souhaité, créez un *Livre d'images* de vos buts les plus importants. C'est une initiative agréable et toute la famille peut y participer.

Achetez un gros album de photos et commencez à amasser des images. Par exemple, un de vos buts est-il de prendre des vacances à Londres, en Angleterre? Procurez-vous des dépliants de voyage, et découpez trois ou quatre photos des endroits que vous voulez voir. S'il s'agit de vacances en famille, inscrivez en gras le titre suivant au haut de la page : « Je profite de trois semaines de vacances avec ma famille à Londres, en Angleterre », et notez la date où vous voulez y aller.

Vous pouvez diviser votre Livre d'images en sections de styles de vie. Assurez-vous d'inclure tous les domaines mentionnés à l'étape deux (page 99). Notre amie Glenna Salsbury utilise constamment cette stratégie avec beaucoup de succès. Plus tôt dans sa carrière, Glenna était une mère de famille monoparentale, avec trois jeunes filles, une hypothèque, un prêt auto et le besoin de raviver certains rêves. Voici son histoire :

> Un soir, j'assistais à un séminaire sur le principe I + C = R. (Imagination plus Clarté égalent Réalité.) Le conférencier a souligné que le cerveau pense en terme d'images, pas de mots. Quand on visualise clairement dans notre esprit ce que nous désirons, cela devient réalité.
>
> Ce concept a fait vibrer la corde de la créativité dans mon cœur. Je connaissais la vérité de la Bible qui dit que le Seigneur nous accorde "ce que notre cœur désire" (Psaume 37,4) et que "la pensée dans le cœur de l'homme reflète ce qu'il est" (Proverbes 23,7).
>
> J'étais déterminée à prendre la liste écrite de mes souhaits et de les transformer en images. Ainsi, j'ai découpé des images dans de vieux magazines et j'ai choisi celles qui représentaient les "désirs de mon cœur". Ensuite, je

les ai disposées dans un album de photos attrayant et j'ai espéré.

Mes images étaient bien précises. Il y avait, entre autres : 1. une femme en robe de mariée et un bel homme en smoking; 2. des bouquets de fleurs; 3. une île sous le ciel bleu des Caraïbes; 4. des diplômes pour mes filles; 5. une femme vice-présidente de compagnie. (Je travaillais pour une société qui n'avait aucune femme à la haute direction. Je voulais être la première femme vice-présidente.); 6. une toque — représentant mon désir d'obtenir une maîtrise en théologie du Séminaire Fuller afin d'inciter d'autres personnes à aller vers la spiritualité.

Huit semaines plus tard, je roulais sur une autoroute de Californie. Pendant que j'admirais une belle automobile rouge et blanc à côté de la mienne, le conducteur m'a regardée et a souri. Je lui ai rendu son sourire. Je me suis rendu compte peu après qu'il me suivait. J'ai fait semblant de l'ignorer, mais il m'a suivie pendant une vingtaine de kilomètres. J'ai presque eu la peur de ma vie! J'ai continué pendant encore quelques kilomètres et il a fait de même. J'ai stationné, il a stationné... et finalement, je l'ai marié!

Après notre première sortie, Jim m'a envoyé douze roses. Nous nous sommes fréquentés pendant environ deux ans. Tous les lundis, il m'envoyait une rose rouge et un mot d'amour. Avant de nous marier, Jim a dit : "J'ai trouvé l'endroit idéal pour notre lune de miel — l'Île Saint John dans les Caraïbes." Je ne lui ai pas parlé de mon livre d'images jusqu'à ce que Jim et moi déménagions dans notre nouvelle maison, dont j'avais aussi la photo dans l'album.

Peu après, je suis devenue vice-présidente des ressources humaines de la société où je travaillais. Après avoir obtenu mon diplôme, j'étais une des premières femmes à être admise comme candidate au doctorat au Séminaire Fuller. Non seulement mes filles ont-elles obtenu leur diplôme universitaire, elles ont aussi monté leur propre album de photos et elles ont vu Dieu à l'œuvre dans leur propre vie grâce à ce principe.

Cela ressemble à un conte de fées, mais c'est la pure vérité. Depuis ce temps, Jim et moi avons fait plusieurs albums de photos. J'ai découvert qu'il n'y avait pas de rêves impossibles — vous pouvez vraiment réaliser les désirs de votre cœur.

SOURCE : *Bouillon de poulet pour l'âme # 1*, p. 170.

Aujourd'hui, Glenna Salsbury est l'une des principales conférencières professionnelles au pays et elle a été présidente de l'Association nationale des conférenciers.

Plus vos images sont claires et précises, plus il y a de chances que vous gardiez le *focus* sur elles et que vous attiriez les résultats souhaités. Donc, soyez créatif. Explorez différents moyens de renforcer votre vision. Un *Livre d'images* de vos buts est un moyen tout désigné pour commencer.

Au quatrième chapitre, « Créer l'équilibre optimal », vous apprendrez comment développer un plan d'action précis qui transformera vos images en réalité. Avant d'en arriver là, par contre, voici les trois dernières stratégies pour vous aider à créer une perception exceptionnelle.

4. Servez-vous d'un Livre d'idées

Il s'agit d'un simple calepin où vous pouvez noter vos observations et vos impressions jour après jour. C'est un outil puissant pour élargir votre champ de conscience. Avez-vous déjà eu une grande idée au milieu de la nuit? Vous vous dressez dans votre lit et votre cerveau est en ébullition. En règle générale, vous n'avez que quelques secondes pour saisir cette idée avant de la perdre ou que votre corps vous dise : « Rendors-toi, il est trois heures du matin! » En fait, il se peut que vous vous rendormiez, pour vous réveiller des heures plus tard et avoir complètement oublié quelle était votre grande idée.

UNE IDÉE BRILLANTE SANS ACTION, C'EST COMME SI MARK MCGWIRE JOUAIT AU BASEBALL SANS BÂTON![2]

Voilà pourquoi un *Livre d'idées* est si précieux. En notant par écrit vos meilleures pensées, vous n'avez jamais besoin de vous fier à votre mémoire. Vous pouvez revoir vos idées quand vous le voulez. Utilisez votre livre pour des idées d'affaires, des conseils pour la vente, des idées de présentation, des projets lucratifs, des citations que vous avez lues ou pour des histoires qui vous aideront à mieux expliquer quelque chose. Ouvrez bien vos oreilles et vos yeux chaque jour, et suivez votre intuition.

Par exemple, si vous venez de terminer une présentation de vente particulièrement réussie, où tout s'est passé exactement comme prévu et où vous avez conclu une grosse transaction, notez-le dans votre Livre d'idées. Qu'avez-vous dit qui a si bien fonctionné? Vous avez peut-être posé une question précise qui a accéléré la décision d'acheter, ou vous avez mieux expliqué vos avantages et vos services. Remémorez-vous la présentation et notez ce qui a bien marché.

Il est aussi avantageux d'enregistrer votre présentation. Invitez quelqu'un que vous respectez pour réviser la présentation avec vous et faire ensuite une séance de remue-méninges sur les façons de l'améliorer. Pratiquez sans cesse. L'acteur Robin Williams a en moyenne trente prises de vue par scène, soit jusqu'à ce que lui et le réalisateur soient satisfaits de sa performance.

Avez-vous déjà raté une présentation importante? Voilà aussi une bonne occasion d'ouvrir votre Livre d'idées et de noter ce que vous avez mal fait. Vous pourriez souligner ces notes en rouge et ajouter : « Ne plus jamais dire cela! » Dans les deux exemples, en notant vos pensées alors qu'elles sont

---

2. Mark McGwire a gagné le titre de champion des coups de circuit du baseball des Ligues majeures en 1998 et en 1999, en frappant respectivement soixante-dix et soixante-cinq circuits.

encore fraîches à la mémoire, vous renforcez ce qui a réussi et ce qui a échoué. Cela vous donne une clarté incroyable.

Voici une autre suggestion précieuse pour votre calepin. La première chose à faire le matin, pendant dix minutes, est d'écrire vos sentiments. Les mots pour décrire les sentiments comprennent anxieux, triste, heureux, surexcité, ennuyé, en colère, enthousiaste, frustré, énergique. Écrivez au temps présent, comme dans une conversation avec vous-même. Utilisez le « je » : « Je me sens anxieux aujourd'hui parce que ma fille conduit seule pour la première fois », ou « Je suis surexcité parce que je commence un nouvel emploi ce matin. » Quand vous vous mettez constamment en liaison avec vos sentiments, vous êtes davantage en contact avec les situations de chaque jour et plus conscient de ce qui se passe réellement dans votre vie.

5. Visualisez, pensez, réfléchissez et analysez

On parle souvent de la force de la visualisation dans les sports. Les athlètes olympiques vivent l'événement dans leur tête plusieurs fois juste avant de performer. Ils ont un *focus* total sur un résultat positif.

Le Canadien Mark Tewksbury, médaillé d'or olympique au 200 mètres-dos en natation aux Jeux olympiques de 1992 à Barcelone, en Espagne, était debout sur le podium des gagnants la veille de la course, et il a visualisé sa victoire après avoir tiré de l'arrière. Il a entendu la clameur de la foule, il pouvait voir dans quels gradins était sa famille et il s'est vu accepter triomphalement la médaille d'or. Le jour suivant, il a nagé exactement comme il l'avait imaginé et il a gagné de justesse!

N'oubliez pas, si vous imitez les techniques des champions, vous pouvez aussi devenir champion. Servez-vous de votre imagination positive pour créer ces images gagnantes.

Plus ces images seront nettes et plus vous y mettrez d'intensité, plus il y aura de probabilité d'obtenir le résultat désiré. C'est une démarche puissante. Au chapitre quatre,

« Créer l'équilibre optimal », vous apprendrez comment approfondir votre pensée, et comment revoir et analyser vos progrès chaque jour. Toutes ces techniques contribuent à développer une clarté inhabituelle, laquelle vous donnera un avantage particulier sur le marché du travail.

6. Ayez des liens avec des mentors et formez des groupes *Mastermind*

Une autre façon extraordinaire d'obtenir des améliorations majeures dans votre productivité et votre vision, c'est de demander l'aide de personnes qui ont une grande expérience dans les domaines où vous en avez le plus besoin. Quand vous vous entourez d'une équipe d'experts soigneusement choisie, votre rythme d'apprentissage augmente rapidement. Très peu de gens s'y adonnent régulièrement. Encore une fois, si vous osez être différent, vous en récolterez les bénéfices plus tard. L'alternative est de tout apprendre par vous-même, en utilisant la méthode essai-erreur. C'est une manière lente de progresser, car vous rencontrerez bien des obstacles et beaucoup de distractions. D'un autre côté, mettre à profit les conseils et la sagesse de mentors soigneusement choisis vous propulsera vers des résultats plus rapides.

Un groupe *Mastermind* [Les Cerveaux] comprend de quatre à six personnes qui se réunissent régulièrement pour partager des idées et pour se soutenir les uns les autres. Ce sont de puissantes alliances, conçues pour favoriser des relations de longue durée. Vous apprendrez tout à ce sujet au chapitre 5, « Développer d'excellentes relations ».

Maintenant que vous avez défini une structure complète pour créer vos buts à long terme, voici la dernière pièce du casse-tête — nous l'appelons le Système du *focus* des gagneurs.

Le Système du *focus* des gagneurs

Cette méthode simple mais très efficace pour maintenir le *focus* facilite l'évaluation de vos progrès et vous garde sur la bonne voie. Elle est utilisée par tous nos clients qui réussissent en affaires. Essentiellement, cette méthode divise vos buts en sept catégories et vous amène à jouir d'un excellent équilibre. Vous pouvez décider du délai requis pour atteindre ces résultats. Un cycle de deux mois est convenable. Ce n'est pas trop long et ça vous donne par contre assez de temps pour établir des objectifs significatifs.

Les sept catégories de buts se définissent comme suit :

- Finances
- Affaires/carrière
- Loisirs!
- Santé et forme physique
- Relations
- Vie personnelle
- Contribution

Quand vous consacrerez une partie de votre temps à atteindre à tous les soixante jours un but important dans chacune de ces catégories, vous commencerez à bénéficier de ce que la plupart des gens s'évertuent à obtenir désespérément — **l'équilibre.** L'équilibre amène la paix de l'esprit. Tous les détails de cette méthode sont définis dans le Plan d'action à la fin de ce chapitre. Le *Système du* focus *des gagneurs,* c'est comme la colonne vertébrale de votre stratégie globale. Au départ, il peut sembler peu réaliste d'atteindre sept buts en soixante jours, mais avec de la pratique vous pouvez y arriver. Commencez par de petits buts et augmentez graduellement leur importance. Au début, il est plus important de créer sept petites victoires plutôt que de fixer trop haut la barre de vos objectifs. Pour les garder frais à votre esprit, révisez-les chaque jour. La plupart des gens ne le font pas. En réalité, la plupart des gens n'ont même pas un Plan d'action pour leurs buts. Soyez plus malins et prenez de l'avance dans la compétition. Vous serez généreusement récompensé.

Conclusion

Comme toutes les habitudes gagnantes, développer l'habitude de la clarté inhabituelle demande des efforts et de la discipline jour après jour. N'oubliez pas que c'est un processus continu. Les points à retenir sont :

1. Servez-vous de la Liste de contrôle des dix buts principaux comme base (voir page 110).

2. Préparez une stratégie globale pour mettre vos buts en ordre de priorité.

3. Créez un Livre d'images de vos buts.

4. Servez-vous d'un Livre d'idées.

5. Visualisez, pensez, réfléchissez et analysez.
   (Points expliqués au chapitre 4.)

6. Développez des relations uniques avec un mentor et formez des alliances dans un groupe *Mastermind* (nous vous montrerons comment au chapitre 5).

7. Utilisez le Système du *focus* des gagneurs pour mesurer vos progrès hebdomadaires.

SI VOUS METTEZ TOUS CES POINTS EN PRATIQUE, VOUS ATTEINDREZ UNE CLARTÉ INHABITUELLE, C'EST GARANTI !

Si vous vous sentez quelque peu submergé en ce moment, ne vous inquiétez pas. C'est normal. Allez-y une étape à la fois. Réservez-vous suffisamment de temps pour préparer chacune des stratégies. Engagez-vous à commencer. Faites le premier pas. Par la suite, *focalisez votre attention* à réaliser vos buts à court terme. Créer un avenir rempli de succès demande de l'énergie, des efforts et de la réflexion. C'est pourquoi la plupart des gens ne le font pas. Cependant, en décidant de lire ce livre, vous avez fait le premier pas pour vous élever au-dessus de la masse. Acceptez le défi. *Focalisez votre attention*. Les récompenses en vaudront la peine. Faites l'effort dès maintenant!

PLAN D'ACTION

VOTRE STRATÉGIE
GLOBALE PERSONNELLE

LE SYSTÈME DU
FOCUS DES GAGNEURS

Vous trouverez ci-dessous une révision complète pour vous aider à mettre en application votre stratégie personnelle de « vision globale », ainsi que votre plan d'action à court terme.

Pour maximiser vos résultats, nous vous recommandons fortement de réserver au moins une journée entière à ce travail.

Liste de contrôle des 10 buts principaux

Pour maximiser vos résultats, n'oubliez pas que vos buts doivent être :

1. Les vôtres.
2. Significatifs.
3. Spécifiques et quantifiables.
4. Flexibles.
5. Stimulants et passionnants.
6. En accord avec vos valeurs fondamentales.
7. Bien équilibrés.
8. Réalistes.
9. Une contribution à la société.
10. Soutenus.

ÉNUMÉREZ VOS VALEURS FONDAMENTALES :

Par exemple, l'honnêteté, l'intégrité, la philosophie gagnant-gagnant, vivre dans la joie et l'amour.

Vos 101 buts

Pour ce faire, utilisez votre propre calepin. Avant d'écrire votre liste de toutes les choses que vous voulez accomplir, retournez à l'étape deux à la page 98. Relisez au complet cette section. Notez vos réflexions initiales sur ces questions. Ceci vous aidera à développer une structure. Prenez tout le temps nécessaire. Par la suite, dressez votre liste des 101 buts. Enfin, établissez des priorités sur votre liste en faisant une feuille de Tableau principal semblable à celle de la page 101.

Votre stratégie globale personnelle

Pour vous aider, utilisez l'exemple de la feuille de travail à la page 112. Agrandissez-la au besoin, dépendant de votre nombre de buts dans chaque domaine. Assurez-vous de compléter la colonne des raisons et des avantages. Vos motifs sont la force motrice derrière vos buts. De plus, déterminez une date précise pour leur réalisation. Nous utilisons comme base les Buts essentiels — sept domaines-clés pour développer un style de vie parfaitement équilibré. Si vous le voulez, vous pouvez ajouter d'autres domaines qui sont importants pour vous. Utiliser une feuille semblable pour vos buts à réaliser dans trois ans, cinq ans et dix ans.

Créez un Livre d'images de vos buts

Relisez la troisième étape (page 102). Le secret ici, c'est de vous amuser et d'être créatif. Plus vos images auront d'impact, mieux ce sera. Choisissez de grosses photos impressionnantes et colorées. Si l'un de vos buts est de posséder une voiture flambant neuve, visitez le représentant local et faites prendre une photo de vous au volant. Un de nos clients masculins voulait un beau physique. Il a donc découpé une photo d'un athlète, il a enlevé la tête pour la remplacer par la sienne!

Utilisez un Livre d'idées

Relisez la quatrième étape (page 104). Vous pouvez choisir n'importe quoi, d'un simple calepin à un journal gravé sophistiqué. Il y a beaucoup de choix — vérifiez auprès de votre papeterie locale.

MA STRATÉGIE GLOBALE PERSONNELLE

Exemple pour des buts d'un an. Créez une feuille de travail semblable pour vos buts à plus long terme.

Du ___ Au ___	Buts spécifiques	Raisons de ces buts	Date pour les réaliser
FINANCES Revenu total 150 000 $ Économies/ Investissements 20 000 $ Paiement des dettes 25 000 $	1. Je libérerai mon hypothèque le premier janvier 2003. 2. Je gagnerai 150 000 $ (avant impôts) d'ici le 31 août 2002. 3. Je trouverai un mentor fortuné pour me conseiller au 30 novembre 2002.	1. Pour être libéré de dettes après avoir payé prêts/intérêts pendant 20 ans. 2. Un revenu dans les six chiffres me donnera plus de confiance / consolidera mon entreprise. 3. Je projette d'être riche dans six ans et un mentor me guidera.	
CARRIÈRE ET AFFAIRES Nouveaux projets, associations, croissance, nouveaux produits et services, vente, nouveaux risques, relations	1. Je démarrerai ma propre société de logiciels d'ordinateurs d'ici le 31 août 2002. 2. Je trouverai un partenaire financier qui investira un million $ d'ici le 30 mai 2002. 3. J'aurai développé deux nouveaux logiciels d'ici le 30 juillet 2002.	1. Je veux la liberté d'être mon propre patron au lieu de travailler à salaire. 2. Avoir de bons capitaux me donnera une base solide. 3. Prouver que mes talents créatifs peuvent générer des solutions inédites.	
LOISIRS Vacances, voyages, sports, rencontres, événements spéciaux Semaines de vacances : 4	1. Je prendrai une semaine de vacances au Colorado du 22 au 29 janvier 2003. 2. J'organiserai et j'assisterai à une réunion de famille pour célébrer un 25e anniversaire. 3. Je partirai en randonnée pédestre pendant deux semaines dans les Rocheuses, du 1er au 14 juin 2002.	1. Une occasion de passer beaucoup de temps avec mes deux meilleurs amis. 2. Remercier mes parents pour leur soutien et leurs conseils. 3. Rencontrer de nouvelles personnes, passer du temps à réfléchir et à profiter de la nature.	

SANTÉ ET FORME PHYSIQUE Perdre/gagner du poids, programmes d'exercices, habitudes alimentaires, examen médical, sports, arts martiaux	1. J'atteindrai mon poids idéal de 75 kilos d'ici le 21 février 2003. 2. Je courrai 40 minutes par jour, quatre fois par semaine. 3. Je commencerai le Tai Chi le 15 novembre 2003.	1. Je jouirai d'une meilleure santé, j'aurai l'air mieux et je me sentirai mieux. 2. J'augmenterai mon énergie et mon endurance et je profiterai de l'air pur. 3. Je me sentirai plus détendu, mieux concentré et plus conscient.
RELATIONS 1. Familiale — femme, enfants, parents, frères, sœurs. 2. Personnelles — amis (proches et éloignés), mentors. 3. D'affaires — alliances stratégiques, mentors, associés, clients, personnel, collègues.	1. Je téléphonerai à ma sœur, Gloria, chaque semaine. 2. Je trouverai six clients pour ma nouvelle entreprise au 31 août 2002. 3. Je formerai mon propre groupe *Mastermind* (six personnes) au 1er mars 2002.	1. Pour la supporter et l'aider à passer à travers son divorce. 2. Pour établir des bases solides dans ma nouvelle entreprise. 3. Pour m'entourer de gens ambitieux, qui aiment s'amuser et qui pensent positivement.
VIE PERSONNELLE 1. Tout ce que je voudrais personnellement avoir, être ou faire. 2. Éducation — cours, conférences professionnelles, consultations, lecture, etc. 3. Spiritualité — cours, étude de la Bible, église, relations, retraites.	1. J'assisterai à trois grands concerts d'ici le 30 juin 2002. 2. Je terminerai un cours de conférencier de dix semaines d'ici le 1er avril 2002. 3. Je lirai quatre livres qui augmenteront ma conscience spirituelle d'ici le 31 août 2002.	1. Pour apprécier et jouir de la grande musique. 2. Pour augmenter considérablement mes compétences de présentateur. 3. Pour devenir plus conscient de mon objectif dans la vie.
CONTRIBUTION Œuvres de bienfaisance, communautaires, mentorat, église	1. Je deviendrai le mentor d'un étudiant du secondaire une heure par semaine, à partir du 14 octobre 2002. 2. Je verserai 10 pour cent de mes revenus à mes deux œuvres de bienfaisance préférées et à notre église. 3. J'offrirai mes services bénévoles pour la campagne annuelle de Centraide.	1. Pour aider et encourager quelqu'un qui peut être en difficulté. 2. Pour sans cesse ressentir la joie du don inconditionnel. 3. Pour aider les gens moins fortunés.

Numérotez chaque page, si ce n'est pas déjà fait. Quand le livre est presque rempli, vous voudrez peut-être créer un index à la fin, pour vous aider plus tard à retrouver des notes spécifiques. Prenez l'habitude de noter vos idées, vos pensées et vos intuitions les meilleures. Ce carnet n'est pas un « Journal intime. » Utilisez-le pour des stratégies d'affaires, des idées pour faire de l'argent, des histoires pour illustrer un point, pour des concepts de marketing et pour toute autre chose importante à vos yeux. Si vous aimez être structuré, ajoutez des onglets pour des thèmes précis. La chose la plus importante, cependant, c'est de vous entraîner à l'écriture. Commencez dès cette semaine.

Le Système du *focus* des gagneurs

C'est par un plan hebdomadaire que vous serez assuré d'atteindre les plus importants objectifs de votre stratégie globale à long terme. Les catégories sont identiques. Référez-vous à la feuille d'exemple à la page 116. La première étape est d'écrire votre but le plus important dans chacun des sept domaines. Rappelez-vous, soyez précis.

1. FINANCIER — Ce domaine comprend le revenu total et le montant d'argent que vous voulez économiser ou investir au cours de cette période. Si vous remboursez une dette, vous pouvez aussi inscrire le montant dans cette colonne.

2. AFFAIRES/CARRIÈRE — Vous réaliserez probablement plusieurs objectifs d'affaires au cours de cette période de temps. Choisissez toutefois celui qui vous aidera le plus à progresser, et concentrez-vous là-dessus. Ce pourrait être un objectif de vente, un nouveau projet ou une entreprise mixte, ou encore engager (ou congédier) une personne-clé.

3. LOISIRS! — C'est votre but pour vos temps libres, complètement en dehors du travail. Inscrivez le nombre de jours, et n'oubliez pas, vous les méritez.

4. SANTÉ ET FORME PHYSIQUE — Il y a trois éléments majeurs à considérer dans ce cas — physique, mental et spirituel. Que ferez-vous pour améliorer votre état général de santé? Pensez à faire de l'exercice, aux bonnes habitudes alimentaires, à de nouvelles connaissances et à une conscience spirituelle.

5. RELATIONS — À quelle relation importante vous consacrerez-vous au cours de cette période? Peut-être plus de temps avec un membre de la famille, un mentor, un employé-clé ou un client important. De toute évidence, vous serez en contact avec beaucoup de personnes chaque semaine; cependant, concentrez-vous à développer de façon significative une de ces relations.

6. VIE PERSONNELLE — C'est un choix grand ouvert pour une chose qui vous procure une satisfaction personnelle. Par exemple, acheter quelque chose, développer un nouveau talent comme jouer de la guitare ou planifier des vacances spéciales.

7. CONTRIBUTION — Quelle sera votre contribution envers la société pendant cette période? Vous pourriez faire une contribution financière à votre œuvre de bienfaisance préférée ou à une église. Peut-être voudrez-vous donner de votre temps à la communauté ou à une équipe sportive locale, ou simplement aider quelqu'un en lui prêtant une oreille attentive?

Quand vous aurez écrit vos sept buts principaux, axez votre *focus* sur la semaine qui vient — nous l'appelons *Focus de sept jours*. En voici le fonctionnement : au début de chaque semaine, choisissez les trois choses les plus importantes que vous voulez réaliser. Assurez-vous de choisir des activités qui vous mènent à l'accomplissement de vos sept buts majeurs.

Par exemple, si votre but en santé et bonne forme physique consiste à adopter un nouveau programme d'exercices, la première étape pourrait être de vous joindre à un club de conditionnement physique. Si votre principal but en relations est de passer plus de temps avec vos enfants les fins de

LE SYSTÈME DE *FOCUS* DES GAGNEURS

Du _____ Au _____

Buts : choisir un but dans chacun des sept domaines.
Pour la clarté, soyez simple et précis.

LE *FOCUS DE SEPT JOURS* : Au début de chaque semaine, choisissez les trois choses les plus importantes que vous voulez accomplir. Choisissez des activités qui vous mèneront vers la réalisation de vos sept buts majeurs. Prenez contact avec votre partenaire de *focus* pour analyser vos progrès.

Partenaire de *focus* :
Nom :   Linda Martin
Téléphone :   555-4000
Télécopieur :   555-9045

FINANCES

Je gagne un revenu total de   12 000 $

J'économise ou j'investis   2 000 $

Je réduis ma dette de   1 000 $

AFFAIRES
(ex. : Projets, ventes ou nouvelles entreprises)

Je fêterai le lancement de notre nouveau produit vendredi, 22 février.

LOISIRS
(Nombre total de jours de congé pour relaxer, prendre des vacances et se régénérer)

Je profite de dix-sept jours de congé pour m'amuser.

1re semaine

1. Stratégie spécifique pour concours de vente.
2. Commencer un programme de marche.
3. Contacter des écoles secondaires, pour être mentor d'un étudiant.

Communication avec partenaire de *focus*   ☐ oui   ☐ non

2e semaine

1. Organiser dix rendez-vous de vente.
2. Terminer la brochure du nouveau produit.
3. Téléphoner aux principaux clients.

Communication avec partenaire de *focus*   ☐ oui   ☐ non

3e semaine

Communication avec partenaire de *focus*   ☐ oui   ☐ non

7e semaine

1. Organiser un lunch de groupe *focus* client.
2. Prolonger d'un mois le programme avec mon mentor.
3. Acheter un cadeau surprise pour Fran.

Communication avec partenaire de *focus*   ☐ oui   ☐ non

8e semaine

1. Vérification finale du produit à lancer vendredi.
2. Organiser huit rendez-vous de vente.
3. Téléphoner aux clients importants.

Communication avec partenaire de *focus*   ☐ oui   ☐ non

9e semaine

Communication avec partenaire de *focus*   ☐ oui   ☐ non

SANTÉ
(ex. : physique, mentale ou spirituelle)

Je profite de trente minutes de marche quatre jours par semaine.

RELATIONS
(ex. : famille, personnelles, affaires)

Je me concentre sur mes trois clients les plus importants; au moins deux contacts personnels toutes les deux semaines.

PERSONNEL
(ex. : projets, achats ou études)

J'esquisse les trois premiers chapitres de mon nouveau livre.

CONTRIBUTION
(ex. : œuvres de bienfaisance, service communautaire ou dons)

Je suis le mentor d'un étudiant du secondaire une heure par semaine pendant six semaines.

**Période de temps suggérée :
Soixante ou quatre-vingt-dix jours.**

4e semaine

1. Faire le plan du premier chapitre du livre.
2. Compléter le premier rendez-vous avec mon mentor.
3. Organiser un exposé avec les médias sur le nouveau produit

Communication avec partenaire de
focus ☐ oui ☐ non

5e semaine

1. Téléphoner à des clients importants.
2. Maintenir le programme de marche, augmenter le temps.
3. Organiser huit rendez-vous de vente.

Communication avec partenaire de
focus ☐ oui ☐ non

6e semaine

1. Organiser un long week-end à l'extérieur, du 23 au 25 février.
2. Confirmer date de livraison du nouveau produit.
3. Rembourser 1 000 $ sur la carte de crédit.

Communication avec partenaire de
focus ☐ oui ☐ non

1. Téléphoner à des clients importants.
2. Organiser huit rendez-vous de vente.
3. Préparer le plan du deuxième chapitre du livre.

10e semaine

1. Faire le plan du troisième chapitre du livre.
2. Téléphoner à mon conseiller financier; investir bonus de 2 000 $.
3. Organiser huit rendez-vous de vente.

Communication avec partenaire de
focus ☐ oui ☐ non

11e semaine

Communication avec partenaire de
focus ☐ oui ☐ non

12e semaine

Communication avec partenaire de
focus ☐ oui ☐ non

semaine, votre première étape pourrait être de planifier du temps dans votre agenda. Si votre but en affaires est d'atteindre un volume des ventes précis, vous pourriez cibler un certain nombre de rendez-vous dans les sept prochains jours pour vous permettre de partir du bon pied.

Bien sûr, vous ferez d'autres choses chaque semaine dans le domaine de vos affaires et de votre vie personnelle. Ce plan d'action vous aidera à *centrer votre attention* sur les activités les plus importantes. Assurez-vous de suivre vos progrès. Tout ce qui se mesure se fait! Il est agréable de vérifier votre liste chaque semaine, et vous deviendrez plus confiant à mesure que vous vous rapprocherez de vos grands objectifs. Nous recommandons fortement que vous ayez un partenaire de *focus* qui sera témoin de vos résultats. Ce partenaire pourrait être un collègue d'affaires qui apprécierait utiliser le Système du *focus* des gagneurs.

Téléphonez à votre partenaire au début de la semaine et faites-lui part de vos activités les plus importantes. Sept jours plus tard, discutez des résultats, des victoires et des défis, et recommencez le processus la semaine suivante. En vous soutenant et en vous mettant au défi l'un l'autre, vous serez moins susceptible de remettre à plus tard au cours de la semaine. Il y a de l'espoir quand vous reprenez contact et que vous reconnaissez qu'il y a eu des progrès. Vous pouvez aussi vous motiver l'un l'autre pour vous encourager à garder le *focus*. Par exemple, une de nos clientes adore skier. Elle avait réservé une journée de congé à son centre de ski préféré pour se récompenser d'avoir accompli son but de la semaine. Comme motivation additionnelle, si elle ne réalisait pas ses trois objectifs les plus importants, elle a promis de donner ses laissez-passer de ski à son partenaire de *focus*. Un autre client a dit qu'il téléphonerait à son plus gros compétiteur et lui donnerait trois tuyaux sérieux s'il ne complétait pas ses objectifs de la semaine. C'était la motivation dont il avait besoin!

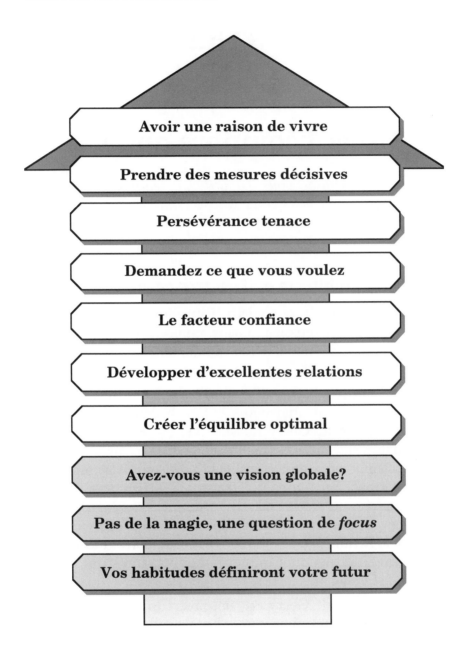

Vous avez construit une solide fondation — Bravo!

4^E STRATÉGIE DE *FOCUS*

Créer l'équilibre optimal

*« Quand vous travaillez, travaillez,
et quand vous vous amusez, amusez-vous.
Ne mélangez pas les deux. »*

— JIM ROHN

Gerry est architecte et il est très occupé.

Associé dans son entreprise, il travaille de longues heures. Il se lève tôt tous les matins, jamais plus tard que 6 h. Pour le petit-déjeuner, il avale rapidement une tasse de café dans la voiture. Parfois, il réussit à y ajouter un beignet gras.

Sa femme, Jane, travaille aussi à temps plein, alors leurs deux enfants, Paul, quatre ans, et Sarah, deux ans, sont laissés à la garderie. Gerry ne voit pas ses enfants souvent. Lorsqu'ils se lèvent, il est déjà parti pour le bureau et ne rentre habituellement pas avant 19 h 30 le soir. Ils sont déjà au lit, la plupart du temps. Le travail de Gerry absorbe une bonne partie du week-end. Il y a toujours quelque chose à terminer au bureau et quand Jane lui reproche de « vivre au bureau », il ramasse ses papiers et les apporte à la maison pour travailler pendant quelques heures, après que tout le monde est endormi.

Les enfants de Gerry ont découvert une méthode ingénieuse pour communiquer avec lui. Ils collent de petits dessins ou des *Post-It* sur le miroir de sa salle de bains. Gerry se sent coupable lorsqu'il les voit, surtout quand il lit ceux où les enfants lui disent qu'ils s'ennuient de lui. Que peut-il faire? Son affaire en est à un point critique. Après trois ans de longues heures, ses deux associés et lui préparent une expansion importante. Comme il est associé junior, c'est sur ses épaules que retombe le travail supplémentaire.

Malgré les deux revenus, le budget est serré. Jane aimerait emmener les enfants à Disneyland, mais comme ils n'ont pas d'économies, le voyage risque d'être reporté indéfiniment.

Ce portrait familial vous rappelle-t-il quelque chose? On le rencontre de plus en plus fréquemment à l'époque où les gens se débattent pour créer un sain équilibre entre leur carrière et leur vie familiale et personnelle. Ce sont souvent les femmes qui ressentent la plus grande pression. Travaillant à temps plein à faire avancer leur carrière, on s'attend à ce qu'elles préparent les repas, fassent le ménage, tout en se débrouillant pour répondre à la plupart des besoins des enfants. En fait, c'est la cause principale des divorces et de l'éclatement des familles de nos jours. Combien de temps encore Gerry, Jane, Sarah et Paul pourront-ils continuer à vivre comme « des navires qui se croisent dans la nuit »? Éventuellement, quelque chose finira par lâcher, probablement plus tôt que plus tard.

Si vous êtes le moindrement stressé par votre qualité de vie actuelle, étudiez ce chapitre attentivement. Dans les pages qui suivent, vous trouverez des réponses à vos inquiétudes. Plus important encore, nous partagerons avec vous une méthode unique qui vous assurera un mode de vie sain et équilibré. Il *existe* une meilleure façon de faire. Vivre coincé comme Gerry n'est pas une vie. Suivez-nous. Lisez et relisez l'information qui suit, et préparez-vous à faire des changements.

D'abord, nous voulons insister sur le fait que certaines personnes jouissent vraiment d'un équilibre optimal dans leur vie quotidienne. Voici un exemple. Ils s'appellent John et Jennifer. Tout comme Gerry dans notre exemple précédent, John a trente-huit ans. Il vit le bonheur parfait avec Jennifer depuis quinze ans. Ils ont trois enfants, David, trois ans, Joanne, sept ans, et Charlene, neuf ans. John travaille fort lui aussi en tant que propriétaire d'une entreprise d'électricité qu'il a fondée il y a six ans. Contrairement à Gerry, John et sa famille prennent des vacances chaque année. En fait, ils prennent six semaines pour leurs loisirs chaque année. Les parents de John et Jennifer avaient de bonnes valeurs qu'ils leur ont transmises, de toute évidence. Une de ces valeurs était une excellente éthique du travail : « Si vous faites quelque chose, faites-le au meilleur de vos capacités. » Une autre valeur était l'épargne et les placements. Au moment de se marier, ils avaient chacun un programme d'épargne et ils ont maximisé leur potentiel d'épargne au cours de ces premières années en créant un portefeuille bien diversifié. Grâce à l'aide d'un conseiller financier bien choisi, leurs placements totalisent aujourd'hui deux cent mille dollars. Ils ont aussi un programme d'épargne-études qui couvrira le moment venu les frais scolaires universitaires des enfants.

Au travail, John peut compter sur un adjoint de grande compétence qui lui permet de *centrer son attention* sur ce qu'il fait le mieux. En conséquence, il n'a pas à s'occuper de la paperasserie inutile et il n'est pas distrait par des gens qui pourraient lui faire perdre une bonne partie de son précieux temps. Parce qu'il est bien organisé, il peut profiter de la plupart de ses week-ends. Bien que sa journée commence tôt, John rentre rarement après 18 h, ce qui lui permet de passer de bons moments avec sa famille.

Au début de chaque nouvelle année, John et Jennifer préparent leurs objectifs personnels et familiaux, dont la planification des vacances, incluant un long congé en famille, et de petites pauses de trois ou quatre jours pour John et Jennifer, sans les enfants. Deux fois par année, John passe deux week-ends avec son groupe *Mastermind* pour jouer au golf, alors que Jennifer fait quelques excursions de ski avec un groupe d'amies.

N'OUBLIEZ PAS, SI VOUS VOULEZ
UN RÉSULTAT DIFFÉRENT,

Faites les choses différemment.

Grâce à une discipline personnelle et de bons conseils, John et Jennifer ont établi un sain équilibre dans leur vie. Ils ne sont pas tombés dans le syndrome du bourreau de travail qui met à l'épreuve tant de relations. De plus, John ne se sent pas coupable de prendre des congés. Il dit : « Je travaille fort et intelligemment dans mon affaire. Je mérite donc de prendre le temps de m'amuser. » Comme résultat, il génère un revenu élevé. Ceci, combiné à leur habitude d'épargner régulièrement, réduit les soucis financiers à leur minimum. Il est intéressant de noter que John et sa famille ne sont pas portés à la consommation à outrance. Ils ne dépensent pas beaucoup d'argent pour les produits de consommation habituels. Ils préfèrent mettre de l'argent de côté pour des vacances mémorables. Leurs enfants n'obtiennent pas tout ce qu'ils demandent, mais ils n'en souffrent pas non plus. John est très heureux au volant de sa voiture datant de plus de quatre ans, contrairement à Gerry qui change la sienne à tous les deux ans, bien qu'il n'en ait pas vraiment les moyens.

Où vous situez-vous par rapport au style de vie de John et de Gerry? Il n'est pas difficile de voir lequel a le mode de vie le plus sain. Peut-être n'êtes-vous pas propriétaire de votre entreprise ou n'êtes-vous pas dans le même groupe d'âge. Vous n'êtes peut-être pas marié ou vous êtes peut-être sans famille. Ce n'est pas là le point important. La question est : « Avez-vous un mode de vie sain et bien équilibré? Faites-vous un travail que vous aimez, qui vous rapporte un excellent revenu et qui vous laisse suffisamment de temps libre pour poursuivre vos autres intérêts? » La réponse ne peut être que « oui » ou « non ».

La MÉTHODE VIGILANCE

Si votre réponse est « non », nous allons maintenant vous donner une méthode qui vous permettra de rester en *focus* et équilibré. Même si vous avez répondu « oui », cette méthode élèvera votre conscience à un autre niveau. On l'appelle la ***méthode vigilance*** pour un *équilibre optimal*. En appliquant cette méthode, vous serez plus vigilant, chaque jour, face à ces subtiles pressions qui peuvent si facilement vous écarter de votre objectif.

Si vous vérifiez le sens du mot *vigilant*, il suppose « en éveil, attentif, utilisant son intelligence, sur ses gardes, conscient et préparé ».

Il est évident que si vous êtes en éveil chaque jour et que vous utilisez votre intelligence, vous serez plus attentif à vos priorités et à votre équilibre. Quand vous êtes vraiment vigilant, vous êtes plus conscient de ce qui se passe autour de vous. Quel est l'opposé de vigilant? Insouciant, non préparé, inconscient, inattentif et stupide! Si vous aviez le choix, de quel côté de la balance voudriez-vous être? Vigilant ou non préparé et stupide? Vous *avez* le choix et vous pouvez l'exercer chaque jour. Le choix évident est d'être vigilant plutôt que l'option contraire. Si c'est un choix si facile, pourquoi tant de gens se retrouvent-ils de l'autre côté de la balance? En vérité, nos vieilles habitudes ont la vie dure. Le changement nous est inconfortable et on semble toujours manquer de temps. Il est plus facile de garder ses vieilles habitudes, même si les conséquences à long terme peuvent être désastreuses. Lorsqu'il s'agit de se donner un excellent équilibre dans la vie, la plupart des gens ne sont absolument pas préparés, facilement inattentifs et pas très intelligents.

Qu'en est-il pour vous? Nous allons analyser en détail votre comportement quotidien selon la *méthode **vigilance***. C'est une formule puissante qui vous aidera à passer une journée bien équilibrée. Si vous appliquez la méthode sept fois de suite, vous aurez passé une semaine bien équilibrée. Persévérez pendant quatre semaines et vous aurez passé un mois formidable. Prenez-en l'habitude chaque mois et, avant de vous en rendre compte, vous aurez passé une année fantastique, vous aurez eu beaucoup plus de loisirs et, en prime, beaucoup plus d'argent. En étudiant chacune des **six étapes**, soyez conscient de vos émotions. Identifiez vos points de résistance. Réfléchissez aux causes de cette résistance potentielle. Lâcher prise face à tout blocage mental vous aidera grandement à acquérir la nouvelle habitude de l'*équilibre optimal*.

> *Toute maison bien construite est basée*
> *sur des plans bien précis.*
> — NAPOLEON HILL

1re étape — Plan

C'est la façon dont vous vous préparez pour la journée. Vous vous préparez, n'est-ce pas? Un plan est simplement l'itinéraire de votre journée. Il vous aide à donner priorité à vos tâches importantes selon votre ordre du jour. Pour illustrer nos propos, imaginez un grand et bel édifice dans une grande ville. Son architecture est remarquable. Il y a du marbre et du verre partout, et de riches détails s'intègrent à son style unique. Avant de poser la première pierre, on a préparé et approuvé un plan détaillé. Les propriétaires de l'édifice n'ont pas dit à l'entrepreneur : « Nous aimerions un grand édifice en hauteur avec beaucoup de verre et de marbre — voici notre argent. Voyez ce que vous pouvez faire pour nous. » Au contraire, chaque petit détail a été minutieusement planifié et clairement envisagé à l'avance.

Si vous demandez à un imprimeur de vous imprimer une brochure, vous devez approuver les épreuves avant d'aller sous presse. Ceci vous permet de revoir chaque élément avant l'impression au cas où il y aurait eu des erreurs ou des omissions. C'est la dernière vérification avant de passer à l'action.

Il y a deux façons de préparer le plan de votre journée. Vous le faites la veille en soirée, ou tôt le matin avant de commencer votre journée. Il ne vous faudra que dix ou quinze minutes pour le faire.

Des recherches récentes indiquent que, si vous préparez votre plan la veille en soirée plutôt que le matin, votre subconscient travaillera toute la nuit sur la meilleure manière de réaliser votre plan du lendemain; par exemple, la préparation de la meilleure présentation de vente, les réponses aux objections possibles, ou la résolution des problèmes ou conflits qui surgiront. Ainsi, si vous êtes en position de le faire, prenez du temps chaque soir pour planifier la journée du lendemain et étudiez votre plan avant de vous coucher. Cette étude devrait mettre le *focus* sur les activités les plus importantes, par exemple les gens que vous allez rencontrer, ainsi que la raison et l'objectif de chacun de vos rendez-vous. Limitez la durée de chaque rendez-vous. De plus, passez en revue chaque projet sur lequel vous devez travailler et décidez si vous y avez alloué assez de temps.

Il est important d'avoir votre propre méthode de noter votre plan. Vous pouvez le préparer dans un agenda quotidien ordinaire ou vous pouvez préférer un agenda électronique. Utilisez la méthode qui vous convient le mieux. Pour de meilleurs résultats, gardez les choses simples. Adaptez la méthode qui correspond à votre propre style.

Avez-vous déjà observé des gens qui ne planifient pas leur journée? Vous en trouverez dans la plupart des groupes de vente. Immédiatement en arrivant le matin, ils se rassemblent autour de la machine à café. Pour la plupart de ces gens, la « première chose » se situe quelque part après 9 h. La conversation et la lecture des journaux sont parmi leurs plus grandes priorités. Leur premier téléphone de vente a lieu vers 11 h. Il est facile d'imaginer leur productivité pour le reste de la journée.

Un plan bien structuré vous permet d'avoir le contrôle de votre journée. Vous avez le contrôle dès le départ, et préférablement tôt. Vous en retirerez une formidable impression de confiance et il est probable que vous accomplirez beaucoup plus de travail.

> *La seule différence entre les gagnants*
> *et les perdants est que*
> *les gagnants passent à l'action !*
> — ANTHONY ROBBINS

2ᵉ étape — Action

Quand vient le temps d'examiner vos résultats, c'est l'action que vous avez déployée durant la journée qui influencera directement votre pointage. Veuillez noter qu'il y a une grande différence entre être occupé et agir de façon précise, bien organisée. Vous pouvez être très occupé pendant la journée et n'avoir rien à montrer en retour. Vous n'avez rien fait pour réaliser vos objectifs les plus importants. La journée s'est tout simplement évaporée. Il est possible que vous ayez dû faire face à de petites urgences ou que vous ayez permis qu'on vous interrompe trop souvent. Comme nous l'avons dit au chapitre 3, « Avez-vous une vision globale? », il est préférable de consacrer votre temps à ce que vous faites le mieux. Concentrez-vous sur les activités qui vous rapportent le plus. Imposez-vous des limites sur ce que vous ferez et ne ferez pas. Déléguez efficacement et soyez vigilant pour ne pas outrepasser vos frontières.

Dans le chapitre 9, « Prendre des mesures décisives », nous vous montrerons des stratégies géniales qui vous aideront à ne plus remettre à plus tard et à devenir très proactif.

Une dernière remarque : quand vous êtes en vacances ou que vous prenez une journée de congé pour vos loisirs, votre action consiste simplement à vous amuser. Il n'est pas nécessaire de réviser vos objectifs ou de faire quoi que ce soit qui a trait à votre travail. En réalité, pour bien refaire vos forces, il est essentiel de vous détendre à 100 pour cent. N'oubliez pas : vous méritez du repos, prenez-le donc!

Essentiellement,
deux choses vous rendront plus sage —
les livres que vous lisez
et les gens que vous rencontrez.
— CHARLES « TREMENDOUS » JONES

3e étape — Apprendre

Autre élément d'une journée bien équilibrée : prendre le temps d'élargir vos connaissances. Il ne s'agit pas de passer plusieurs heures à étudier. Il y a plusieurs façons d'apprendre durant la journée. Il vous suffit d'être curieux. Votre niveau de curiosité sur la façon dont la vie et les affaires fonctionnent contribuera de façon substantielle à vous aider à devenir riche. Examinons donc quelques façons d'apprendre. Vous pouvez apprendre par les livres, les enregistrements, les vidéos et certains médias bien choisis. Comme nous l'avons déjà dit, prenez l'habitude de lire au moins vingt ou trente minutes chaque matin. C'est une excellente façon d'entreprendre votre journée.

Que devriez-vous lire? Tout ce qui vous stimule, vous présente un défi, ou vous donne un avantage dans votre entreprise ou votre profession. Le choix est vaste. Par exemple, lire une ou deux histoires de notre série *Bouillon de poulet pour l'âme* ne demande que quelques minutes pendant votre petit-déjeuner. Les biographies et les autobiographies sont particulièrement inspirantes. Leur lecture vous apportera un regain d'énergie positive. Quoi que vous fassiez, évitez les articles négatifs dans les journaux. Vous accabler d'histoires de guerres, de meurtres, d'émeutes et de désastres ne servira qu'à vous vider de votre énergie avant que la journée ne débute — ce n'est pas un bon plan.

Il y a des milliers de livres qui racontent la vie de gens intéressants qui ont réussi, qu'il s'agisse de vedettes du sport ou de célébrités, d'aventuriers, d'entrepreneurs ou de grands leaders. Ces livres regorgent de bonnes idées à la disposition de ceux qui sont quelque peu curieux et qui désirent améliorer leur situation. Il n'est même pas nécessaire de payer pour cela. Cet énorme réservoir de la connaissance est disponible dans la plupart des bibliothèques du pays. Et, bien entendu, l'Internet est au bout des doigts. Une bonne partie des meilleurs livres sont maintenant offerts en version résumée. Il n'est pas nécessaire de prendre une semaine ou un mois pour lire un livre, vous pouvez y trouver les faits saillants et les éléments les plus importants. Évidemment, assurez-vous que la personne qui a préparé le résumé soit bien fiable. (Consultez le Guide ressources pour une liste de lectures recommandées et autres ressources de qualité.)

Une dernière remarque sur la lecture. Envisagez de suivre un bon cours de lecture rapide. Le temps que vous consacrez actuellement à la lecture en sera grandement réduit. Comme en toutes choses, il faut pratiquer pour devenir compétent, mais vous avez maintenant compris.

Surveillez les documentaires spéciaux présentés à la télévision ou les séries régulières comme *Biography* sur la chaîne A & E. Les chaînes Savoir, Découverte, Historia et PBS Television offrent toutes une excellente programmation. Vous pouvez même apprendre beaucoup d'un film ou de dramatiques de qualité qui ont un effet non seulement intellectuel mais aussi émotif sur vous. Quand nous sommes en contact avec nos émotions, notre intuition et notre capacité de compréhension s'en trouvent augmentées. De plus, n'oubliez pas qu'il est permis de verser quelques larmes à l'occasion.

APPRENDRE PARTOUT

Nous l'avons déjà dit, mais il vaut la peine de le répéter. Saviez-vous que vous pouvez acquérir l'équivalent d'un diplôme universitaire pendant que vous conduisez pour vous rendre au travail et en revenir chaque jour? Voici comment : au lieu d'écouter des animateurs débiles à la radio ou des nouvelles négatives, transformez votre voiture en un centre d'étude. Les cassettes sont un des moyens les plus productifs de développer votre conscience. Vingt minutes par jour équivalent à cent heures par année pour acquérir de nouvelles connaissances. Et si vous mettez en pratique ces connaissances, vous gagnerez encore plus.

Il y a un choix de milliers de cassettes. La plupart des librairies vendent le livre-cassette des best-sellers sur les affaires et la croissance personnelle. Vous pouvez aussi louer des livres-cassettes dans les magasins spécialisés en croissance personnelle, de même que d'excellentes vidéocassettes sur une panoplie de sujets. Celles-ci sont souvent présentées par les meilleurs conférenciers du monde. (Voir notre Guide ressources pour information.)

Apprenez aussi de vous. Vous pouvez beaucoup profiter de votre expérience quotidienne. Comment avez-vous surmonté votre dernier défi? Chaque fois que vous prenez un risque ou que vous sortez de votre zone de confort, vous avez une excellente occasion d'en apprendre plus sur vous-même et sur vos capacités. Nous en reparlerons plus loin dans la dernière section de notre *méthode **vigilance***.

Apprendre des autres. Vous pouvez apprendre beaucoup en observant et en étudiant les autres. Que font les gens riches? Comment sont-ils devenus riches? Pourquoi certaines personnes doivent-elles se débattre toute leur vie? Pourquoi n'y a-t-il qu'un faible pourcentage de gens financièrement indépendants? Pourquoi certaines personnes jouissent-elles de relations amoureuses magnifiques et affectueuses? Utiliser l'expérience des autres comme point de référence de vos apprentissages vous aidera énormément. Il suffit de garder les yeux bien ouverts et de poser quelques questions.

JACK :

J'ai récemment donné un séminaire de motivation dans la vente pour une entreprise californienne de fabrication de lentilles optiques. Plus de 200 vendeurs y assistaient. J'ai demandé à l'auditoire de lever la main s'ils connaissaient les deux ou trois meilleurs vendeurs de leur entreprise. Presque tout le monde a levé la main. Je leur ai alors demandé de lever la main s'ils avaient approché une de ces deux ou trois personnes pour lui demander le secret de son succès. Personne n'a levé la main. Quelle tragédie! Nous connaissons tous des gens qui ont réussi, mais nous avons peur de les approcher pour leur demander de l'information, la voie à suivre et des conseils. Ne laissez pas la peur du rejet vous arrêter. Au pire, ils ne vous diront rien. Vous n'apprendrez donc pas ce qu'ils savent. Comme vous ne savez déjà pas ce qu'ils savent, alors ça ne pourra pas être pire pour vous, non? Alors, tentez votre chance. Demandez!

Faites-en une habitude. Voici une autre idée : chaque mois, trouvez le courage d'inviter à dîner une personne qui a réussi — quelqu'un que vous respectez et admirez vraiment. Étirez le repas, plus il y aura de services, mieux ce sera. Posez des questions. Vous découvrirez une mine d'or d'informations et, parmi elles, de petits bijoux de sagesse qui pourront transformer votre vie professionnelle, votre situation financière ou votre vie personnelle. Est-ce possible? Bien sûr! Mais la plupart des gens ne le font pas. Ils sont beaucoup trop occupés pour prendre le temps d'apprendre de gens plus sages et plus expérimentés. Ceci ne fait que rendre l'opportunité plus facile pour vous.

JACK :

Au début de sa carrière, mon beau-père, un des meilleurs vendeurs chez NCR, avait pris l'habitude d'inviter les meilleurs vendeurs et directeurs à prendre un verrre pour leur poser des questions sur la façon dont ils avaient débuté dans le métier et leur demander des conseils pour améliorer sa façon de travailler. Tous ces conseils ont porté fruit, il est finalement devenu président de NCR au Brésil.

Incidemment, votre apprentissage quotidien ne doit pas nécessairement transformer votre vie ou être à grande échelle. Ce sont souvent les petits détails qui font toute la différence. Un réglage précis et constant est la véritable voie de la sagesse. Alors, apprenez un peu chaque jour.

MARK :

Nous rapportions nos skis à l'auto après une journée sur les pentes. La distance à parcourir était longue et j'avais de la difficulté à porter mes skis. Un de mes amis m'a indiqué une femme instructeur de ski qui nous précédait et portait son équipement sans effort. J'ai remarqué qu'elle avait placé le centre de ses skis sur son épaule droite et que sa main droite enveloppait légèrement le devant des skis, ce qui lui donnait un excellent équilibre. Nous avons imité sa technique. Quelle différence! Presque personne n'utilisait cette technique simple — tous avaient de la difficulté comme nous. La morale de cette histoire est que la vie vous enseigne quelque chose chaque jour si vous gardez les yeux bien ouverts et êtes conscient de ce qui se passe autour de vous.

Charles « Tremendous » Jones avait raison de dire : « Essentiellement, deux choses vous rendront plus sage — les livres que vous lisez et les gens que vous rencontrez. » Assurez-vous de faire les deux. De plus, les cassettes que vous écouterez et les conseils personnels que vous recevrez joueront un rôle de premier plan.

Si vous désirez vraiment atteindre les sommets, investissez une heure par jour pour apprendre à mieux vous connaître et à mieux connaître votre industrie. Cette seule habitude pourrait faire de vous un expert mondial en cinq ans. N'oubliez pas, l'utilisation de la connaissance est puissante. Et les gens puissants attirent de grandes opportunités. Cela demande de la discipline personnelle, mais les résultats n'en valent-ils pas le coup?

> *Posséder tout l'argent du monde*
> *n'est pas très utile si vous pouvez à peine*
> *vous lever le matin pour en profiter.*
> — AUTEUR INCONNU

4ᵉ étape — Activité physique

N'allez pas soupirer en disant : « Oh! non! » Lisez attentivement cette section. Elle vous sera très profitable. La plupart des gens n'aiment pas l'idée de faire régulièrement de l'exercice et c'est une grave erreur. Voici la question cruciale. Voulez-vous être riche et en santé? Ici encore, la réponse est « oui » ou « non » — pas « je vais y réfléchir ».

Aujourd'hui, l'industrie de la bonne forme et de la santé connaît une croissance explosive. C'est une industrie de plusieurs milliards, car les gens ont fini par comprendre qu'ils ont un avantage direct à s'occuper de leur corps. Vous vivrez probablement plus longtemps. Plus important encore, vous aurez plus d'énergie et votre qualité de vie s'en trouvera grandement améliorée. Soyez réaliste, à quoi sert de gagner beaucoup d'argent si vous n'avez pas la santé pour en profiter plus tard? Ce serait triste, non?

Si vous voulez atteindre un bon équilibre dans votre vie, vous ne devez pas traiter votre santé à la légère. L'activité physique quotidienne fait partie de la recette. La bonne nouvelle est qu'il n'est pas nécessaire de courir le marathon ou de passer trois heures par jour au gymnase. Il suffit de vingt minutes et il y a plusieurs manières de le faire.

Vous souvenez-vous de George Burns, le célèbre comique qui a vécu pleinement jusqu'à l'âge vénérable de 100 ans? Alors qu'il avait plus de quatre-vingt-dix ans, George sortait encore avec des femmes beaucoup plus jeunes que lui. Un ami lui a demandé un jour : « George, pourquoi ne sors-tu pas avec des femmes plus près de ton âge? » D'un air malicieux, George a immédiatement répondu : « Il n'y en a pas! » George avait une grande soif de vivre. Au cours d'une entrevue révélatrice avec Barbara Walters, celle-ci lui demanda le secret de sa longévité. Il a dit qu'il avait toujours fait quelques exercices d'assouplissement chaque jour, habituellement pendant quinze minutes. C'était une habitude acquise depuis longtemps. Ce devrait être un indice pour vous. Plus nous vieillissons, moins souples nous devenons, particulièrement si nous cessons de faire de l'activité physique. Il existe une foule de bons exercices d'assouplissement. Tout chiropraticien, physiothérapeute ou centre de conditionnement pourra vous aider. Vous pouvez même emprunter un livre à la bibliothèque. En deux semaines, vous remarquerez un changement dans votre mobilité, particulièrement si vous avez plus de quarante ans.

Une des activités les plus faciles est la marche rapide. Si vous prenez un petit quinze minutes pour faire le tour du pâté de maisons quelques fois, votre corps vous en sera reconnaissant. Notez bien : une marche de quarante-cinq minutes, quatre fois par semaine, vous permettra de perdre huit kilos en une année sans régime alimentaire. La marche offre aussi d'autres avantages. Elle vous permet de prendre l'air et vous donne l'occasion de développer vos communications et vos relations. Marchez avec votre conjoint(e), un membre de votre famille ou un ami(e). Pour de meilleurs résultats, faites trente minutes d'activité physique par jour, incluant les exercices d'assouplissement. Pratiquez un sport, faites de l'aérobie, du jogging, utilisez une bicyclette d'exercice ou un tapis roulant, devenez membre d'un centre de conditionnement ou développez votre propre programme.

L'activité physique n'est pas obligatoirement ennuyeuse. Il y a une foule de moyens d'apporter de la variété. Si cette idée est nouvelle pour vous, vous devez comprendre que, comme toute habitude, ce sera difficile au début. Fixez-vous un objectif de trente jours. Faites ce qu'il faut pour persister pendant cette période critique. Ne tolérez aucune exception et récompensez-vous pour votre assiduité quotidienne. Il est assuré que vous vous sentirez bien mieux après trente jours. Souvenez-vous qu'il ne faut pas exagérer les premières fois. Si vous souffrez de quelque maladie, consultez d'abord votre médecin.

Si vous n'êtes pas encore convaincu, voici une liste de huit avantages précis qu'un programme d'activité physique vous procurera :

- L'activité permet de mieux dormir.
- L'activité donne plus d'énergie.
- L'activité réduit le stress et l'anxiété.
- L'activité augmente la résistance aux blessures.
- L'activité favorise une bonne posture.
- L'activité réduit les problèmes digestifs.
- L'activité améliore l'estime de soi.
- L'activité augmente l'espérance de vie.

Avec tous ces avantages, pourquoi refuseriez-vous de faire de l'exercice?

LES :

Il y a plusieurs années, j'ai adopté un programme quotidien d'activité physique. J'aime le faire dès mon lever. Je fais d'abord cinq minutes d'assouplissement, suivies d'une course de vingt-cinq minutes et d'une autre période d'assouplissement de dix minutes. C'est maintenant une de mes habitudes. Cela fait partie de ce que je fais chaque jour. Au début, j'avais mal partout et j'étais à bout de souffle, mais lentement ma résistance a augmenté. Et aujourd'hui, j'aime vraiment sortir au grand air. Rafferty, notre Golden Retriever, m'accompagne, combinant ainsi deux activités en une. J'utilise aussi mentalement ce temps pour rendre grâce et réfléchir à mes priorités pour la journée.

Les hivers sont rigoureux à Calgary. Parfois, le mercure atteint les moins vingt degrés Celsius. C'est vraiment froid! Des gens m'ont demandé : « Vous ne faites pas d'activité physique par un tel froid? » Et ma réponse est : « Bien sûr que si! » Je retire tellement d'avantages de ma course quotidienne que je serais psychologiquement perturbé le reste de la journée si je ne le faisais pas. Il est facile d'ajouter une couche ou deux de vêtements pour se protéger du froid. Quand je pars en voyage, je n'encombre pas ma valise. Cela me donne une excellente occasion d'innover. Au lieu de courir à l'extérieur, j'utilise les couloirs de l'hôtel ou le stationnement intérieur si l'hôtel n'offre pas de centre de conditionnement. Il y a toujours un moyen. En fait, si vous découvrez quelque chose qui améliore votre vie, continuez à le faire. Les avantages compensent largement pour les inconvénients du début. Persistez jusqu'à ce que votre nouvelle habitude fasse partie de votre routine quotidienne.

Voici quelques réflexions pour terminer le sujet de la bonne forme. Étudiez-vous. Apprenez-en plus sur votre métabolisme et comment optimiser le magnifique véhicule dont on vous a fait cadeau. Même les gens atteints de handicaps peuvent profiter d'une bonne santé physique. Avez-vous déjà regardé un skieur unijambiste dévaler les pentes, souvent avec plus d'élégance et tout aussi rapidement que les gens qui ont deux jambes? C'est étonnant. Évidemment, ces skieurs ne se considèrent pas handicapés. Ils ont tout simplement trouvé une autre manière de skier à l'aide de skis plus courts spécialement adaptés à leurs besoins. De plus, étudiez l'alimentation. Il y a beaucoup à apprendre. Votre corps réagit mieux à certaines combinaisons d'aliments. Retenez les services d'un nutritionniste ou d'un naturopathe d'expérience. Vous augmenterez à la fois vos connaissances et votre énergie.

Si vous avez de la difficulté à vous discipliner pour entreprendre un bon programme d'activité physique, voici une solution. Retenez les services d'un entraîneur personnel pour vous créer une obligation. Comme toujours, faites vos devoirs. Trouvez la meilleure personne de votre région. Parlez à quelques entraîneurs, et choisissez celui ou celle qui semble vraiment bien comprendre votre situation. Cette personne peut vous préparer un programme adapté à vos besoins.

« Nous allons couper les vitamines pour quelques jours. »

Un bon entraîneur variera les exercices pour vous éviter l'ennui. C'est de l'argent bien investi et c'est beaucoup moins cher que vous ne le croyez. Vous apprendrez la bonne technique pour vos exercices afin d'en retirer tous les bienfaits. La plupart des gens qui se font un programme d'activité physique ne font pas les exercices de la bonne manière. En apprenant d'un professionnel, vous progresserez plus rapidement.

Votre corps est le véhicule physique qu'on vous a donné pour vous déplacer. Ne le négligez pas, ou il pourrait tomber en panne comme une voiture mal entretenue. Vous pourriez finir sur la pile des épaves de la vie en tant qu'observateur brûlé par le travail au lieu de goûter au plaisir d'être dans le siège du conducteur. C'est votre choix. Le message est simple. Si vous voulez être riche de santé, mangez correctement et faites de l'activité physique.

Au fait, vous vous êtes peut-être demandé si nous avions oublié l'importance de la santé mentale et spirituelle. Cet aspect sera traité au chapitre 6, « Le facteur confiance ».

> *Oh ! que j'aimerais me libérer*
> *des pressions étouffantes de la vie —*
> *me reposer, dans un sommeil paisible*
> *qui régénérerait mon âme.*
>
> — LES HEWITT

5e étape — Se détendre

Il faut s'arrêter pour reprendre des forces durant la journée. Il y a plusieurs années, les gens croyaient que les ordinateurs nous permettraient plus de moments de loisir. Nous irions jouer au golf trois fois par semaine pendant que cette nouvelle technologie ferait tout le travail au bureau. Quelle blague! La plupart des gens d'affaires de nos jours travaillent encore de plus longues heures qu'auparavant. La tâche est plus lourde et le soutien a été considérablement réduit à cause de la réduction des effectifs.

Vous arrive-t-il d'être physiquement fatigué pendant une journée normale de travail? Si c'est le cas, cela se produit-il à un moment précis? Si vous êtes un lève-tôt (entre 5 h 30 et 6 h 30), vous avez probablement votre période de lassitude entre 13 h 30 et 15 h. Si vous ne prenez pas de petit-déjeuner, cela pourrait se produire plus tôt. Certaines personnes se relancent en prenant six ou sept tasses de café pendant la journée pour compenser leur perte d'énergie. Cela pourrait mener à une dépendance à la caféine, à l'hypertension et à d'autres effets secondaires qui ne vous aideront certainement pas à vous détendre.

Voici un excellent moyen de maintenir votre énergie pour bénéficier d'une journée productive. Faites une sieste! Nous appelons cela VMP — pour Vingt-cinq Minutes Paisibles. Dans les pays chauds, la sieste fait partie d'une journée normale. Quand vous étiez petit, votre mère vous mettait probablement au lit pour une petite sieste après le repas du midi. Pourquoi ne pas faire de même à l'âge adulte? C'est bon pour vous. De plus, vous ne serez pas d'humeur si difficile en fin de journée. Au cas où vous diriez : « Êtes-vous tombé sur la tête? Je manque déjà assez de temps sans perdre mon après-midi à sommeiller. De plus, comment prendre vingt-cinq minutes alors que je suis entouré de gens? Je n'ai ni lit, ni divan dans mon bureau. Vous ne croyez tout de même pas que je vais m'étendre sur le sol. » Exactement!

LES :

Tous nos employés ont le droit de prendre un VMP chaque jour. Je colle une note sur la porte de mon bureau où j'inscris simplement VMP. Cela veut dire de ne pas déranger. Ensuite, j'éteins les lumières, j'enlève mes chaussures, et je détache mon col et ma cravate. Je prends un oreiller que je garde dans une armoire et je m'étends sur le sol. Avant de ce faire, je débranche le téléphone et je mets de la musique douce. Je règle la minuterie à vingt-cinq minutes, je prends deux ou trois grandes respirations, je ferme les yeux et je me détends. Il n'y a aucune interruption. Mon adjointe est au courant, tout comme le reste de mon personnel. C'est merveilleux. Cette mini-sieste régénère mon énergie. Je peux focaliser mon attention et rester productif tard en soirée, au lieu de m'écrouler sur le canapé, sans pouvoir bouger de nouveau jusqu'à l'heure du coucher. Ce surplus d'énergie me permet de passer de très bons moments avec ma famille.

Si vous n'avez pas de bureau fermé, utilisez votre imagination. Détendez-vous plutôt dans votre voiture. Si vous êtes en voyage d'affaires, vous devrez peut-être modifier votre horaire, mais vous pourrez toujours trouver ces quelques minutes pour vous arrêter. Si vous êtes propriétaire de votre entreprise, n'agissez pas en dinosaure. La vieille rengaine du seulement-en-dehors-de-vos-heures-de-travail est dépassée. Les entreprises les plus progressives et les plus rentables ont compris qu'un personnel très productif ne s'obtient pas en poussant tout le monde jusqu'à épuisement. Cela ne signifie pas que vous deviez abaisser vos niveaux de rendement. Tout simplement, c'est de reconnaître qu'une grande productivité requiert beaucoup d'énergie.

Un de nos clients, Ralph Puertas, est président de Zep Manufacturing Company au Canada. Il garde un fauteuil inclinable dans son bureau pour se régénérer, et il encourage ses autres cadres à prendre leur VMP au besoin.

Les VMP sont un excellent moyen d'accroître votre énergie en la surmultipliant. Si vous avez une famille, un autre excellent moment pour penser à un VMP est la période de transition lorsque vous rentrez du travail à la maison. Vous avez encore la tête pleine de problèmes au sujet du travail et vous êtes encore sous l'effet des pressions de la journée. Soudain, les enfants sont lâchés sur vous. Si vous prévoyez un VMP avant ce changement de rôle, vous aurez la chance de reprendre votre souffle, de vous détendre et d'être prêt mentalement à mettre le *focus* sur votre famille. Pour en augmenter l'efficacité, pensez à vous détendre au son de votre musique favorite. Quelle que soit la méthode que vous reteniez, il est important de bien communiquer pour que cette activité soit bien comprise.

Si nous passons à une vision élargie de la détente, combien de temps de repos vous accordez-vous chaque semaine? Combien de semaines par année consacrez-vous à vous amuser? Définissons d'abord la notion de temps de repos. Si vous prévoyez passer une journée par semaine à vous détendre, assurez-vous qu'il s'agit d'un vingt-quatre heures complet. Nous disons que c'est le temps du plaisir. Cela signifie que, pour vingt-quatre heures sans interruption, vous ne faites rien qui a trait aux affaires. Aucun appel téléphonique, aucun dossier consulté, ne serait-ce que durant quelques minutes. Bien des gens d'affaires ne comprennent pas ce que signifie temps de repos, particulièrement les entrepreneurs.

Pour eux, une journée de congé signifie traîner leur télé-phone portable, prendre les appels d'affaires et en effectuer quelques-uns eux-mêmes. « Je dois être disponible » est leur excuse passionnée. Ils ont un télécopieur ou un courriel à la maison pour surveiller les messages urgents qui, la plupart bien sûr ne le sont pas.

Voici ce qu'il faut retenir : si vous avez travaillé dur pen-dant de longues heures toute la semaine, vous méritez une pause pour refaire vos énergies. Serez-vous plus frais et dis-pos si vous prenez une pause complète de vingt-quatre heu-res plutôt que de saisir au vol une heure ou deux lorsque le temps vous le permet? Sans aucun doute, une pause com-plète vous servira bien mieux. C'est très difficile à compren-dre pour certains gens d'affaires. Ils se déchirent eux-mêmes mentalement à cause de la culpabilité. Par exemple, un père amène son fils à ses leçons de natation le samedi en pensant : « Je devrais être au bureau en train de terminer tel projet. » Quand il se retrouve au bureau pendant le week-end, il se sent coupable de négliger son fils, parce qu'il lui a promis de l'amener au match de football. Ce cycle infernal de culpabi-lité augmente le niveau de stress et de frustration. Lorsque le travail prend priorité sur le temps de loisir en famille, les relations se durcissent. Les autres conséquences à long terme sont le burn-out, le divorce et les problèmes de santé.

Pour éviter les désaccords potentiels, prévoyez le temps que vous passerez avec votre famille chaque semaine. Au début de l'année, décidez quand vous prendrez vos longs con-gés et réservez les dates sur votre calendrier. Vous pouvez prévoir des évasions de trois à sept jours ou des vacances de deux ou trois semaines — ce qui vous convient le mieux. Si vous n'êtes pas en position de le faire en ce moment, prévoyez au moins une journée de congé par semaine et donnez-vous comme objectif d'augmenter vos congés l'an prochain. L'important est de prendre l'habitude de prévoir de vérita-bles moments pour une détente totale. Frais et dispos au retour d'une semaine de congé, vous serez plus créatif, mieux concentré et plus productif.

POUR MAXIMISER VOS PROGRÈS,

Prenez des pauses régulières pour refaire vos énergies.

Au cours des vingt dernières années, un de nos collègues a travaillé avec des milliers d'entrepreneurs qui ont très bien réussi. Il a constaté que plus ces gens prenaient de congés, plus ils faisaient d'argent. Il l'a prouvé par la croissance de sa propre entreprise. Chaque mois, il prend une semaine de congé. Il faut qu'il sorte de la ville, peu lui importe où. Il ne téléphone pas au bureau et ne prend pas d'appels non plus. Malgré ses trois mois de vacances annuelles, l'entreprise a connu une croissance exceptionnelle chaque année depuis les onze dernières années.

Nous ne vous suggérons pas de copier cette stratégie. Assurez-vous simplement de prendre régulièrement assez de congés pour refaire vos énergies et réduire votre stress. Et, s'il vous plaît, faites-le sans culpabilité. La vie est trop courte pour constamment s'inquiéter à propos de tout. C'est vraiment très bien de s'amuser.

> *Si vous connaissiez la force de vos pensées,*
> *vous n'auriez jamais de pensées négatives.*
>
> — UN PÈLERIN DE LA PAIX

6e étape — Approfondir

Oui, nous savons bien que vous passez déjà une bonne partie de votre journée à penser. Cependant, il existe une façon différente de penser. Nous l'appelons la *pensée approfondie*. Comme nous l'avons dit plus haut, si vous voulez profiter d'une clarté inhabituelle pour voir ce qui va et ne va pas dans votre vie, prévoyez du temps pour la réflexion, pour approfondir votre pensée. C'est la dernière partie de votre *méthode **vigilance*** qui vous aidera à atteindre un excellent équilibre, chaque jour. Voici comment. À la fin de votre journée de travail, ou juste avant de vous mettre au lit, prenez quelques minutes pour passer votre journée en revue. Considérez chaque journée comme un mini-film dont vous êtes la vedette. Comment avez-vous été? Rembobinez et regardez de nouveau. Qu'avez-vous bien fait? Y aurait-il moyen d'apporter quelques correctifs pour améliorer les résultats?

Concentrez-vous chaque jour sur vos progrès. Soyez vigilant face à tout manquement, mais soyez indulgent. Apprenez de vos erreurs, car demain est une nouvelle journée, une autre occasion de faire mieux. Faites de la pensée approfondie une habitude quotidienne. Il ne faut que quelques minutes, et vous deviendrez plus fort et plus sage au cours des semaines et des mois à venir.

Au commencement, la *méthode **vigilance*** pour atteindre l'*équilibre optimal* pourra vous sembler astreignante. Un de nos clients a cru qu'il lui fallait tout faire dans l'ordre — débuter par le Plan et terminer par Approfondir. Ce n'est pas le cas! La méthode est beaucoup plus flexible que cela. Vous découvrirez que cette méthode unique ne demande pas trop de votre temps. En fait, en faisant votre plan, vous économiserez du temps, car vous aurez alors une image claire de vos priorités. En gardant le *focus* sur les activités les plus importantes pendant la journée, vous deviendrez plus productif et vous obtiendrez de meilleurs résultats. Apprendre pourrait vous demander trente minutes si vous choisissez de lire ou d'écouter une cassette sur le développement personnel. Cependant, vous pouvez combiner cette étape avec votre activité physique. Soyez imaginatif. D'autre part, l'apprentissage par l'observation ne demande aucun temps. Il s'agit simplement d'observer chaque jour pendant que vous travaillez. Et le temps de repos et de réflexion est une occasion de refaire vos énergies et de développer votre perception.

Conclusion

Réfléchissez bien à cette question capitale : Votre vie serait-elle mieux équilibrée si vous aviez un plan bien clair de votre journée, si vous étiez capable de rester centré sur vos activités les plus importantes, si votre énergie et votre perception étaient maximisées grâce à un peu d'activité physique et de pensées approfondies, tout en ayant le temps de vous amuser? La réponse est évidente : bien sûr!

Faites donc l'effort dès maintenant. Utilisez la *liste de contrôle* de la *méthode **vigilance***. (Voyez le Plan d'action.) C'est un rappel quotidien qui vous gardera dans le droit chemin. Faites-en des photocopies que vous attacherez à chaque page de votre agenda, ou intégrez la liste à votre logiciel de planification ou à votre agenda électronique. N'oubliez pas, un excellent équilibre enrichira grandement votre mental, votre corps et votre âme, sans parler de vos relations les plus importantes et de votre compte en banque.

PLAN D'ACTION

La *liste de contrôle* de la méthode vigilance

Voici une manière simple de suivre vos progrès. Elle ne demande que quelques minutes. À la fin de chaque journée, demandez-vous si vous avez complété chacune des six étapes de la *méthode **vigilance***. Par exemple, si vous avez fait votre plan, faites un crochet à côté du mot « Plan ». Si vous avez passé la plus grande partie de la journée à vous occuper de vos activités importantes, cochez « Action ». Répétez à chacune des autres étapes. Soyez honnête dans votre évaluation. Vous remarquerez que des schémas se développeront chaque semaine qui mettront en lumière ce que vous faites correctement et ce qui doit être corrigé. Utilisez un crayon rouge pour encercler les étapes où votre performance laisse à désirer. Par exemple, si vous aviez planifié trente minutes d'activité physique chaque jour et que cette étape est encerclée en rouge cinq fois pour la première semaine, vous devez apporter un correctif! Comme toujours, allez-y doucement pour acquérir cette nouvelle habitude. Ne soyez pas trop sévère envers vous-même au début. Plus vous pratiquerez, meilleurs seront vos résultats.

VIGILANCE : UNE MÉTHODE ÉPROUVÉE POUR ATTEINDRE L'*ÉQUILIBRE OPTIMAL*

Plan

Mon plan stratégique pour la journée. Priorités, rendez-vous, projets. Revisez la veille, en soirée, ou tôt le matin.

Action

Concentrez-vous sur les activités les plus importantes qui vous aideront à atteindre vos objectifs de soixante jours.

Apprendre

Augmentez vos connaissances par la lecture, les cassettes, les vidéocassettes, un mentor, des cours.

Activité physique

Refaites vos énergies pendant trente minutes.

Se détendre

Éliminez le stress quotidien. Faites une sieste, méditez, écoutez de la musique, passez du temps en famille.

Approfondir

Prenez le temps de réfléchir à votre journée. Revoyez vos objectifs, visualisez, développez de nouvelles idées, utilisez un journal intime.

Suivez vos progrès chaque semaine. Créez votre propre tableau de vérification simple, comme dans l'exemple ci-après. À la fin de chaque journée, prenez un moment pour noter votre performance. Dans chaque case, faites un crochet (√) correspondant à une étape complétée, ou faites un cercle en rouge (0) correspondant à une étape non complétée.

Étapes	Lun	Mar	Mer	Jeu	Ven	Sam	Dim
Plan	√	√	√	√	√	√	√
Action	√	0	√	√	√	√	√
Apprendre	√	√	0	√	√	√	√
Activité physique	0	√	0	0	√	0	√
Se détendre	√	√	√	√	√	√	√
Approfondir	√	√	√	√	√	√	√

Avoir une raison de vivre

Prendre des mesures décisives

Persévérance tenace

Demandez ce que vous voulez

Le facteur confiance

Développer d'excellentes relations

Créer l'équilibre optimal

Avez-vous une vision globale?

Pas de la magie, une question de *focus*

Vos habitudes définiront votre futur

Presque à mi-chemin — gardez le focus!

5^E STRATÉGIE DE *FOCUS*

Développer d'excellentes relations

Certaines personnes entrent dans notre vie
et en ressortent presque aussitôt.
D'autres restent et marquent si profondément
notre cœur et notre âme
que nous en sommes changés pour toujours.

— AUTEUR INCONNU

LES :

À cette époque, ma mère devait avoir quatre-vingt-cinq ans. Elle vivait seule à Belfast, en Irlande du Nord, et elle avait subi une attaque cardiaque. Mon père était décédé seize ans plus tôt. Étant enfant unique, j'étais inquiet. Ma plus grande peur était de ne pas savoir exactement à quel point la situation était grave. Comme je vivais au Canada, il ne m'était pas facile de me rendre auprès d'elle si sa santé venait à se détériorer.

Mon bon ami Denis, qui travaillait à l'hôpital local de Belfast, me tenait au courant par ses appels réguliers. Cependant, il devait partir en vacances à Chypre avec sa famille dans quelques jours. Tous étaient très excités par ce voyage.

Je me souviendrai toujours de l'appel téléphonique suivant. C'était Denis. La bonne nouvelle était que maman devait recevoir son congé de l'hôpital — mais elle était encore très faible. Il m'a dit : « J'annule notre voyage à Chypre. Beenie (sa femme, qui est infirmière) et moi aimerions que ta mère vienne rester chez nous jusqu'à ce qu'elle se rétablisse complètement. Ainsi, elle recevra de l'attention et des soins adéquats. » J'ai senti une boule dans ma gorge. Des larmes ont embué mes yeux et, pendant quelques instants, j'ai été incapable de parler. Il m'a demandé : « Ça va? »

« Oui, ai-je répondu. Je ne sais quoi dire — je suis bouleversé. » Ses derniers mots ont été : « N'y pense plus. À quoi servent les amis, si ce n'est pour ça? »

Par la suite, notre amitié a atteint un autre niveau. C'est merveilleux d'avoir dans notre vie des gens spéciaux qui peuvent nous enrichir et nous nourrir de multiples façons. En réalité, lorsque vous achèverez votre séjour sur cette planète et que vous passerez votre vie en revue, vous vous remémorerez probablement les relations que vous avez entretenues, les souvenirs et les expériences uniques reliés à ces personnes, en particulier les membres de votre famille et vos amis. Ce sont des choses importantes dans la vie, plus importantes que de se faire mourir au travail.

Dans ce chapitre, vous découvrirez plusieurs stratégies puissantes qui vous assureront de profiter de relations extraordinaires dans votre vie, tant personnelles que professionnelles. Développer d'excellentes relations est une habitude et elle donne de merveilleux résultats.

1.
La double SPIRALE

Les relations peuvent être très fragiles. Bien des mariages ne résistent pas, les familles éclatent et souvent les enfants grandissent avec un seul parent pour subvenir à leurs besoins. Comment ces relations en arrivent-elles à se briser alors qu'au début il y a tant de joie et d'amour?

Il est utile de considérer votre vie comme une spirale. Parfois, vous êtes en *Spirale ascendante*. C'est le cas quand les choses vont bien, que votre confiance est à son plus haut point et que la vie vous récompense. Vos relations les plus importantes sont saines et florissantes. À l'opposé, il y a la *Spirale descendante*. C'est le cas quand les choses commencent à se détériorer, qu'il y a un manque de communication, que le stress augmente et que la vie devient un combat incessant. Les relations se cantonnent dans la Spirale descendante.

La nature illustre ces spirales de façon dramatique. La tornade en est un excellent exemple. Descendant en spirale du ciel, ces entonnoirs noirs frappent le sol et aspirent tout sur leur passage pour ne laisser que désastre derrière eux. Le film de Michael Crichton et Steven Spielberg, *Tornade*, nous a donné une vue rapprochée de ces terribles spirales et de l'énergie qu'elles contiennent.

Un autre exemple de spirale descendante est le remous. À la limite extérieure du remous, l'eau ne semble pas très dangereuse. Cependant, si vous ne connaissez pas les puissantes énergies qui se trouvent au centre, vous vous trouverez aspiré très rapidement par elles.

COMPRENDRE
LA SPIRALE DESCENDANTE

Voyons comment la Spirale descendante se manifeste dans la vie. Pour bien comprendre l'impact potentiel qu'elle peut avoir sur vos relations actuelles et futures, pensez à une de vos relations qui n'a pas fonctionné. Vous devez recréer dans votre esprit les étapes qui ont amené cette relation à se détériorer. Visualisez clairement ce qui s'est passé. Retournez aussi loin que vous le pouvez et revivez-la. Que s'est-il passé en premier? Par la suite? Et après? Pour bien en comprendre l'impact total, assurez-vous de compléter le Plan d'action à la fin de ce chapitre. Noter chaque étape individuelle de votre Spirale descendante, jusqu'à son point le plus bas, vous aidera à en comprendre le scénario.

Par exemple, dans un mariage, le mari devient égocentrique et n'aide plus dans la maison. Il passe plus de temps au bureau, quittant la maison de plus en plus tôt, avant le lever des enfants, et rentrant tard en soirée. Les communications se limitent au travail et aux finances. Il y a peut-être un problème d'argent et il n'y en a pas suffisamment pour payer l'hypothèque, la voiture, les leçons de danse des enfants et les honoraires du dentiste. Petit à petit, la tension monte, les disputes deviennent de plus en plus fréquentes et chaque partenaire blâme l'autre pour la situation dans laquelle le couple se retrouve. La Spirale descendante prend alors de la vitesse, tout comme lorsqu'on est entraîné au centre d'un remous. L'un ou l'autre, ou les deux, peuvent chercher à se consoler dans l'alcool, les sorties entre amis (ou amies), le jeu. Et dans les cas les plus graves, on voit poindre la violence physique ou psychologique. À ce point, la relation a été vidée de son contenu et la Spirale descendante a atteint son point le plus bas. Il y a souvent une séparation qui se termine en divorce, et une autre famille joint les rangs des familles éclatées, dont le nombre semble augmenter chaque année.

Si vous réfléchissez sérieusement à ce qui cause la rupture des relations, vous pouvez prendre des mesures pour les rétablir. Même s'il est trop tard pour sauver la relation, vous serez mieux préparé à la prochaine et vous pourrez empêcher le même scénario de se répéter. La prise de conscience est toujours le premier pas vers le progrès. Vous pouvez aussi utiliser la méthode de la spirale pour analyser vos plus importantes relations d'affaires. Voici un scénario fréquent.

Deux individus s'associent. Ils ont une merveilleuse idée pour un nouveau produit ou service, et ils investissent beaucoup de temps et d'énergie dans leur nouveau projet. Comme ils sont trop occupés, ils n'ont ni préparé ni signé de convention d'association. Ce sont de bons amis et ils se disent qu'ils le feront plus tard. De plus, il n'existe aucune description de tâche claire, ni régime de compensation, ni partage des bénéfices.

Les années passent. L'association est maintenant en péril car un des individus est contrôlant et ne permet pas à son associé de prendre de décisions sans sa permission. Les finances sont serrées et, chaque semaine, il y a dispute sur la manière dont les revenus devraient être dépensés. L'un veut réinvestir les revenus dans la société pour la faire progresser, alors que l'autre adopte l'attitude du « moi d'abord ». Petit à petit, le reste du personnel est impliqué dans le conflit et deux camps distincts se forment. Une crise éclate, un des associés veut partir, mais il n'y a pas de clause de régularisation ni, évidemment, de convention pour faciliter les choses. Les deux partenaires s'entêtent avant d'embaucher chacun leur avocat. La bataille est engagée. Souvent, ce sont les avocats qui se retrouvent avec la plus grande partie de l'argent, l'entreprise s'écroule et deux personnes de plus vont proclamer : « Le partenariat, ça ne marche jamais ! » Comme vous le voyez, la Spirale descendante peut être tout aussi destructrice dans le monde des affaires.

Voici un conseil : si vous êtes en ce moment associé en affaires avec une ou plusieurs personnes, ou si vous envisagez de le faire dans l'avenir, prévoyez toujours votre stratégie de sortie en premier lieu, avant de vous engager trop loin. Assurez-vous qu'elle sera notée par écrit. Méfiez-vous aussi de vos émotions. Le fait que votre nouvel associé soit un type bien, ou votre meilleur ami, n'est pas une raison pour ne pas faire une convention écrite. De nos jours, le manque de prévoyance et de préparation est la principale cause d'échec en affaires.

Maintenant que vous avez bien observé comment la Spirale descendante peut se manifester dans votre vie, apprenez d'elle. Comme nous sommes des créatures d'habitudes, il y a de fortes chances que vous répétiez le même comportement dans votre prochaine relation importante. Comprenez bien ceci. C'est d'une grande importance pour votre santé et votre fortune futures. Si vous vous retrouvez dans la même Spirale descendante, faites immédiatement une pause mentale. Interrompez le scénario en regardant les choses en face et décidez de faire des ajustements positifs. Un changement de comportement est la seule façon d'obtenir des résultats différents. Voici comment : utilisez un nouveau modèle, c'est-à-dire superposez une Spirale ascendante pour d'excellentes relations sur votre Spirale descendante, celle qui vous a causé tellement de problèmes.

COMPRENDRE
LA SPIRALE ASCENDANTE

Analysons le fonctionnement de cette Spirale ascendante pour vous permettre d'en tirer profit au plus tôt. Répétez le processus précédent, sauf que vous allez cette fois *focaliser votre attention* sur une relation que vous avez graduellement nourrie, développée et enrichie jusqu'à ce qu'elle s'épanouisse et devienne une merveilleuse amitié ou une relation d'affaires à long terme. Repensez à toutes les choses importantes qui se sont produites depuis votre première rencontre jusqu'à ce que la relation atteigne sa maturité. La plupart des gens ne le font pas. Vous aurez donc un énorme avantage sur le marché quand vous aurez mis au point un plan précis que vous pourrez reproduire plusieurs fois dans l'avenir. Les relations solides garantissent des résultats solides.

Voici un exemple positif qui vous aidera… Dave est propriétaire d'une société d'ingénierie. Il adapte les idées de ses clients et les aide à en faire de nouveaux produits. Dave est génial dans le domaine du design innovateur et du travail efficace. Au cours des vingt-deux dernières années, il a peaufiné son art au plus haut niveau. Il a appris à traiter les gens correctement. Il jouit d'une clientèle fidèle et porte attention à des choses simples, comme retourner rapidement ses appels et donner suite aux demandes de ses clients.

Quand un nouveau client est venu le voir un jour avec une idée pour un produit de caoutchouc profilé, il a accepté de l'aider avec joie. Ce jeune homme voyait grand. Il rêvait de posséder sa propre usine qui fournirait son produit unique aux plus grands utilisateurs du monde. Dave l'a fait profiter de son expertise et a apporté quelques changements mineurs au prototype. Ces raffinements ont permis de réduire le coût de fabrication et ont rendu le produit plus résistant. Au cours des années qui ont suivi, la nouvelle alliance entre le jeune entrepreneur et l'ingénieur d'expérience s'est développée en une amitié agréable et mutuellement gratifiante. Chacun, à sa manière, aidait l'autre à atteindre de nouveaux sommets de créativité et de productivité. Le rêve du jeune entrepreneur est finalement devenu réalité. Parce qu'il voyait grand et qu'il était tenace, il a obtenu plusieurs contrats exclusifs valant des millions de dollars. Pendant tout ce temps, il restait toujours en contact avec Dave pour lui demander conseil.

À mesure que son entreprise grandissait, celle de Dave faisait de même. Un jour, réfléchissant à son succès incroyable, il a fait un appel téléphonique important qui allait enrichir encore plus cette relation spéciale. Il a offert à Dave un pourcentage sur tous ses futurs profits. C'était sa manière de dire : « Merci d'avoir cru en moi, de m'avoir aidé à lancer mon affaire et de m'avoir soutenu pendant les périodes difficiles. »

Toutes les excellentes relations ont un point de départ. Souvent, les premiers échanges sont peu dignes de mention. Cependant, vous en arrivez bientôt à développer une confiance envers l'autre partenaire. C'est peut-être son intégrité, son enthousiasme, son attitude positive ou le simple fait qu'il tient toujours ses promesses. Un lien se forme, et chaque nouvelle étape renforce cette union et la rend de plus en plus spéciale.

Vous saisissez ? Quand vous examinez en détail comment vous avez développé vos meilleures relations, vous découvrez une méthode unique qui vous permet de développer des relations futures plus importantes et meilleures. Quand vous savez ce qui donne des résultats et ce qui n'en donne pas, vous êtes en mesure d'éviter les erreurs coûteuses qui mènent à une Spirale descendante. La bonne nouvelle est que ce modèle pour créer d'excellentes relations s'applique à tous les domaines de votre vie. Il vaut pour les relations personnelles et familiales tout autant que pour les relations professionnelles et d'affaires.

Prenez l'habitude de constamment revoir vos Doubles Spirales — utilisez-les pour vous protéger contre toute attraction négative et pour vous guider vers le monde positif des relations aimantes et vraiment spéciales.

2.
Évitez les gens TOXIQUES

Avant d'aller plus loin, écoutez cet important conseil — **évitez les gens toxiques!** Malheureusement, il existe des gens qui croient que le monde n'est qu'un énorme problème et, à leurs yeux, vous en faites partie. Vous connaissez ce genre de personnes. Même dans les meilleures circonstances, elles gardent leur *focus* sur des petits détails négatifs. Et elles le font constamment. C'est une habitude qui détruit totalement les relations. Un souffle d'énergie négative de leur bouche peut vous faire perdre le sourire pour toujours. Ces gens sont un poison pour votre santé. Vous aurez besoin d'une antenne à longue portée pour les tenir à l'extérieur de vos frontières, en tout temps.

Vous vous dites peut-être : « Plus facile à dire qu'à faire. Voulez-vous dire que, si mon ami de longue date se plaint toujours de son travail, de ses difficultés financières, et que personne ne veut l'aider, je devrais tourner les talons et partir lorsqu'il tient de tels propos? » Non — éloignez-vous à la course! Courez! le plus loin possible et le plus rapidement possible. Son négativisme constant finira par drainer toute votre énergie.

Comprenez bien. Nous ne parlons pas d'une personne aux prises avec un véritable problème et qui a vraiment besoin d'aide. Nous parlons de ces plaignards chroniques qui n'hésitent pas à vous envahir avec leur négativisme à la moindre occasion. Avec un cynisme à peine voilé, ils vous informent que vous ne pouvez faire ceci ou cela, particulièrement quand vous avez une bonne idée. Ils prennent plaisir à dégonfler vos ballons positifs. C'est le moment marquant de la journée pour eux. À l'avenir, ne les tolérez plus.

Voici où réside le vrai pouvoir : c'est toujours votre choix. Vous pouvez choisir le genre de personnes que vous voulez dans votre vie. Et vous pouvez choisir de lancer de nouveaux projets. Il vous suffit peut-être de rechercher de nouvelles perspectives d'avenir. C'est aussi simple que ça. Si cela suppose que vous deviez laisser tomber quelques personnes, ne vous en faites pas, vous vous en remettrez. En fait, vous devriez examiner attentivement vos relations actuelles. Si quelqu'un vous rabaisse constamment, prenez une décision. Lâchez prise et allez de l'avant.

JACK :

Une des premières choses que mon mentor, W. Clement Stone, m'a suggéré de faire a été de dresser une liste de mes amis. Puis, il m'a dit d'inscrire la lettre N à côté de ceux qui me nourrissaient et m'encourageaient à devenir meilleur — les personnes positives, optimistes, orientées vers les solutions et qui ont l'attitude du « oui, c'est possible ». Ensuite, il m'a demandé d'inscrire la lettre T à côté du nom de chaque personne toxique — les gens qui sont négatifs, geignards, qui se plaignent, qui rabaissent les autres et leurs rêves, et qui sont généralement pessimistes dans leur vision du monde. Il m'a alors demandé de cesser de passer du temps avec les gens qui avaient un T à côté de leur nom. C'est une leçon que vous devez apprendre : entourez-vous de gens positifs. M. Stone m'a enseigné qu'on finit par ressembler aux gens qu'on fréquente. Si vous voulez réussir, fréquentez des gens qui ont réussi.

3.
Les trois grandes QUESTIONS

Maintenant que vous avez eu l'occasion de comprendre votre Double Spirale et de faire le ménage parmi les gens négatifs qui vous entourent, voici une autre grande stratégie qui vous sera extrêmement utile. On l'appelle les Trois grandes questions.

Le magnat des affaires Warren Buffet est l'un des investisseurs les plus connus et les plus prospères dans le monde d'aujourd'hui. Sa société, Berkshire-Hathaway, est passée de quelques clients privés aux investissements modestes à une entreprise de plusieurs milliards de dollars. Monsieur Buffet est célèbre pour ses analyses soignées et ses investissements à long terme. Il vend rarement ses actions après y avoir investi. Sa préparation soignée inclut une analyse en profondeur des chiffres, particulièrement le bilan de la société. S'il aime ce qu'il voit, il consacre beaucoup de temps à faire la connaissance des dirigeants de l'entreprise et à apprendre comment ils gèrent leur société. Il observe leur philosophie et comment ils traitent leur personnel, leurs fournisseurs et leurs clients. Quand il a terminé cette phase, Buffet se pose trois questions à leur sujet : « **Est-ce que je les aime? Ai-je confiance en eux? Est-ce que je les respecte?** »

S'il répond « non » à une de ces questions, il annule la transaction même si les chiffres sont bons et que le potentiel de croissance est là. Ces trois questions simples et puissantes sont la base des relations de Warren Buffet. Faites-les vôtres. Elles finiront par déterminer à quel point vous deviendrez riche.

Il y a quelques années, Buffet était l'homme le plus riche d'Amérique. Récemment, il a cédé son titre à Bill Gates, le fondateur de Microsoft. Il est intéressant de noter que, malgré leur grande différence d'âge, ces deux entrepreneurs extrêmement prospères sont de très bons amis. Les gens que vous fréquentez *font* une différence.

La prochaine fois que vous vous apprêterez à entreprendre une importante relation d'affaires ou personnelle avec des gens que vous ne connaissez pas très bien, faites d'abord vos devoirs. Cherchez des indices de leur intégrité, de leur honnêteté et de leur expérience. Observez comment ils traitent les autres. Les petits détails sont très révélateurs. Ont-ils l'habitude de dire « s'il vous plaît » et « merci », particulièrement aux subalternes, comme les serveurs et serveuses, les chasseurs et les chauffeurs de taxis? Sont-ils terre-à-terre avec les autres ou cherchent-ils à les impressionner? Avant de vous engager, prenez tout le temps voulu pour bien comprendre l'ensemble de leur comportement. Utilisez toujours les Trois grandes questions. Soyez attentif à votre intuition. Cet instinct vous guidera. Ne laissez pas votre cœur dicter ses volontés à votre cerveau. Quand nous sommes trop impliqués émotivement, nous prenons souvent de mauvaises décisions. Prenez le temps de réfléchir avant de vous engager précipitamment dans une relation, quelle qu'elle soit. Regardez les choses d'une autre manière : pourquoi choisiriez-vous d'établir une relation avec des gens en qui vous n'avez pas confiance, que vous ne respectez pas ou que vous n'aimez pas? Si vous allez à l'encontre de votre instinct, vous êtes presque assuré d'être déçu ou même de courir au désastre.

Il y a une multitude d'excellentes personnes dans le monde avec qui vous pouvez passer votre temps précieux. Alors, qu'il s'agisse d'un mariage, d'un associé en affaires, ou d'embaucher une équipe de vendeurs, il est très important de choisir les bonnes personnes dans l'intérêt de votre santé et de votre richesse à venir. Choisissez avec soin.

4.
Clients privilégiés
et LE GAGNANT-GAGNANT

La prochaine étape dans l'acquisition de l'habitude des Excellentes Relations est d'apprendre à nourrir vos relations les plus importantes dans une atmosphère de gagnant-gagnant. On a dit et écrit beaucoup de choses sur la philosophie du gagnant-gagnant. Selon notre expérience, ce ne sont généralement que des propos superficiels. Gagnant-gagnant est fondamentalement une philosophie de « comment vous vivez » votre vie. En affaires, gagnant-gagnant signifie se soucier vraiment de l'autre — qu'il retire autant que vous d'une vente, d'un contrat de travail, d'une négociation ou d'une alliance stratégique.

Malheureusement, plusieurs gens d'affaires adoptent l'attitude de vouloir tirer tous les avantages possibles de chaque situation. Ces tactiques de guérilla mènent à la perte de confiance, au cynisme, à une éthique douteuse et à un haut degré d'anxiété sur la place du marché. Le résultat est gagnant-perdant. D'autre part, gagnant-gagnant ne signifie pas qu'il faille tout donner à chaque transaction. C'est du perdant-gagnant lorsque l'autre personne reçoit trop, ce qui vous mènerait au bout du compte à la faillite.

Il y a aussi une autre catégorie qu'on nomme perdant-perdant. Cela se produit quand les deux parties sont trop entêtées ou trop égoïstes pour en venir à une solution gagnante. Un exemple fréquent est celui de la négociation de contrats entre la direction et les syndicats. Si on en arrive à une impasse, il peut en résulter une longue grève où personne ne gagne vraiment.

Dans votre vie personnelle, gagnant-gagnant est la fondation des relations chaleureuses et aimantes. C'est le mari qui veut créer une situation gagnante pour sa femme et sa famille. Il est prêt à faire sa part, à partager les travaux domestiques et à aider les enfants dans leurs activités parascolaires, particulièrement quand sa femme travaille elle aussi à temps plein. Gagnant-gagnant, c'est la femme qui donne un appui solide à son mari pendant qu'il travaille fort à créer une nouvelle entreprise ou qu'il débute dans une nouvelle carrière, et qui accepte quelques sacrifices pendant ce temps. Gagnant-gagnant, c'est donner à sa communauté, c'est être un voisin hors du commun et c'est être moins égocentrique. Pour que le gagnant-gagnant s'applique vraiment, il faut le mettre en pratique chaque jour. Il faut y mettre du temps, et cela vous met au défi de vous engager sérieusement à bâtir ces alliances importantes.

Examinons maintenant un autre élément crucial de la croissance de votre entreprise — la création d'excellentes **Relations avec vos clients privilégiés**.

Vos clients privilégiés sont les gens qui sont au cœur de votre entreprise. Ils achètent régulièrement de vous et sont une source importante de revenu. Ils sont aussi heureux de donner d'excellentes références sur vous auprès de nouveaux clients, car ils aiment véritablement vos produits et services.

Étonnamment, plusieurs personnes aujourd'hui ignorent qui sont leurs clients privilégiés. Vos clients privilégiés sont votre passeport pour votre croissance future. Malheureusement, on tient souvent pour acquis ces importantes relations. L'attitude qui prévaut est : « Il commande toujours deux mille unités par mois. Nous devons focaliser notre attention sur de nouvelles affaires. »

TOUT ACCORD NE MÉRITE PAS D'ÊTRE SAUVÉ

Les nouvelles affaires sont importantes. Mais il est plus important de rester en contact avec vos meilleurs clients. Il est beaucoup plus difficile de trouver de nouveaux clients que de garder et de servir vos vieux clients.

De plus, soyez bien conscient du temps que vous consacrez à des gens qui sont des clients périphériques. Le mot *périphérique* est à noter. Il signifie à la limite extérieure, pas important ou négligeable. Un autre terme serait « dont on peut se passer ». Avez-vous des clients périphériques dans votre entreprise? Si vous n'êtes pas certain, voici une façon de les identifier. Généralement, ils demandent beaucoup de votre temps et de votre énergie pour vous donner bien peu d'affaires en retour. Parfois, ils ne concluent aucune transaction. Pourtant, ils vous poseront des questions sur des détails insignifiants et ils auront des exigences déraisonnables. Évidemment, vous ne voulez pas refuser des affaires. Cependant, combien de temps et d'énergie consacrez-vous à des résultats mineurs? Certaines transactions ne valent tout simplement pas l'effort.

Revenons à vos clients privilégiés. Il y a un élément crucial que vous devez bien comprendre à leur sujet. Vous ne voulez pas les perdre. Voici la grande question. Combien de temps passez-vous réellement avec les plus importants de vos clients privilégiés?

Vous gagneriez à le savoir. Nos recherches indiquent que bien peu de temps est consacré aux clients privilégiés. En conséquence, ces relations n'ont jamais la chance de s'épa-

nouir jusqu'à pleine maturité. Au bout du compte, cela signifie beaucoup d'argent gaspillé.

Maintenant que vous savez qui sont ces gens importants,
accordez-leur plus d'attention. Les bénéfices à long terme
valent plusieurs fois les efforts investis. Vos affaires prospé-
reront et vous réduirez d'autant la possibilité de perdre un de
vos meilleurs clients au profit de vos concurrents.

Lori Greer est la directrice nationale des ventes d'une
entreprise prospère, Company's Coming, spécialisée dans la
vente de livres de recettes. À ce jour, Company's Coming a
vendu plus de quatorze millions de livres de recettes. Un des
clients privilégiés de Lori commande chaque année pour plus
d'un million de dollars de livres. Pour desservir ce client, Lori
et son responsable du compte rencontrent le client une fois
par année. Pendant un de nos ateliers, elle a été mise au défi
de développer cette relation à un niveau supérieur. Elle a
accepté de relever le défi et a réuni son équipe interne pour
une séance spéciale de remue-méninges qui a duré cinq heures. Le seul objectif de la réunion était de trouver de nouvelles idées qui seraient utiles à leur client privilégié.

Leur présentation de ventes suivante contenait plusieurs
de ces nouvelles idées. Pour enrichir encore plus cette relation, Lori a passé plus de temps avec son client pour discuter
amicalement au lieu de s'en retourner immédiatement au
bureau. Le résultat? Une augmentation de 20 pour cent de
la commande de livres. Plus important encore, un nouveau
niveau d'appréciation et de confiance s'est instauré, lequel
assurera que cette relation sera gagnant-gagnant à long
terme. Plus que tout, cela éloignera les concurrents préda-
teurs.

Examinons maintenant vos relations personnelles les
plus importantes. Elles comprennent la famille et les amis,
les mentors, les conseillers spirituels, et toute personne qui
occupe une place spéciale dans votre vie, en dehors du monde
des affaires. Ici encore, réfléchissez bien avant d'inscrire une
personne sur cette liste de gens importants. Puis, inscrivez
leur nom. Si vous avez envie d'omettre cet exercice, arrêtez!

La procrastination est votre pire ennemi. Ne remettez pas à plus tard un meilleur avenir. Complétez chaque étape dès que vous aurez terminé la lecture de ce chapitre. N'oubliez pas que ce livre est un « Travail en cours » (*work in progress*). Au moment où vous aurez terminé la lecture, vous aurez déjà amorcé plusieurs de ces nouvelles habitudes passionnantes. Votre vie sera plus riche et beaucoup plus satisfaisante.

Examinez attentivement cette liste et évaluez le temps que vous consacrez à ces gens. Est-ce suffisant? Est-ce du temps de qualité ou seulement quelques secondes au téléphone? À qui d'autre consacrez-vous votre temps personnel? Ces gens vous volent-ils du temps qui serait mieux employé à développer vos *relations privilégiées*? Si vous avez répondu « oui » à cette question, qu'allez-vous faire? Il est peut-être temps de dire « non » à ces personnes qui vous distraient chaque jour. Elles ne font pas partie de votre liste des gens les plus importants, alors pourquoi accaparent-elles votre temps? Dorénavant, protégez le temps que vous consacrez à votre famille et à vos activités personnelles. Soyez poli, mais ferme.

Nous avons abordé brièvement la question du gagnant-gagnant en ce qui a trait aux gens dans votre vie. Il est important de bien comprendre ce que cela signifie. L'auteur à succès Stephen Covey en a fait une bonne analogie. Il dit que vous devriez traiter vos relations les plus importantes comme un compte en banque. Par exemple, plus vous faites de dépôts dans le compte en banque de vos relations privilégiées, plus forte sera votre association. Ce faisant, vous deviendrez plus important pour ces gens.

Normalement, on dépose de l'argent dans un compte en banque. Cependant, dans le cas de vos relations privilégiées, vous pouvez faire toutes sortes de dépôts. À vos clients privilégiés, vous offrirez probablement des services spéciaux et tous ces petits extras qui vous rendent unique. Ce pourrait être des parties de golf, des soupers ou des voyages spéciaux. Parmi d'autres dépôts valables, vous pourriez consacrer du temps à échanger des idées ou à conseiller vos clients sur la façon de relever des défis particuliers. Vous les recommanderiez peut-être régulièrement, ce qui augmenterait leur volume d'affaires. Parfois, il suffit de leur parler d'un bon livre ou de leur envoyer par télécopieur un article sur leur passe-temps favori. Vous pourriez aussi les mettre en contact avec des gens qui offrent un service ou un produit unique. Mieux vous connaîtrez les gens sur la liste de vos clients privilégiés et de vos relations personnelles privilégiées, mieux vous pourrez les aider. Et la vraie nature du gagnant-gagnant est que ces dépôts sont inconditionnels. En d'autres termes, vous ne donnez pas dans l'espoir de recevoir quelque chose en retour. Faites l'expérience de la joie pure de donner.

Si ce n'est déjà fait, créez une banque de données pour chaque membre de votre liste de clients et de relations personnelles privilégiées. Trouvez tout ce que vous pouvez à leur sujet. Inscrivez-y ce qu'ils aiment, ce qu'ils détestent, leurs restaurants préférés, leur anniversaire de naissance, le nom des enfants, leurs passe-temps, leurs sports et leurs loisirs favoris.

Le gourou des affaires Harvey MacKay, propriétaire de MacKay Envelope Corporation, au Minnesota, a baptisé son fichier le MacKay 66 parce qu'il y a 66 questions que son équipe de vente doit poser pour se familiariser avec chaque client privilégié. La plupart des gens ne tiennent pas de tels fichiers parce qu'ils ne prennent pas le système gagnant-gagnant au sérieux. Il faut beaucoup de temps et d'efforts pour cultiver des relations fructueuses. Cela signifie que vous devrez souvent faire des efforts supplémentaires. Petit à petit, ce mode de vie deviendra votre nouveau comportement. Vous le ferez sans même y penser. Lorsqu'un comportement gagnant-gagnant est vraiment intégré dans votre vie quotidienne, les occasions couleront à flots comme jamais auparavant. Vous serez en effet plus riche, et pas seulement financièrement.

LES :

Voici une anecdote amusante sur le gagnant-gagnant. Deux manœuvres irlandais, Big Paddy et Wee Jimmy, venaient de gagner à la loterie. Ils valaient maintenant cinq millions de dollars chacun. Après avoir encaissé leurs gains la veille, ils avaient hâte de célébrer. Ils déambulaient heureux en ville, encore ébahis de leur bonne fortune, lorsqu'ils aperçurent un commerce de beignets de poissons et frites. Big Paddy dit alors : « Je meurs de faim — offrons-nous un super souper au poisson et une boisson grand format. » Ils sont donc entrés, Big Paddy, coiffé de son bonnet d'âne vert, et Wee Jimmy, chaussé de ses bottes de travail en caoutchouc noir. Leur apparence ne laissait nullement pressentir qu'ils avaient des millions à la banque. Big Paddy a payé pour les beignets de poisson et les frites qu'ils ont dégustés jusqu'au dernier morceau.

Maintenant rassasiés, ils ont poursuivi leur promenade pendant quelques minutes et se sont retrouvés devant un concessionnaire de Rolls Royce. Wee Jimmy a eu le souffle coupé en voyant les luxueuses voitures. « J'ai toujours rêvé de posséder une Rolls », dit-il tout bas.

« Entrons voir », dit Big Paddy en riant et en tenant la porte ouverte pour son vieil ami. À l'intérieur, le regard de Wee Jimmy s'est fixé sur une superbe et rutilante voiture gris-argent.

« Paddy, n'aimerais-tu pas posséder une voiture comme celle-ci? » s'est-il exclamé.

« Ce serait formidable », répondit Paddy.

Wee Jimmy s'est tourné vers le directeur des ventes tiré à quatre épingles et lui a demandé : « Monsieur, combien pour cette superbe voiture? » La réponse dans les six chiffres ne l'a même pas étonné.

« OK, dit-il en souriant. J'en prends deux — une pour moi et une pour mon ami ici présent. » Puis, en se tournant vers Big Paddy, il ajouta : « Laisse ton portefeuille là où il est, Paddy. Je m'occupe des voitures. Tu as déjà payé pour les beignets de poisson et les frites! »

5.
... Aller plus LOIN

C'est certain, le gagnant-gagnant est une superbe façon de vivre et les vraies amitiés sont rares. Chérissez celles que vous avez et faites tout en votre pouvoir pour les enrichir encore plus. Voici une stratégie puissante qui vous facilitera les choses. On l'appelle la technique *Aller plus loin*.

Supposons que vous souhaitez améliorer une relation personnelle importante avec votre mari ou votre femme. Si vous n'êtes pas marié, vous pouvez appliquer cette technique à presque toute relation importante; il suffit de l'adapter à votre situation. En fait, choisissez une personne avec laquelle vous aimeriez approfondir votre amitié. Pour en montrer le fonctionnement, nous allons utiliser l'exemple du mari et de l'épouse.

Imaginez que c'est le week-end. David, le bon mari, est rentré du travail. Sa tout aussi bonne épouse, Dianne, a déjà préparé le dîner et ils savourent ensemble un excellent repas. David la complimente pour son repas et lui pose ensuite la question suivante : « Dianne, sur une échelle de un à dix (un étant lamentable, et dix parfait), comment qualifierais-tu ma performance comme mari cette semaine ? » C'est une question sérieuse. Dianne réfléchit un moment et lui répond : « Je te donnerais un huit. »

David accepte la réponse sans la commenter et lui pose alors la question qui *Va plus loin* : « Qu'aurait-il fallu que je fasse pour mériter un dix ? »

Dianne répond : « Eh bien, j'aurais vraiment apprécié que tu aides John avec ses devoirs mercredi. J'étais pressée de me rendre à mon cours d'informatique de 19 h et je me suis sentie coupable de partir sans m'être bien occupée de lui. Aussi, tu avais promis de réparer le robinet de la salle de bains cette semaine. Il coule toujours. J'aimerais bien que tu le répares, s'il te plaît. » David dit simplement : « Merci, je porterai plus attention la prochaine fois. »

Puis, les rôles sont inversés. Quand Dianne demande à David de la noter sur dix, David lui donne un neuf. C'est maintenant son tour de poser la question qui *Va plus loin*. « Comment aurais-je pu mériter un dix ? »

David lui répond franchement. « Tu as été superbe, sauf pour une petite chose. Te souviens-tu m'avoir promis d'enregistrer le match de football alors que j'étais absent lundi et mardi ? Je sais que tu as simplement oublié, mais je me faisais une joie de regarder les faits saillants du match en rentrant à la maison. J'étais vraiment déçu. » Dianne écoute, s'excuse et prend la résolution de bien noter de telles demandes dans son agenda quotidien.

Avant de vous écrier « Tout ça semble merveilleux, mais ça ne marcherait pas chez moi », réfléchissez. Vous avez raison, très peu de gens utilisent la technique *Aller plus loin*, et encore moins l'appliquent chaque semaine. Les excuses qu'on entend le plus souvent sont : « Je suis trop occupé », « C'est idiot » ou « Soyez réaliste, mon mari [ou mon épouse ou mon ami(e)] ne serait jamais d'accord avec ça. »

SOYEZ TOTALEMENT RÉCEPTIF AUX REMARQUES

Ce que ces excuses usées disent vraiment, c'est : « Mon partenaire et moi ne sommes pas réceptifs aux remarques, parce que notre relation n'a pas mûri suffisamment. » Échanger régulièrement des remarques honnêtes est une des meilleures façons d'enrichir votre mariage et vos relations amicales ou d'affaires. C'est la caractéristique des êtres humains qui ont atteint un haut niveau de conscience et sont particulièrement sensibles aux besoins des autres. Cette maturité leur permet de jouir d'alliances honnêtes, ouvertes et enrichissantes avec les personnes les plus importantes dans leur vie. Vous pouvez aussi appliquer cette technique avec vos enfants et les autres membres de la famille. Vos enfants vous diront la vérité — ils ne vous ménageront pas!

En posant quelques simples questions chaque semaine, vous pouvez apprendre beaucoup à votre sujet de la part de gens qui vous aiment assez pour vous donner honnêtement leurs impressions. Au lieu de vous mettre sur la défensive comme la plupart des gens, prenez ces remarques comme un cadeau. Elles vous aideront à devenir plus authentique et digne de confiance.

Aller plus loin signifie que vous êtes disposé à apprendre encore plus, à faire plus et à investir plus dans votre relation parce qu'elle est importante à vos yeux. Ce processus récompense les deux parties et les renforce. Envisagez la possibilité d'appliquer la technique *Aller plus loin* dans votre vie professionnelle. Si vous êtes propriétaire de votre entreprise, vous pourriez demander à vos plus proches collaborateurs : « Sur une échelle de un à dix, comment m'évaluez-vous en tant que patron? Que puis-je faire pour mériter un 10? » Les directeurs pourraient faire la même chose avec leur équipe de vente ou de gestion. Qu'en est-il de vos clients privilégiés?

C'est une excellente occasion de connaître les forces et les faiblesses de votre entreprise, et de voir comment améliorer ces domaines qui laissent à désirer. N'oubliez pas que vos fournisseurs et vos équipes de soutien externes font aussi partie de vos clients privilégiés.

Si vous ne connaissiez pas cette technique, vous vous sentirez probablement mal à l'aise ou inconfortable les premières fois. C'est normal. Toute nouvelle habitude demande beaucoup de pratique et de persévérance avant de finir par s'implanter. Il faudra aussi vous habituer à entendre la vérité de la part de gens que vous respectez et aimez. Parfois, la vérité fait mal. Il vous faudra peut-être marcher sur votre orgueil à quelques reprises avant d'en retirer les avantages futurs. Une petite mise en garde s'impose — faites toujours vos critiques en privé. D'autre part, si vous devez féliciter quelqu'un, faites-le en public. Les gens ont besoin et apprécient toute forme de reconnaissance bien méritée. En somme, critiquez en privé et louangez en public.

N'OUBLIEZ PAS,
POUR QUE LES CHOSES CHANGENT,

Vous devez changer.

6.
Comment trouver de grands MENTORS?

Si vous vous entourez de mentors soigneusement choisis, votre vie pourrait en être profondément changée. Un mentor, c'est une personne qui possède une vaste expérience ou des talents uniques, et qui accepte d'échanger des idées avec vous de façon régulière. Vous, le *mentoré*, êtes le récipiendaire de cette information exceptionnelle et vous avez la responsabilité d'en faire un usage judicieux pour progresser dans votre carrière et votre situation financière, ou enrichir votre vie personnelle ou familiale. Cela ressemble à une relation enseignant-élève, sauf que vous profitez des avantages du tutorat individuel. En prime, vous n'avez pas, généralement, à payer pour les leçons. Quelle aubaine!

Voici une méthode éprouvée, en trois étapes, pour vous aider à profiter des avantages considérables du mentorat.

a) Identifiez votre cible

Choisissez un domaine particulier de votre vie que vous voulez améliorer. Il peut y en avoir plusieurs, mais, au départ, n'en choisissez qu'un. Voici quelques idées — faire augmenter votre chiffre d'affaires, vos ventes, le marketing, embaucher un excellent personnel, préparer les états financiers, apprendre une nouvelle technologie, des stratégies d'investissement, accumuler une fortune, éliminer les dettes, vous alimenter sainement et faire de l'activité physique, être un excellent parent, ou faire des exposés plus efficaces.

b) Choisissez vos candidats mentors

Identifiez une personne qui a une expérience ou un talent exceptionnels dans le domaine où vous avez choisi de vous améliorer. Ce pourrait être une connaissance personnelle ou un chef de file dans votre secteur d'activité. Il s'agit peut-être d'une personne qui est une autorité reconnue dans son domaine — un écrivain, un conférencier ou une célébrité bien connue. Quel que soit votre choix, assurez-vous que cette personne a fait ses preuves et qu'elle a véritablement réussi.

c) Préparez votre plan stratégique

Si vous ne savez pas déjà où rejoindre le mentor que vous envisagez, comment allez-vous repérer cette personne unique et ensuite comment entrerez-vous en contact avec elle? Vous devez d'abord savoir qu'il n'y a jamais plus de six personnes entre vous et quiconque vous voulez rencontrer, dont votre nouveau mentor. Faites-en un jeu excitant. Il est possible que vous n'ayez que six portes à ouvrir pour obtenir l'information dont vous avez besoin. Qui pourrait vous ouvrir la première porte ? Partez de là et questionnez sans arrêt. Vous serez surpris de voir à quelle vitesse les autres portes s'ouvriront dès que vous aurez fait connaître vos besoins.

En regardant le nom de votre mentor proposé, vous pourriez hésiter et dire : « Je ne connais même pas cette personne et elle ne me connaît certainement pas. Même si elle me connaissait, elle ne voudrait certes pas me donner de son précieux temps. » Arrêtez-vous tout de suite ! L'histoire qui suit est la preuve éloquente que vous pouvez très bien trouver et entrer en contact avec un mentor.

LES :

Un de nos clients privilégiés est un jeune homme propriétaire d'une petite société de camionnage et il voulait prendre de l'expansion. Après avoir assisté à notre atelier des Gagneurs (*Achievers*) sur le mentorat, il a choisi comme mentor un des plus importants protagonistes de l'industrie du camionnage. Cet homme avait créé et développé une énorme entreprise au cours des années, et il était largement respecté par ses pairs et ses concurrents.

Notre client, Neil, a découvert que le siège social était au Texas. Il a fait plusieurs appels et il a fini par rejoindre cet homme d'affaires prospère. (Nous vous dirons plus tard quoi dire quand vous faites un tel appel. Soyez patient.) Neil était un peu nerveux, mais il a pris son courage à deux mains pour faire sa demande. L'homme d'affaires prospère a accepté de passer vingt minutes par mois au téléphone avec Neil pour partager son expérience et ses meilleures idées. Il a tenu parole et, un jour, Neil a reçu une invitation intéressante. Son nouveau mentor l'invitait au Texas pendant cinq jours pour étudier tous les aspects de son entreprise. Il pourrait aller partout, parler au personnel et observer directement pourquoi cette société avait prospéré.

Bien sûr, Neil n'a pas hésité. Le résultat? Non seulement a-t-il pu découvrir de multiples façons de développer son entreprise de façon rentable, mais cette relation a atteint une nouvelle maturité. Au lieu d'une relation mentor-mentoré, une amitié s'est développée entre les deux hommes. De plus, il a pu partager avec son mentor quelques-unes de ses propres stratégies de succès que celui-ci ignorait. Au cours des années, une véritable relation gagnant-gagnant s'est développée et la confiance de Neil s'est accrue en même temps que ses profits.

Tout a commencé par un appel téléphonique. Voyons comment vous pouvez connaître le même succès. La chose la plus importante est la sincérité, un élément important pour obtenir ce que vous désirez dans la vie. Voici ce que Neil a dit quand il a rejoint son futur mentor au téléphone. « Bonjour, monsieur Johnston (nom fictif), je m'appelle Neil. Nous ne nous connaissons pas encore. Je sais que vous êtes un homme occupé, je serai donc bref. Je suis propriétaire d'une petite entreprise de camionnage. Au cours des années, vous avez fait un travail magnifique, vous avez fait de votre entreprise l'une des plus importantes de notre industrie. Je suis certain que vous avez dû relever des défis importants à vos débuts. J'en suis moi-même à mes débuts et je cherche à m'orienter. Monsieur Johnston, j'apprécierais vraiment si vous vouliez accepter d'être mon mentor. Je ne vous demande que dix minutes par mois au téléphone pour que je puisse vous poser quelques questions. Seriez-vous ouvert à ma demande? »

Quand vous posez cette dernière question, la réponse est habituellement « oui » ou « non ». Si c'est « oui », contrôlez votre excitation et posez une autre question. « Quel serait le moment qui vous conviendrait au cours des prochaines semaines? » Confirmez alors l'heure exacte de votre première rencontre avec votre mentor. Ajoutez une petite note manuscrite de remerciement que vous enverrez sans tarder.

Si la réponse est « non », remerciez poliment la personne de vous avoir parlé. Selon le ton du refus, vous pourriez demander s'il accepte que vous le rappeliez à un moment plus convenable pour rediscuter de votre demande. Autrement, passez au plan B — appelez la prochaine personne sur votre liste.

Analysons les éléments clés de cette conversation téléphonique. D'abord, allez directement au but. Les gens occupés l'apprécieront. Ne parlez pas de la pluie et du beau temps. Tenez-vous-en à votre scénario bien préparé et adoptez un ton détendu. Il ne faut qu'une minute. De plus, il est important que vous gardiez l'initiative de la conversation. Dites ce que vous avez à dire, posez votre dernière question et cessez de parler. Vous permettez alors à votre mentor potentiel de parler. Si vous suivez ce modèle, votre taux de réussite sera élevé. Voici pourquoi : d'abord, quand vous demandez à quelqu'un d'être votre mentor, c'est l'ultime compliment. Deuxièmement, on leur demande rarement une telle question. Si vous le faites avec grande sincérité, après leur avoir rappelé les défis qu'ils ont eux-mêmes relevés à leurs débuts, vous recevrez souvent une réponse positive.

Renseignez-vous le plus possible avant de faire votre appel. Demandez à la société de vous envoyer tout leur matériel de promotion, dont leur plus récent rapport annuel.

N'oubliez pas que vous pouvez avoir plusieurs mentors. Vous pouvez choisir des gens pour chaque domaine de votre vie que vous voulez améliorer. Ils peuvent résider dans une autre ville ou dans un autre pays, ou à trente minutes de route de chez vous. Allez-y et amusez-vous. Ces relations uniques peuvent accélérer votre progrès de façon impressionnante. La méthode essai-erreur est une façon d'acquérir de l'expérience, mais il est fastidieux de tout apprendre par soi-même. Il est beaucoup plus astucieux d'exploiter les formules gagnantes des autres et d'adapter leurs idées à vos besoins. Le nombre d'occasions de grandir et de vous améliorer dépend habituellement des gens que vous connaissez. Faites-en un jeu de « relier les points ». Les gens qui réussissent ont des relations. Faites comme eux. Pour vous aider davantage, nous vous présenterons à la fin de ce chapitre un

Plan d'action détaillé pour développer des relations avec des mentors.

Les relations avec un mentor sont personnelles, d'individu à individu, comme les rapports entre un professeur et son élève. Une autre façon d'accélérer votre croissance est de créer une alliance avec un groupe *Mastermind* (Les Cerveaux). Comme le mentorat, cela ajoutera une toute nouvelle dimension à votre vie, et vous y trouverez une importante source de soutien et de force.

7.
Les groupes *MASTERMIND*

Un groupe *Mastermind* (Les Cerveaux), comme l'indique son nom, implique une communion d'esprits. Ses origines remontent loin dans l'histoire. Les anciens philosophes grecs, comme Socrate, appréciaient les débats animés, et les occasions d'échanger leurs idées et leurs perspectives. Notre conception des groupes *Mastermind* est idéalement une formation de cinq ou six personnes qui désirent développer d'excellentes relations à long terme. Le but premier du groupe est d'établir entre les individus un soutien émotionnel, personnel et professionnel. Cela crée également un forum unique pour partager idées et informations, tout en discutant de sujets sérieux et de défis quotidiens. Si vous choisissez les bonnes personnes, cette merveilleuse méthode de soutien peut vous profiter pendant des années.

Il y a quatre étapes principales qui vous permettront de transformer ce concept en réalité.

1) Choisissez les bonnes personnes

Pour de meilleurs échanges, vous devriez limiter votre groupe à six personnes : cinq autres personnes et vous. Vous n'êtes pas obligé de choisir tous les membres en même temps. Vous pouvez commencer par une ou deux personnes et augmenter graduellement le nombre jusqu'au maximum. Sachez que le premier membre de l'équipe sera probablement le plus difficile à trouver. Que cela ne vous arrête pas. Qui devriez-vous choisir? C'est la grande question. Voici quelques conseils pour vous aider. Choisissez des gens qui sont susceptibles de créer une synergie — des personnes ambitieuses, à l'esprit ouvert, orientées vers les résultats, qui ont une attitude positive et injectent une énergie saine et positive à chaque discussion. Vous ne voulez pas d'une bande de geignards qui ne cherchent qu'une occasion de se débarrasser régulièrement de tout leur négativisme.

Il est aussi utile d'inclure des gens qui ont une réelle expérience et qui ont réussi en affaires, ou qui ont surmonté des défis difficiles dans leur vie personnelle. Dans votre processus de sélection, décidez s'il est important d'inclure des gens qui viennent de divers secteurs d'activité. Par exemple, vous ne voulez probablement pas avoir cinq vendeurs dans le groupe. Un bon mélange d'expériences et de milieux différents ajoutera profondeur et variété à vos rencontres.

Demandez-vous si vous voulez un groupe mixte ou un groupe exclusivement composé d'hommes ou de femmes. Aussi, quelle tranche d'âge préférez-vous? Un groupe d'âge plus large, comprenant des hommes et des femmes, apportera une perspective différente et une plus grande variété d'opinions. Si vous préférez un *focus* plus étroit, choisissez alors des gens du même sexe et du même âge que vous. C'est à vous de décider. Cependant, réfléchissez bien à ce processus de sélection. C'est d'une importance vitale pour le succès de votre groupe.

2) Chaque personne doit s'engager

Un groupe *Mastermind* est un mécanisme de soutien à long terme. Ce n'est pas pour les gens insouciants. Vous en connaissez sûrement. Ils se présentent lorsque cela fait leur affaire ou s'ils n'ont rien de mieux à faire ce jour-là. Expliquez bien ceci à chacun des candidats. Vous voudrez dès le départ vous entendre sur une politique d'exclusion. Si une personne ne cadre pas, quelle que soit la raison, il est important que votre groupe ait une procédure pour régler le problème. Vous ne voulez pas vous trouver avec le syndrome de la « pomme pourrie », où une personne contrôlante ou négative domine toutes les activités du groupe. Un vote démocratique dans les quatre-vingt-dix jours de votre première rencontre serait une façon commode d'éviter les perturbations dès le début. Vous pouvez aussi appliquer cette politique à tout moment dans l'avenir.

Le degré d'engagement sera déterminant dans le succès de votre groupe *Mastermind*. L'engagement demande une présence régulière, une volonté de participer à chaque réunion et l'acceptation de garder confidentiel tout ce qui se dit dans le groupe. Ce code de confidentialité est très important. Notre expérience nous a appris qu'il faut des mois avant que les gens ne s'ouvrent dans un tel environnement, particulièrement les hommes. Il faut se débarrasser de tout ce bagage de l'image machiste. Les femmes sont généralement plus ouverte à partager leurs véritables opinions et émotions.

Les plus grands bienfaits se manifestent seulement lorsque le groupe tout entier atteint un haut niveau de confiance. Le climat que vous créez devrait être celui d'un lieu sûr, où on peut partager absolument tout sans crainte des indiscrétions.

3) Décidez du jour, de l'endroit, de la fréquence et de la durée de vos réunions

Deux ou trois heures par mois est une bonne moyenne ou, si vous le désirez, vous pouvez vous réunir plus fréquemment. Certaines personnes préfèrent un petit-déjeuner tôt le matin dans une atmosphère détendue et agréable. D'autres aiment mieux se rencontrer le soir, après leur journée de travail. Ici aussi, vous avez le choix. Certains éléments importants sont à prendre en considération : choisissez un endroit où vous ne serez pas interrompus par les téléphones, les télécopies ou d'autres personnes. Prenez l'habitude de fermer les téléphones portables pendant vos réunions. Ne traitez pas votre groupe *Mastermind* comme une réunion de bureau typique. C'est un moment spécial avec des gens spéciaux. Donnez-vous les meilleures chances de vous concentrer sur les points à l'étude.

4) De quoi discuterez-vous?

Bonne question! Vous ne voudrez pas passer deux ou trois heures à bavarder de tout et de rien, passant de la température aux nouvelles locales. Les gagneurs énergiques ne perdront pas leur temps à ces choses. Voici quelques suggestions : élisez un président d'assemblée dont le rôle principal est de soutenir le flot des échanges et de permettre à chacun de se faire entendre. Débutez chaque réunion par un court commentaire de chacun sur la meilleure chose qui lui est arrivée depuis la dernière réunion. Cela créera un climat positif. Ensuite, posez deux questions : « Que se passe-t-il dans votre vie professionnelle (ou au travail)? » et « Que se passe-t-il dans votre vie personnelle? » Faites un tour de table. Il se pourrait que ces deux questions occupent tout le temps de la réunion. Et c'est très bien. Cela donne à chacun l'occasion de mieux connaître les autres. Voici une autre bonne question : « Quel est votre plus grand défi en ce moment? » De plus, discutez et encouragez-vous mutuellement dans vos objectifs. Inspirez chacun à réaliser ses projets. Encouragez-les à voir grand et présentez-leur des gens qui peuvent accélérer leur progression.

Parfois, vous voudrez traiter d'un sujet particulier. Il serait bien aussi de réserver du temps pour un membre du groupe qui aurait un besoin particulier — une crise financière ou un problème de santé dont il a besoin de parler. Ce sont ces situations qui créent le véritable lien dans votre groupe *Mastermind*. Saisissez l'occasion de contribuer de votre mieux à la résolution du problème. Si une situation urgente survenait, il serait toujours possible de convoquer une réunion spéciale pour en discuter rapidement.

LES :

Notre groupe *Mastermind* compte cinq membres. Chaque personne est propriétaire de son entreprise dans cinq secteurs d'activité différents. Au moment d'écrire ces lignes, le groupe existait depuis quatorze ans. Nous ne nous fréquentons pas beaucoup en dehors de nos réunions mensuelles. Depuis que nous sommes ensemble, chacun d'entre nous a dû faire face à toutes sortes de difficultés et a connu des succès remarquables. Les sujets dont nous avons discuté couvraient un large éventail, incluant les défis courants, les occasions d'affaires, la création d'exposés dynamiques, la recherche de capital de risque, jusqu'au congédiement d'un employé-clé. Nous avons aussi fait face à des difficultés matrimoniales, des problèmes avec des ados, des questions de santé, des crises financières et des changements importants de carrière. Plusieurs de nos réunions étaient chargées d'émotion et on y a pleuré ouvertement. Nos liens sont maintenant merveilleux et nous bénéficions de la richesse de savoir que, si quelqu'un a besoin d'aide, quatre personnes sont prêtes et capables de lui venir en aide sur-le-champ. C'est une situation de grande force. Le temps et les efforts qu'on y a investis en valaient sûrement la peine.

COMMENT VOUS BLINDER

Nous allons maintenant vous exposer un autre élément important dans l'acquisition de l'habitude d'Excellentes relations. On l'appelle *Construire votre propre forteresse*. Les mentors et les groupes *Mastermind* sont une excellente fondation. Par définition, une forteresse est une structure imprenable, un sanctuaire ou un lieu de refuge. Dans une forteresse, vous êtes à l'abri des orages du monde des affaires et de la vie. Voici comment ériger la vôtre.

Cela ressemble à la constitution d'une équipe championne de football ou de hockey. Chaque joueur a un rôle à jouer, et l'équipe est aussi bonne que son membre le plus faible. L'équipe est formée par l'entraîneur. Il, ou elle, est au centre de l'action. La combinaison de joueurs particulièrement doués et d'un entraîneur qui peut préparer et appliquer un plan de match gagnant mène au triomphe.

La forteresse

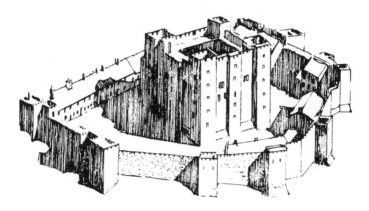

VOTRE SYSTÈME UNIQUE DE SOUTIEN TOTAL

Utilisez les catégories qui suivent pour vous guider dans la construction de votre forteresse. Elles ne sont pas présentées par ordre d'importance.

1. La famille
2. Les mentors et conseillers spécifiques
3. L'équipe de santé et de bonne forme
4. L'équipe de soutien d'affaires — interne (par ex. : personnel administratif, de vente, de gestion)
5. L'équipe de soutien d'affaires — externe (par ex. : banquier, avocat, fournisseurs)
6. Clients privilégiés
7. Groupe *Mastermind* personnel
8. Bibliothèque de développement personnel
9. Conseiller spirituel
10. Autres alliances stratégiques (par ex. : réseaux, sources passives de revenus)
11. Le sanctuaire (votre retraite personnelle ou votre lieu d'isolement)

Vous êtes l'entraîneur. Les deux questions auxquelles vous devez répondre à ce moment-ci de votre vie sont : « Qui fait partie de mon équipe? » et « Leur rendement est-il suffisant pour que je puisse réaliser mes rêves et mes objectifs? » Assurez-vous de compléter le plan d'action. Vous découvrirez ainsi qui mérite de rester dans votre équipe et qui doit être remplacé. Il s'agit ici d'établir des normes élevées pour vous permettre d'atteindre un style de vie qui vous donnera une liberté totale, une prospérité soutenue et un sentiment de valeur. Quand vous aurez besoin d'aide, vous pourrez compter sur les meilleurs pour vous appuyer. C'est un processus continu, et non une solution de fortune.

« Je l'ai trouvé, il travaillait dans l'entrepôt, J.D.
Il est parfait!

Voici comment ça fonctionne : examinez bien attentivement vos relations les plus importantes — les gens qui vous soutiennent et qui vous aident toute l'année. Divisez-les en deux catégories : affaires/carrière et personnel. Dressez la liste de ces gens importants. Dans votre liste affaires/ carrière, vous pourriez inclure : banquier, avocat, comptable, teneur de livres, fiscaliste, fournisseurs, expert financier, personnel de gestion, équipe de vente, personnel administratif, adjoint personnel et secrétaire/réceptionniste. Dans la catégorie personnel, le choix est beaucoup plus vaste : médecin, chiropraticien, médecin spécialiste, masseur/physiothérapeute, entraîneur personnel, nutritionniste, dentiste, dermatologiste, conseiller financier, coiffeur, blanchisseur, plombier, électricien, agent de voyages, agent immobilier, agent d'assurances, vendeur de voitures, tailleur, jardinier, aide domestique, gardienne d'enfant et toute personne dont vous pourriez avoir besoin.

Il est clair que vous ne faites pas appel à toutes ces personnes chaque semaine. La question est de savoir si ces gens font toujours un travail impeccable pour vous lorsque vous faites appel à eux. Parfois, la personne choisie ne fait pas un très bon travail. Pour éviter cette situation, renseignez-vous sur cette personne. Les gens brillants font du travail brillant. Ils respectent les échéances et sont constants. Tout au long du processus, ils vous font vous sentir bien et leurs honoraires sont justes. Ce sont des gens sur lesquels vous pouvez toujours compter pour faire le travail correctement.

Combien ne méritent pas d'être sur votre liste parce qu'ils ne travaillent pas assez bien? Soyez rigoureusement honnête. Combien y a-t-il de lacunes dans votre équipe? C'est facile à déterminer. Chaque fois que vous devez consulter les Pages Jaunes en espérant trouver quelqu'un à la dernière minute. Souvent, la personne que vous choisissez ne fait pas du très bon travail parce que vous n'avez pas eu le temps de vérifier son expérience.

Dorénavant, ne prenez plus de décisions « à la hâte ». Ne tolérez plus le travail mal fait, les retards, les prix exorbitants et les tracas de toutes sortes qui causent plus de stress dans votre vie. Vous n'avez pas besoin de cela. Demandez des références à vos amis. Faites vos devoirs. Faites de la recherche. Soyez patient et entourez-vous graduellement d'une équipe de personnes de qualité qui rendront votre vie incomparablement heureuse et riche. Commencez dès maintenant. Vous serez étonné de voir combien vos relations en seront transformées.

Conclusion

Alan Hobson et Jamie Clarke sont deux jeunes « aventurierpreneurs » captivants. Ils ont inventé ce mot pour décrire leur amour combiné de l'aventure et des affaires. Un de leurs buts communs était d'escalader le mont Everest, la plus haute montagne du monde. La première tentative de leur équipe, en 1991, s'est soldée par un échec. Ils y sont retournés en 1994. Cette fois, l'équipe était plus réduite. Un des membres, John McIsaac, a atteint 8 693 mètres, mais un œdème pulmonaire grave l'a forcé à s'arrêter. À 195 mètres à peine du sommet, il a dû rebrousser chemin. Il a fallu une importante opération de sauvetage pour le ramener en sécurité au bas de la montagne, car il n'avait pas la force de redescendre par lui-même. Il a fallu un effort collectif de toute l'équipe, chaque membre mettant à contribution ses talents uniques. On a même recruté des alpinistes des autres équipes sur la montagne pour y arriver.

Enfin, en 1997, forts de leurs deux tentatives précédentes, Alan et Jamie se sont attaqués à l'Everest pour la troisième fois. Ils ont tous les deux atteint le sommet, un exploit vraiment magnifique. Ils ont dit : « Ce sont nos relations qui ont fait de nos expériences sur l'Everest ce qu'elles ont été. Même si vous n'atteignez pas le sommet, vous avez quand même du plaisir, vous éprouvez de bonnes émotions, malgré les difficultés. Vous en revenez vivant, en espérant faire d'autres expériences avec ces gens. Lors d'une expédition, nous partageons nos vies ensemble. Nous savons à peu près tout ce qu'il y a à savoir des autres. »

Une des raisons qui ont fait que Alan et Jamie ont enfin remporté la victoire, c'est qu'ils se sont entourés d'équipes de gens brillants. Ces équipes comprenaient un organisateur professionnel d'expéditions, une équipe de collecte de fonds, une équipe de soutien, une équipe qui a déterminé la route à suivre et une équipe pour le sommet. Sans cette « forteresse » unique, l'expédition n'aurait pas connu le succès. Mais, grâce à ces équipes qui les supportaient, Alan et Jamie ont pu centrer leur attention totalement sur leur préparation physique et mentale en vue de l'escalade.

Décidez aujourd'hui de bâtir une forteresse autour de vous. Ne choisissez que les meilleurs éléments. Le choix est vaste. N'oubliez pas que la vie, c'est construire et profiter de relations extraordinaires. Vous méritez votre juste part! Il faut de la confiance pour vous affirmer et chercher la compagnie d'excellents individus. Vous apprendrez tout sur cette importante habitude dans le prochain chapitre.

LA PROSPÉRITÉ PROVIENT PLUS
DES GENS QUE VOUS CONNAISSEZ,
ET NON DE CE QUE VOUS SAVEZ.

PLAN D'ACTION

La DOUBLE SPIRALE

CONSTRUIRE VOTRE FORTERESSE

DÉVELOPPER DES RELATIONS
AVEC DES MENTORS

Assurez-vous de faire ces exercices. Si vous ne les faites pas, il est probable que vous ne preniez pas au sérieux le développement d'excellentes relations. Ne vous sous-estimez pas. Faites dès maintenant l'effort de mieux vous connaître et de mieux comprendre l'impact que vous produisez sur les autres.

1. La double spirale

LES RELATIONS BRISÉES — Revivez mentalement une relation importante qui n'a pas fonctionné. En commençant par le numéro un, identifiez chaque étape du processus qui a mené à l'échec de la relation. Soyez précis.

1. _____
2. _____
3. _____
4. _____
5. _____

Utilisez une autre feuille si vous avez identifié plus de cinq étapes.

LES RELATIONS EXCELLENTES — Revivez mentalement une de vos plus importantes relations. En commençant par le numéro un, identifiez chaque étape qui a fait grandir cette excellente relation.

5. _____

4. _____

3. _____

2. _____

1. _____

Utilisez une autre feuille si vous avez identifié plus de cinq étapes.

2. Identification de vos clients privilégiés

Faites la liste de vos dix plus importantes relations d'affaires. Ce sont les gens qui contribuent le plus à vos ventes et à vos revenus. Ils aiment vos produits et votre service. Vous avez avec eux une relation commerciale continue et ils sont heureux de vous référer à d'autres personnes. (Note : si vous êtes directeur ou administrateur, l'équipe dont vous êtes responsable devrait faire partie de vos clients privilégiés.) Prenez bien le temps de réfléchir avant de commencer. Ces gens sont les composantes d'un meilleur avenir pour vous. Traitez-les bien! Les gens les plus importants sont vos clients privilégiés. Le mot « privilégié » signifie au centre, le cœur ou l'essence de tout ce qui a une valeur.

Maintenant, indiquez combien de temps vous consacrez à ces gens au cours d'un mois typique. Qu'en concluez-vous? Quels ajustements devrez-vous faire?

1. _____ 6. _____

2. _____ 7. _____

3. _____ 8. _____

4. _____ 9. _____

5. _____ 10. _____

CONSTRUIRE VOTRE FORTERESSE — Analyse des forces et faiblesses

Voici un exemple de la façon de définir et d'évaluer votre équipe de soutien en affaires (interne/externe) et ce qui sera nécessaire pour l'amener à un niveau plus élevé.
Utilisez ce modèle pour créer les autres parties de votre forteresse.

Équipe de soutien en affaires	Noms	*Note	Changements requis	Étapes	Investissements requis
A Administration (réceptionniste/ secrétariat)					
B Marketing et promotion					
C Ventes					
D Gestion					
E Fournisseurs					
F Financier (banquiers, investisseurs, actionnaires)					
G Comptabilité					

Équipe de soutien en affaires	Noms	*Note	Changements requis	Étapes	Investissements requis
H Tenue de livres					
I Fiscaliste					
J Conseiller juridique (avocat, négociateur)					
K Ressources humaines (embauche, formation, coordination)					
L Adjoint(e)/chargé(e) de projet					
Autres par ex. : conseillers, mentors, entraîneurs)					
Autres					

* **Note :** L'évaluation se fait sur les points suivants : aptitudes pour le poste, niveau de compétence, capacité de travailler en coordination avec les autres membres de l'équipe et performance globale. Demandez-vous aussi à quel point vous avez confiance, aimez et respectez ces personnes. Soyez honnête!

G = Génial   B = Bon   A = Au-dessus de la moyenne   S = Sous-performant   S/O = Sans objet   V = Poste vacant

Préparez et appliquez un plan spécifique pour constamment améliorer votre équipe de soutien. Comblez les postes vacants.

Développer des relations avec des mentors

Quels domaines spécifiques de compétence désirez-vous améliorer?

1. Cochez les plus importants

❑ Développer mes affaires

❑ Ventes et marketing

❑ Santé et bonne forme

❑ Recruter d'excellents employés

❑ Vie équilibrée

❑ Stratégies financières

❑ Habiletés à communiquer

❑ Développer des alliances stratégiques

❑ Éliminer les dettes

❑ Nouvelle technologie

❑ Éducation des enfants

❑ Autre _____

❑ Autre _____

2. Dressez la liste des trois principaux domaines de compétence que vous souhaitez améliorer et identifiez deux mentors possibles pour chacun.

1. _____

_____

2. _____

_____

_____

3. _____

_____

3. Dans la liste qui précède, choisissez le domaine le plus important sur lequel vous voulez travailler dès maintenant et votre premier choix comme mentor.

_____

4. **Sur une feuille blanche, à partir de l'exemple de la page 172, préparez votre propre scénario pour votre premier contact. Pratiquez au téléphone avec un ami. Travaillez votre scénario jusqu'à ce qu'il soit naturel.**

Choisissez maintenant la date et l'heure et faites l'appel.

Si vous ne pouvez parler à cette personne immédiatement, rappelez jusqu'à ce que vous la rejoigniez. La persévérance porte vraiment fruit. N'oubliez pas qu'une seule relation excellente avec un mentor peut vous aider à vous élever vers un tout nouveau niveau de confiance et de conscience.

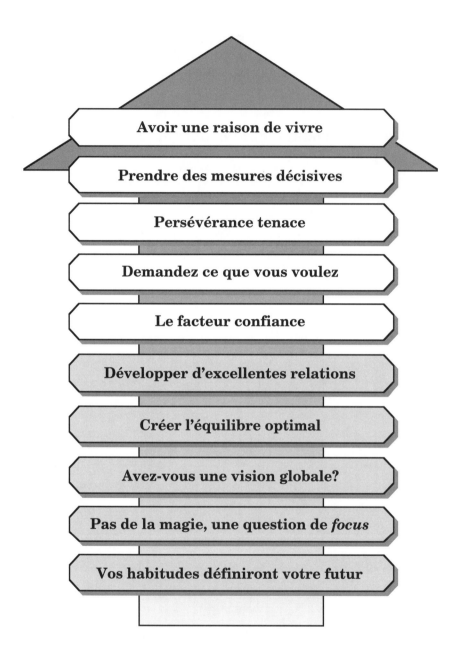

Vous avez réussi — continuez maintenant!

STRATÉGIE
DE *FOCUS*

Le facteur confiance

« L'expérience vous dit quoi faire ;
la confiance vous permet d'agir »
— Stan Smith

En 1999, le président de l'Afrique du Sud, Nelson Mandela, a célébré son 80ᵉ anniversaire.

Il a passé près de vingt-six de ces années en prison à cause de ses opinions franches sur l'apartheid. Pendant ce temps, la confiance de Mandela a dû être mise à rude épreuve. Qu'il ait finalement triomphé et qu'il ait accédé au plus haut poste de son pays est un hommage à sa foi et à ses convictions.

La confiance est une habitude qui peut être affinée et renforcée chaque jour. Ce faisant, vous serez confronté à la peur, aux inquiétudes et à l'incertitude. Ces éléments constituent le flux et le reflux de la vie. C'est une lutte constante, un champ de bataille mental qu'il faut conquérir si votre vie doit en être une d'abondance. Pour commencer, lisez avec attention les paroles du discours inaugural de Nelson Mandela. C'est un homme qui a accepté le défi et l'a remporté. Assimilez lentement chaque phrase. Servez-vous-en comme base vers votre prochain niveau de réussite.

Notre plus grande peur n'est pas notre incompétence.

Notre plus grande peur est que nous sommes puissants au-delà de toute limite.
C'est notre lumière, non notre côté sombre, qui nous effraie.

Nous nous demandons : qui suis-je pour être brillant, formidable, talentueux et fabuleux ?

En vérité, qui ne sommes-nous pas ?

Vous êtes un enfant de Dieu.

Jouer au faible ne sert pas le monde.

Il n'y a rien d'édifiant à vous diminuer afin que les autres ne se sentent pas insécures autour de vous.

Nous sommes sur la terre pour témoigner de la gloire de Dieu en nous.

Pas seulement en quelques-uns d'entre nous, mais en chacun de nous.

En laissant éclater notre propre lumière, nous donnons inconsciemment à d'autres la permission de faire de même.

Et en nous libérant de nos propres peurs, notre présence libère automatiquement les autres.

SOURCE :   *A Return to Love* par Marianne Williamson
                (tel que cité par Nelson Mandela dans son discours
                inaugural, en 1994).

Ce chapitre contient plusieurs stratégies concrètes qui augmenteront votre confiance à un niveau sans précédent. Il est important que vous ayez recours à ces stratégies sur une base quotidienne. La confiance est le facteur le plus important dont vous avez besoin pour vous protéger des frondes et des flèches du négativisme. Si la confiance est absente, la peur et l'inquiétude prennent le dessus. Le progrès est mis en veilleuse et la force d'impulsion s'arrête.

Alors, adoptons cette habitude essentielle avec entrain et avec l'engagement d'éloigner les forces négatives une fois pour toutes. En premier lieu, vous devez terminer toute affaire pendant qui vous freine. Faites-en votre point de départ.

1.
Régler les AFFAIRES pendantes

Affaires pendantes est une expression qui décrit tous les désordres dans votre vie dont vous ne vous êtes pas occupé. Il se peut que vous vous débattiez avec des difficultés légales, financières, relationnelles, organisationnelles, des problèmes de santé ou de carrière, pour n'en nommer que quelques-uns. Quand vous laissez ces problèmes s'accumuler, ils peuvent vous submerger. La peur est la raison pour laquelle plusieurs personnes ne veulent pas s'occuper de ces affaires pendantes. La peur engendre le doute et le doute mène à la perte de confiance. C'est un cercle vicieux. Si on n'y voit pas, une spirale descendante se forme et, en peu de temps, elle prend de la vitesse. Vous perdez soudainement le contrôle de votre vie. Ce surplus de bagage est comme un poids mort autour de votre cou. Il peut vous paralyser.

Il en résulte un drainage d'énergie incroyable. Certains ont accumulé tellement d'affaires pendantes au cours des années qu'ils se sentent comme s'ils tiraient un éléphant derrière eux. Il y a trois façons de faire face à cet état de chose.

1) Vous pouvez jouer le jeu du déni

Certaines personnes prétendent que cela n'arrive pas vraiment. Par exemple, un homme inquiet de l'état de ses dettes refuse de regarder les vrais chiffres dans l'espoir qu'elles disparaîtront d'une façon ou d'une autre. Plutôt que de changer ses mauvaises habitudes, comme dépenser plus qu'il ne gagne, il trouve plus facile de vivre dans un monde imaginaire. Le déni apporte généralement des conséquences graves que vous n'aimerez pas du tout.

2) Vous pouvez aller dans les limbes

La vie s'arrête en quelque sorte et vous faites du sur-place. Vous ne tombez pas, mais vous ne faites pas de progrès non plus. C'est frustrant et, bien sûr, les affaires pendantes seront toujours là attendant d'être réglées plus tard. Être dans les limbes vous maintient coincé.

3) Vous pouvez affronter le problème en face

Il semble que ce soit le moyen évident et, pourtant, plusieurs personnes choisissent les deux options précédentes. Pourquoi? En général, nous n'aimons pas la confrontation — c'est une situation inconfortable et il y a un certain degré de risque. Parfois, cela peut être douloureux et le résultat peut être différent de celui auquel vous vous attendiez. Voici une phrase qui vous aidera : **sautez dans votre peur**.

La plupart du temps, la peur n'existe que dans notre esprit. Notre imagination est puissante. De petits problèmes prennent souvent des proportions hors du commun et nous nous créons des images mentales ridicules comparées aux faits. Un ami de l'Arizona, George Addair, nous a parlé d'un pompier qui participait à un de ses ateliers sur la connaissance de soi. Il a dit : « Les pompiers font face à la peur chaque fois qu'ils se préparent à entrer dans un édifice en flammes. Ils la subissent juste avant d'entrer en action — l'incertitude de ne pas savoir s'ils survivront ou non. Une transformation incroyable se fait dès qu'ils entrent dans l'édifice. Ils entrent littéralement dans la peur, et c'est pourquoi elle disparaît. Ils sont à 100 pour cent dans le moment présent. Ils sont ainsi capables de se concentrer pour combattre le feu, évacuer les gens et faire tout ce pour quoi ils ont été formés. En confrontant leur peur, ils peuvent garder le *focus* sur la situation immédiate et faire le travail. »

Un autre facteur important est l'énergie que vous dépensez quand vous vivez dans la peur. Vous ne pouvez pas vous permettre d'embouteiller toute cette vitalité. Vos capacités en sont restreintes. Si vous voulez acquérir de la confiance, accélérer votre progrès et refaire le plein d'énergie au maximum, vous devez confronter vos peurs. Décidez dès maintenant d'en finir avec vos affaires pendantes, une fois pour toutes. Faites de votre mieux. Laissez-les derrière vous et allez de l'avant.

Prenez-en l'habitude. Soyez conscient que les affaires pendantes sont une réalité continue. Chaque semaine, quelque chose surviendra qu'il faudra résoudre. Ne permettez pas à la situation de s'envenimer. Réglez-la promptement, avec confiance. Ce faisant, votre vie deviendra simple et limpide.

2.
Le PARADIGME
de la route vers la liberté

Nous venons de parler de l'homme d'affaires de l'Arizona, George Addair, qui a créé des programmes uniques de développement personnel depuis plus de vingt ans. Une des composantes les plus marquantes de ces ateliers est le Paradigme de la route vers la liberté. La philosophie d'Addair est la suivante : tout ce que vous voulez se trouve de l'autre côté de la peur. Pour la surmonter, vous devez avoir confiance en l'issue. De fait, il est généralement nécessaire de faire un acte de foi pour combler le fossé entre la peur et la confiance. Une personne qui en comprend le sens est le Dr Robert H. Schuller, pasteur de la cathédrale Crystal de Garden Grove, en Californie. Il dit :

> *On définit souvent la foi comme un « bond ».*
> *Avoir la foi, c'est franchir d'un bond le vide*
> *entre le connu et l'inconnu,*
> *le prouvé et le non-prouvé,*
> *le réel et le possible,*
> *le palpable et l'accessible.*
>
> *Il y a toujours un abîme entre où vous êtes*
> *et où vous allez — servez-vous de la foi*
> *pour bondir en avant !*
>
> *Qu'est-ce qui nous attend plus loin ?*
> *Demain ? La semaine prochaine ?*
> *Le mois prochain ? L'an prochain ?*
> *Après cette vie ?*
>
> *Croyez en la foi ! Croyez en Dieu !*
>
> *Croyez à demain ! Faites un acte de foi !*
>
> SOURCE : *Putting Your Faith into Action Today!*

Alors, comment pouvez-*vous* vaincre ces peurs et ces incertitudes et commencer à développer l'habitude de la confiance ? Il y a deux étapes initiales : réglez vos affaires pendantes et identifiez vos plus grandes peurs. Voyez l'illustration ci-après du Paradigme de la route vers la liberté. Remarquez la grosse poubelle remplie de vos affaires pendantes. Notre Plan d'action appelé *Résoudre les affaires pendantes* vous montrera comment vous en débarrasser. Cet important exercice vous aidera à élaborer une solution concrète qui mettra un terme à vos affaires pendantes. Prenez l'engagement d'aller jusqu'au bout, afin de ressentir cette merveilleuse énergie positive et ce sentiment de libération. Le seul fait d'éliminer la culpabilité en vaut l'effort.

Regardez encore une fois le Mur de la peur (voir l'illustration). Afin de vaincre cet obstacle majeur, vous devez identi-

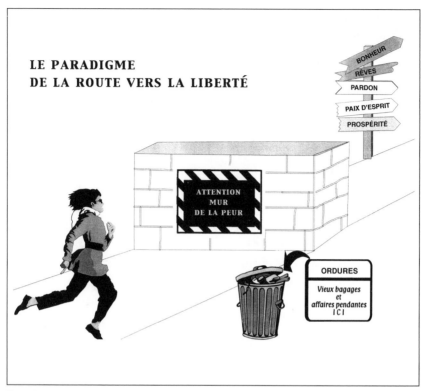

Reproduit avec la permission de George Addair.

fier clairement vos peurs. Voici quelques suggestions. Réservez-vous une période calme pour réfléchir. Il est important que vous ne soyez pas interrompu. Posez-vous cette question fondamentale : *Qu'est-ce qui me fait vraiment peur ?*

Répétez-vous cette question, avec des variantes si vous le désirez. De quoi ai-je le plus peur ? Qu'est-ce que je crains dans l'avenir ? De quoi ai-je peur en ce moment ? Écrivez vos réponses. Ajoutez les réponses à votre liste et soyez ouvert à tout ce qui vous vient en tête. Les réponses les plus significatives peuvent ne pas faire surface immédiatement. Cet exercice peut vous éclairer davantage si vous demandez à un ami de confiance de vous poser les questions. Lui ou elle peut en prendre note pendant que vous êtes assis tranquillement à réfléchir, les yeux fermés.

Avant de rejeter cette activité comme absurde ou idiote, prenez un moment pour en évaluer les bénéfices. La meilleure façon de vraiment comprendre comment et pourquoi vous sabotez vos résultats, c'est de vous connaître mieux. Une profonde réflexion vous donne une image claire. C'est un choix judicieux. Ne soyez pas comme la majorité des gens qui passent à côté des vraies questions et qui plus tard se sentent désespérés et insatisfaits.

Vous aurez un avantage énorme une fois que vous aurez clairement identifié vos peurs. Vous pouvez maintenant développer des stratégies pour renverser vos peurs dès qu'elles apparaissent. Abordez chaque peur par la question : *Comment puis-je vaincre cela?* Ce faisant, vous vous préparez, tout comme un conférencier professionnel prépare un discours, en établissant les grandes lignes des points principaux. Quand vous avez un plan stratégique pour contrecarrer votre peur, vous plantez les semences de la confiance et de la certitude.

La connaissance de soi est la clé. Prenez l'habitude d'en apprendre plus sur vous-même; comment vous pensez, vous vous sentez, vous réagissez et vous vous comportez. Ci-après, vous trouverez une liste des peurs les plus fréquentes et les stratégies spécifiques pour les vaincre. Prenez note de celles auxquelles vous vous identifiez le plus.

Une de nos clientes avait comme but de devenir chanteuse professionnelle. Elle avait une voix magnifique et elle s'intéressait surtout à la musique country. Jusqu'à récemment, elle ne s'était fait entendre que devant des amis et des groupes communautaires de sa localité. Un jour, une occasion en or s'est présentée. On a offert à Diane une prestation de dix minutes pendant un grand concert qui aurait lieu en ville.

Le soir du grand événement, elle était dans les coulisses, tremblant à l'idée de chanter devant dix mille personnes. Son cœur battait et elle imaginait tout ce qui pourrait aller mal. Elle oublierait peut-être les mots, ou sa bouche serait si sèche qu'il lui serait impossible de chanter.

Finalement, quelques minutes avant la levée du rideau, elle s'est ressaisie. Calmement, elle a répété ces mots, encore et encore : « Je peux le faire, je peux le faire, je peux le faire! » En gardant le *focus* sur la croyance qu'elle ferait une bonne performance, et en éliminant ses pensées négatives de peur, la peur s'est envolée. En terminant, elle a reçu un tonnerre d'applaudissements, la preuve que ses peurs initiales étaient totalement injustifiées.

C'est quand la peur est à son summum qu'il faut de la confiance. C'est un des plus grands défis de la vie. Acceptez-le avec une détermination renouvelée de bien faire, peu importe la situation à laquelle vous aurez à faire face.

Peurs fréquentes	Plan stratégique pour neutraliser la peur
Mauvaise santé	En apprendre plus sur les bonnes habitudes de santé, la nutrition, l'exercice et vos gènes héréditaires.
Perdre votre emploi	Devenez tellement précieux qu'on ne peut pas vous congédier. Et si vous l'êtes, vos talents spéciaux vous ouvriront de nouvelles portes. Affinez sans cesse vos forces. *Focalisez votre attention* sur votre grande intelligence; développez d'excellentes relations.
La solitude	Entourez-vous de gens positifs d'un grand soutien. Donnez. Pour attirer des amis, devenez un ami.
L'incertitude de l'avenir	La plupart des emplois de l'avenir n'ont pas encore été créés. Mettez le *focus* sur le développement de vos plus grands talents. Élaborez des buts stimulants.
La mort	Elle nous attend tous. Ayez la foi. Vivez pleinement chaque jour. Explorez les vérités spirituelles.
L'échec	Votre être spirituel vous prouve qu'il y a un plan plus grand. Dieu vous a donné du talent. Démontrez-le. Entourez-vous de gagnants. « L'échec » est une occasion d'apprendre. Il est essentiel de faire des erreurs pour connaître le succès à long terme.

Peurs fréquentes	Plan stratégique pour neutraliser la peur
Prendre des décisions importantes	Pensez sur papier — planifiez à l'avance — recherchez les bons conseils. (Voir le chapitre 9, Prendre des mesures décisives.)
Le rejet	Ne le prenez pas personnellement, surtout si vous êtes dans la vente. Nous connaissons tous une forme ou une autre de rejet chaque semaine. Blindez-vous.
Les conflits	Entrez dans la peur. Recherchez une solution gagnant-gagnant. Acceptez que les conflits fassent partie de la vie. Prenez un cours sur la résolution des conflits.
L'ignorance/ Manque de Savoir	Développez l'habitude d'apprendre quelque chose tous les jours. Lisez, étudiez, devenez plus conscient. N'oubliez pas : l'utilisation de la connaissance est votre plus grande force. Apprenez davantage. Devenez expert dans ce que vous faites le mieux.
Perdre votre famille	Ne cessez jamais de nourrir vos relations les plus importantes. Bâtissez-vous une vie de souvenirs positifs que vous pourrez toujours chérir.
Parler en public	Joignez-vous aux *Toastmasters* (Maîtres de cérémonies), suivez un cours *Dale Carnegie,* joignez-vous au *National Speakers Association* (voir le Guide ressources pour plus de détails), choisissez un grand mentor, écrivez un discours de dix minutes sur votre sujet favori. Pratiquez. Acceptez les occasions de parler quand on vous le demande. Engagez un professeur dans l'art de faire des discours.
La pauvreté	Informez-vous sur l'argent et comment il fonctionne. Vérifiez votre système de valeurs. Trouvez un excellent conseiller financier. Établissez des buts spécifiques pour économiser et investir une partie de tout ce que vous gagnez. (Lire le chapitre 10, Avoir une raison de vivre.)
Le succès	Acceptez le fait que le succès arrive par l'étude, beaucoup de travail, une bonne planification et des risques. Vous le méritez si vous faites tout cela.

© *The Achievers Coaching Program.*

3.
Le DÉFI à vingt-cinq cents

Notre ami Wayne Teskey a un groupe *Mastermind* formé de quatre autres amis d'affaires. C'est un groupe d'entrepreneurs dynamiques qui se réunissent mensuellement pour échanger des idées et s'offrir un soutien mutuel. Lors d'une réunion, ils ont conclu que la vie était devenue moins stimulante. Leurs entreprises étaient rentables, mais ils avaient besoin d'un nouveau défi. Ils ont trouvé une idée qui mettrait leur confiance à l'épreuve et les forcerait à aller au-delà de leur zone de confort trop familière.

Il s'agissait de prendre l'avion d'Edmonton, où ils habitaient, jusqu'à Toronto, à plus de quatre mille huit cents kilomètres plus loin, avec un billet aller simple et seulement vingt-cinq cents en poche. À l'atterrissage, ils devaient chacun trouver le moyen de retourner à la maison, sans carte de crédit, sans chèque et sans amis pour les aider. Pour rendre le défi encore plus intéressant, ils ont convenu de recourir à au moins trois moyens de transport différents. En d'autres mots, si l'un d'eux réussissait à retourner chez lui par avion, il lui fallait en cours de voyage utiliser deux autres modes de transport — train, autobus, voiture, bicyclette ou marche. De plus, ils ne pouvaient parler à personne d'autre de leur défi.

Imaginez-vous dans cette situation. Que feriez-vous?

Il vous faudrait, de toute évidence, user de créativité, d'innovation, de courage et d'une grande foi en vos aptitudes, et aussi de l'argent pour réussir à retourner chez vous sans encombre.

À l'insu de ce groupe extravagant, un ami a alerté les médias locaux d'Edmonton, de même que les plus grandes stations de radio et les journaux. À leur arrivée à Toronto, plusieurs photographes et journalistes les attendaient, intrigués par cette aventure inusitée. Avec une telle pression, il était maintenant nécessaire de bien performer!

Il a fallu au groupe presque une semaine pour revenir à la maison, et tous ont accompli leur mission. Il y a eu quelques histoires intéressantes. Un d'eux a pris la route la plus longue en faisant du pouce. Parmi les arrêts, il y a eu Minneapolis, où il a travaillé comme croupier dans un casino. Il est revenu avec plus de sept cents dollars. Deux des autres membres ont réussi à se loger dans un des plus beaux hôtels de Toronto, sans frais. D'autres ont trouvé de curieux emplois.

> TOUT CE QUE VOUS VOULEZ SE TROUVE
> DE L'AUTRE CÔTÉ DE LA PEUR.

Wayne s'est bien amusé dans la rue en demandant à des gens d'affaires aisés : « Avez-vous de l'argent que vous ne dépenserez pas aujourd'hui ? » Si la réponse était « oui », il poursuivait avec un grand sourire : « Puis-je en avoir un peu, s'il vous plaît ? » Certaines personnes lui ont vraiment donné de l'argent !

De retour à Edmonton, l'histoire a été publiée à la une des journaux. En fait, le groupe a suscité plus de publicité que plusieurs campagnes à gros budgets. Les « *Masterminds* », comme on les appelait maintenant affectueusement, ont convenu ensemble que le voyage avait constitué une de leurs plus grandes expériences d'apprentissage. Ils ont découvert que, malgré le manque de moyens, il était possible non seulement de survivre, mais de prospérer. Leur degré de confiance s'est accru considérablement et leur défi à vingt-cinq cents a créé de plus grosses et de meilleures occasions d'affaires dans les mois qui ont suivi.

4.
Pardonner et OUBLIER

Vous avez une incroyable aptitude et le talent de surmonter les défis les plus difficiles de la vie. Reconnaissez cette réalité et servez-vous-en la prochaine fois que vous serez face à une crise. Vous devriez même être reconnaissant de cette occasion d'élever votre performance à un plus haut niveau. Quand vous percez le mur de la peur, les récompenses sont nombreuses. Vous trouverez la tranquillité d'esprit, et la capacité de rêver et de vous préparer un avenir passionnant sans être entravé par l'inquiétude et la culpabilité. Quand vous réglez les affaires pendantes, la vie devient simple et ordonnée. Vous en retirez un regain d'énergie.

Ceci développe la confiance. Il est crucial que vous compreniez une chose — la confiance grandit par l'action et non par la réflexion. Comme le chante Sheryl Crow : « A change will do you good » [Un changement te sera bénéfique]. Pour obtenir des résultats différents, vous devez changer quelque chose. Commencez par vous-même. Tant que *vous* n'aurez pas changé, rien ne changera. La procrastination est un aller simple vers l'immobilisme. C'est une excuse pour ne rien faire.

Voici une remarque importante sur les affaires pendantes. Vous devez absolument saisir ceci, alors restez en *focus*. Pour vous débarrasser totalement du bagage du passé, vous devez apprendre à *pardonner*. Relisez encore une fois. **Vous devez apprendre à pardonner.** Il y a deux faces au pardon. D'abord, vous devez pardonner aux gens qui vous ont nui dans le passé — parents, amis, proches ou professeurs. En somme, toute personne qui a miné ou abusé de votre confiance, verbalement, physiquement ou psychologiquement. Peu importe à quel point l'expérience fut traumatisante, pour vous en libérer, vous devez leur pardonner. Ce ne sera peut-être pas facile, mais c'est essentiel si vous désirez trouver la tranquillité d'esprit et un avenir plus heureux.

Comment y arriverez-vous? Écrivez une lettre, faites un appel, parlez-vous face à face, peu importe ce qu'il faudra, mais il est d'importance capitale que vous régliez ce problème en vous-même. Lâchez prise et passez à autre chose.

Deuxièmement, pardonnez-vous. Faites taire à jamais les idées négatives de la culpabilité. Le passé appartient à l'histoire. Vous ne pourrez jamais le modifier. Acceptez plutôt le fait que vos choix étaient basés sur votre degré de connaissance et de conscience à ce moment-là. La même remarque s'applique à vos parents. Ne les blâmez pas pour la façon dont ils vous ont élevé — ils ont agi selon leur situation, leur système de croyances et leur aptitude à vous éduquer.

Examinez le mot *pardon*. Les trois dernières lettres (don) devraient vous fournir un indice. Vous devez donner pour être libre. Le plus grand cadeau que vous ayez à offrir est l'amour. N'oubliez pas que vous ne pouvez pas donner ce que vous n'avez pas déjà. Si vous n'êtes pas habité par l'amour, comment pouvez-vous le donner? Il faut en premier lieu se pardonner à soi-même. Vous devez dépasser le syndrome du « Ce n'est pas ma faute » et du « Pauvre moi », sinon vous ne connaîtrez jamais le véritable amour. Il faut pour cela avoir atteint un niveau particulier de conscience, vivre à un niveau plus élevé. Pour y arriver efficacement, il faudra vous détacher des événements passés de votre vie. Vous serez alors libre de donner inconditionnellement.

Trop de gens ne permettent pas à la véritable personne en eux d'émerger. Conséquemment, ils vivent une existence en état de dormance, avec un sentiment d'insatisfaction. Au lieu de se dépasser glorieusement et de se pousser eux-mêmes jusqu'à leurs limites, ils stagnent dans l'ordinaire du quotidien. Vous pouvez être différent! Décidez maintenant de vous éloigner de cette futilité et explorez les talents uniques qu'on vous a donnés. Ils sont en vous, attendant que vous les libériez.

Libérez vos peurs. Pardonnez à ceux qui doivent être pardonnés et soyez assuré que vous pouvez obtenir tout ce que vous désirez, en agissant une étape à la fois, en prenant une décision à la fois et en atteignant un résultat à la fois.

Une des plus belles histoires sur le pardon et l'amour a débuté il y a plusieurs années pendant la guerre du Vietnam. La journaliste Patricia Chisholm se rappelle l'histoire dans le magazine *Maclean's* :

> *Phan Thi Kim Phuc, neuf ans, fuyait son village quand des bombes américaines destinées à des installations militaires ont commencé à exploser autour d'elle. Elle se souvient : « Immédiatement, j'ai su que mes vêtements flambaient, tout flambait, et j'ai vu ma main et mon bras qui brûlaient. » Puis, elle s'est mise à courir pour tenter désespérément d'échapper à ce cercle de feu. Elle ajoute : « Je ne pensais plus. » Il n'y avait qu'une peur incontrôlable suivie d'une chaleur intense. Elle a subi de terribles blessures au dos, où une grande partie de la peau a été détruite par le napalm, un épaississant qui, ajouté à l'essence, rend le mélange gélatineux et colle à toutes les surfaces, incluant la peau, lorsqu'il brûle. Le photographe Nick Ut, qui était sur les lieux, l'a immédiatement conduite à l'hôpital où elle est restée quatorze mois et a subi plusieurs interventions chirurgicales. La photo dramatique de Nick, qui lui a valu un prix Pulitzer, a saisi toute l'agonie du moment.*

Vivant aujourd'hui au Canada, après des années de réhabilitation et d'ajustement à la vie occidentale, Kim a fait preuve d'une remarquable capacité de pardonner. À l'automne 1996, elle a participé à une cérémonie du Jour du Souvenir, au mémorial de la guerre du Vietnam, à Washington, D.C. Elle y a fait la rencontre aussi inattendue qu'émotive du capitaine John Plummer, l'homme qui avait ordonné aux pilotes sud-vietnamiens de faire ce raid fatidique sur son village. Assis côte à côte, souriants et se tenant la main, il était évident que Kim ne lui en voulait aucunement. Le cas de Kim est rare. Bien des gens éprouveraient du ressentiment et de la haine qui les consumeraient pendant des années. Elle a choisi d'éviter de réfléchir à la guerre. « Je ne me fais jamais de tels chagrins, dit-elle. Il est trop lourd, trop épuisant, de ressentir une trace d'amertume, même au plus profond de moi. » Kim a plutôt choisi d'aller de l'avant. Mariée, elle a un jeune fils à élever. Il est clair que sa capacité d'aimer et de pardonner a accéléré ses progrès.

Archives photo de la PC (NICK UT)

La terreur de la guerre
— Phan Thi Kim Phuc (à gauche) fuit un bombardement.

Généralement, nous ne considérons pas la confiance comme une habitude. Souvent, nous regardons d'autres personnes qui semblent profiter au maximum de la vie et nous souhaiterions être nés avec les mêmes gènes. Même s'il est vrai que certaines personnes semblent plus ouvertes que d'autres, on peut développer sa confiance. Être confiant ne signifie pas qu'on doive passer ses journées à sauter avec une énergie positive intarissable. Certaines des personnes les plus confiantes et prospères que nous connaissons ont une force intérieure silencieuse qui s'exprime rarement en société. Essentiellement, la confiance se développe en combinant une *attitude positive* avec une *action positive*. Ces deux éléments impliquent le *pouvoir de choisir*. Vous pouvez, chaque jour, choisir consciemment d'avoir des pensées positives. Vous pouvez aussi choisir ou non de poser des actions positives. Il y a une relation directe entre votre attitude et les choix que vous ferez ultimement.

5.
Une ATTITUDE gagnante

Votre attitude joue un grand rôle dans vos succès et votre capacité d'obtenir ce que vous désirez. Comme vous le savez certainement, une attitude peut changer rapidement. En fait, votre attitude est sérieusement mise à l'épreuve chaque jour. Un des meilleurs exemples de perte de confiance s'est produit au tournoi de golf des Maîtres de 1996 à Augusta, en Géorgie. L'Australien Greg Norman, golfeur émérite et un des favoris du tournoi, avait joué brillamment. À la fin de la troisième ronde, il avait une avance de six coups sur son plus proche rival et il ne restait qu'une ronde à jouer. Norman semblait destiné de façon certaine à revêtir le célèbre veston vert qu'on remet au gagnant le dimanche après-midi. Il ne lui fallait qu'une ronde moyenne pour s'approprier la victoire. Pourtant, inexplicablement, son jeu s'est écroulé au cours de la dernière ronde. En l'espace de vingt-quatre heures, son avance de six coups a fondu et il a terminé à cinq coups derrière Nick Faldo, qui avait lentement mais sûrement grignoté l'avance apparemment insurmontable de Norman. En réalité, c'est la persévérance et la confiance de Faldo qui ont finalement causé le revirement. Faldo avait développé l'habitude de revenir de l'arrière pour gagner. En fait, il avait gagné le *Masters* à deux reprises consécutives (1989 et 1990).

À mesure que se déroulait la dernière ronde, l'attitude de Norman s'est détériorée de façon marquée. La démarche confiante de la veille s'est transformée en épaules tombantes, et on a vu dans ses yeux un air absent à mesure que s'envolait son vieux rêve de devenir champion du *Masters*. Sa spirale descendante fulgurante était un vif rappel que la confiance peut être inconsistante. Fort et positif un jour, totalement désemparé le lendemain. Pour éviter cette situation, examinons quelques stratégies pratiques qui vous aideront à renforcer votre confiance.

6.
Six STRATÉGIES
pour augmenter la confiance

1. Chaque jour, rappelez-vous que vous avez réussi certaines choses

Au lieu de vous attarder à ce qui n'a pas fonctionné ou aux tâches que vous n'avez pas terminées, mettez le *focus* sur les choses que vous avez accomplies. Ne les sous-estimez pas. Utilisez votre méthode *Vigilance* chaque jour pour y voir clair. Encouragez-vous mentalement au début et à la fin de chaque journée. Motivez-vous, tout comme vous aideriez une autre personne à relever un défi.

2. Lisez des biographies ou des autobiographies inspirantes

Nous voulons y revenir une autre fois. Lisez des livres, des articles et des magazines. Montez-vous un dossier dans lequel vous gardez les articles qui vous ont le plus inspiré. Enregistrez les documentaires spéciaux de la télévision. Écoutez des cassettes ou regardez des vidéos. Allez au cinéma — il y a beaucoup de belles histoires. Informez-vous sur les gens qui sont partis de rien ou qui ont connu de sérieux revers, et qui ont quand même fini par trouver le moyen de gagner. N'oubliez pas que votre potentiel dépasse de beaucoup votre niveau de performance actuel. La vie sans défis est une illusion. Acceptez que vous connaîtrez des hauts et des bas, comme tout le monde. Votre confiance grandit quand vous relevez activement les défis de la vie. Vous ne les gagnerez pas tous, mais avec la bonne attitude, vous gagnerez plus souvent qu'autrement.

3. Ayez de la gratitude

Peu importe les difficultés sur votre chemin, il y a probablement une personne qui est dans une situation pire que la vôtre. Si vous en doutez, devenez bénévole dans le service des grands brûlés d'un hôpital pour enfants. Mettez les choses en perspective. Pensez à toutes les choses (et aux personnes) que vous tenez pour acquises et qui ne sont pas disponibles dans d'autres pays. La plupart de vos problèmes vous sembleront bien petits quand vous vous ferez une image de tous les avantages dont vous bénéficiez chaque jour.

4. Créez-vous un bon réseau d'aide

Si vous avez besoin d'un remontant, rafraîchissez votre mémoire en révisant le chapitre 5, « Développer d'excellentes relations ».

5. Forcez-vous à réaliser des buts à court terme

Rien ne vaut l'action pour refaire sa confiance. Créez un climat de réalisation chaque semaine. Focalisez l'attention sur les trois cibles les plus importantes. Chaque jour, faites quelque chose qui vous rapproche de la fin d'un projet, de la conclusion d'un contrat ou du développement d'une relation. Gardez-vous de vous laisser distraire ou interrompre. Ce faisant, vous éliminerez le sentiment de culpabilité et d'échec. Faites un petit pas à la fois.

Assurez-vous que vos buts sont réalistes. En vous dépréciant, vous pouvez ébranler votre confiance. En conséquence, ne vous accablez pas chaque fois que les choses ne vont pas comme vous aviez prévu. Soyez flexible. Quand les autres vous disent « non », n'en faites pas une insulte personnelle. Acceptez de devoir parfois perdre avant de pouvoir gagner.

6. Chaque semaine, faites quelque chose pour vous-même

Trouvez une façon de célébrer vos réalisations hebdomadaires. Ne le méritez-vous pas? Si vous avez répondu « non », recommencez à la première stratégie.

LA ROUTE VERS LA CONFIANCE EST PAVÉE
DE VICTOIRES HEBDOMADAIRES.

Apprenez à les applaudir.

7.
Vérifiez votre FACTEUR FOI

Des études récentes ont démontré que le bonheur est clairement relié à notre niveau de confiance. Plusieurs personnes trouvent aussi du réconfort et une joie sans réserve dans un lien spirituel fort. George Gallup, dont la famille a été la première à étudier les attitudes des gens, a de plus en plus focalisé son travail sur la religion. « J'ai toujours voulu voir des sondages qui exploreraient la vie intérieure, dit Gallup. Nous avons appris beaucoup sur l'étendue de la religion, mais peu sur sa profondeur. Nous essayons maintenant d'explorer cet aspect plus à fond. »

Il a indiqué que les premières études sur cette « dimension de profondeur » ont révélé que ceux qui étaient les plus engagés (13 pour cent des croyants) étaient parmi les gens les plus heureux, les plus charitables, tolérants et moraux. « Ils se distinguent vraiment du reste de la population. Un tiers de la population fait maintenant partie d'une variété de petits groupes d'intérêts communs, 60 pour cent d'entre eux sont reliés à une confession religieuse. C'est une découverte assez phénoménale. Une chose très importante dans notre société fragmentée. »

Selon Gallup, dans ces petits groupes intimes, les gens se découvrent, découvrent les autres et découvrent Dieu. Gallup dit que la société moderne a mis les gens face à une « panoplie étourdissante de problèmes », dont la déception face au matérialisme comme mesure du succès. « C'est la faillite du rêve américain, si vous voulez. Ce n'est pas seulement la déception face à l'échec du monde matériel, mais un désenchantement par rapport aux modes de vie. La solitude est un facteur. Nous sommes extrêmement seuls. Nous sommes à la recherche de relations sérieuses. »

8.
Ce qu'il faut faire si vous VIVEZ UNE PÉRIODE CREUSE

1. Reconnaissez que vous vivez un creux

Faites une pause pour réfléchir, refaire vos énergies et vous *remettre en focus*. Parlez aux gens qui vous soutiennent le mieux — vos mentors, vos amis et votre famille.

2. Souvenez-vous d'un de vos bons coups

Choisissez une victoire importante qui vous a donné grande satisfaction. Revivez-la dans votre esprit. Parlez-en. Regardez les photos, les plaques honorifiques ou les lettres de remerciements. Créez un répertoire de vos succès, un album de vos souvenirs les plus positifs. Reconnaissez votre talent. Vous en avez déjà fait la preuve, vous pouvez le faire encore.

Il était romantique quand nous nous sommes mariés, mais tu sais combien ils changent.

3. Revenez à la base

Une des raisons pour lesquelles vous ne réussissez plus est que vous avez oublié de mettre les principes fondamentaux en pratique. Regardez la réalité en face. Vous consacrez-vous aux choses faciles plutôt qu'à celles qui vous assurent d'obtenir des résultats? Faites une pause si vous êtes mentalement ou physiquement vidé. Retrouvez votre énergie avant de reprendre le collier. Sachez que vous pouvez réussir à vous en sortir. La vie est faite de cycles. Par contre, ils ne sont pas permanents, alors vivez une journée à la fois. Souvenez-vous que « cette situation finira elle aussi par passer ». Graduellement, le soleil viendra briller de nouveau.

Comme nous l'avons dit plus tôt, le célèbre aventurier et explorateur John Goddard est l'un des meilleurs au monde pour se fixer des objectifs. Il a fait plus pendant sa propre vie que vingt personnes ensemble. Lorsqu'on lui demande comment il surmonte les obstacles, il répond : « Quand je suis bloqué, je me redémarre en mettant le *focus* sur un but que je peux atteindre au cours des sept jours suivants — quelque chose de simple. Je ne pense à rien d'autre — habituellement, c'est suffisant pour reprendre ma vitesse. »

QUAND VOUS CROYEZ
QUE VOUS N'Y ARRIVEREZ PAS...

Repensez à un de vos anciens triomphes.

Conclusion

L'habitude de la confiance est un élément fondamental dans votre quête quotidienne vers le succès continu. Comme les autres parties importantes du casse-tête, la confiance est invisible. L'amour, la foi, l'honnêteté et l'intégrité sont toutes invisibles quand vous tentez de les définir individuellement. Il en va de même pour la confiance. En voici un exemple...

Au moment d'écrire ce livre, Elvis Stoijko était déjà trois fois champion du monde de patinage artistique et médaillé d'argent aux Olympiques. Au début de la vingtaine, il avait atteint le sommet d'un sport qui est non seulement exigeant, mais aussi empreint de controverse et de politique. Habituellement, il faut attendre son tour avant d'être admis dans les hauts rangs. Elvis est unique. Son programme de patinage est différent, car il y a incorporé ses connaissances en arts martiaux sur la glace.

Son talent apporte un souffle nouveau. Comme tous les athlètes de haut niveau, il s'entraîne sérieusement et pratique sans arrêt. Lorsqu'on lui a demandé la raison principale de son succès extraordinaire, il a réfléchi un moment et a simplement répondu : « Je crois en moi. Oui, c'est ça, je crois en moi! »

La confiance — c'est la colle qui tient le tout ensemble, une habitude qui se forge à plusieurs sources. Vous connaissez maintenant une multitude de façons d'augmenter votre niveau de confiance. Savourez le défi. Revoyez attentivement ces stratégies. Assurez-vous de compléter le Plan d'action qui suit, puis commencez à le mettre en pratique, une étape à la fois. Pratiquez. Faites-en une habitude quotidienne. C'est ainsi qu'avant peu vous commencerez à dresser votre propre liste de succès éclatants.

PLAN D'ACTION

Résoudre
LES AFFAIRES PENDANTES

Dressez la liste des problèmes que vous voulez régler. Écrivez-en au moins trois. Ensuite, décrivez un moyen particulier de régler chacun d'eux. Quel est votre plan d'action? Définissez-le clairement. Enfin, décidez de la date où vous aurez réglé ces problèmes. Puis, mettez-vous à l'œuvre.

Les affaires pendantes que je veux régler.

Les questions relationnelles, financières, juridiques, de santé, d'organisation physique (bureau, maison, garage, et autres).

1. _____

2. _____

3. _____

4. _____

5. _____

Les avantages particuliers de résoudre ces affaires pendantes. Décrivez comment vous allez vous sentir.

1. _____

2. _____

3. _____

4. _____

5. _____

Plan d'action pour régler ces questions. Qu'allez-vous faire spécifiquement?

1. _____

2. _____

3. _____

4. _____

5. _____

Date où ces questions seront réglées.

1. _____

2. _____

3. _____

4. _____

5. _____

Nous sommes certains
que vous terminerez les quatre dernières.
À l'œuvre!

7ᴱ STRATÉGIE DE *FOCUS*

Demandez ce que vous voulez

*« Si vous avez quelque chose à gagner
et rien à perdre en demandant,
alors, demandez. »*

— W. CLEMENT STONE

Jonathan a onze ans et il adore la musique.

Il est exceptionnellement doué pour le saxophone soprano et il aime aussi composer. Un jour, peut-être sera-t-il membre d'un orchestre philharmonique célèbre pour ensuite en devenir le chef. Impressionnant!

Pour l'instant, le but le plus important de Jonathan est de gagner assez d'argent pour acheter un saxophone neuf et un clavier sur lequel composer. À onze ans, il est difficile de trouver un travail bien rémunéré, particulièrement lorsque vous allez à l'école pendant la plus grande partie de la semaine. Cependant, Jonathan est déterminé. Il désire vraiment des instruments neufs. Chaque samedi, il se rend à l'épicerie locale et s'installe près d'une des portes principales. Il place son lutrin et sort une clarinette d'un vieil étui. Devant lui, il place une affiche faite à la main et il commence à jouer. L'affiche se lit comme suit :

JE M'APPELLE JONATHAN ET J'AI ONZE ANS. JE GAGNE DE L'ARGENT POUR ACHETER UN SAXOPHONE SOPRANO ET UN CLAVIER. POUVEZ-VOUS M'AIDER? MERCI BEAUCOUP !

À côté de l'affiche, il y a un contenant en plastique et une liste de demandes spéciales. Jonathan a découvert une formule magique. Cela s'appelle *demander*, et il fait ce que la plupart des gens ne font pas, il passe à l'action.

Pendant que Jonathan exécute avec habileté des airs bien connus, l'argent afflue. Un dollar de la part d'un homme d'affaires, cinquante cents d'une jeune fille, cinq dollars d'une grand-mère élégamment vêtue. À ce rythme, Jonathan aura bientôt réalisé son rêve. Avec un peu de créativité et le courage de demander de l'aide, il a trouvé une façon originale d'obtenir ce qu'il désire. Avec une pareille détermination, qui voudrait parier qu'il n'atteindra pas ses plus grandes ambitions musicales? Certainement pas nous.

1.
Demandez et RECEVEZ

Il y a longtemps, longtemps, que ce cadeau, qu'on appelle « demander », existe. Une des vérités fondamentales de la vie dit : *Demandez et vous recevrez.* Simple, non? Bien sûr! Les enfants en sont les maîtres. Leur méthode consiste habituellement à demander jusqu'à ce qu'ils obtiennent ce qu'ils veulent. À l'âge adulte, nous semblons perdre cette capacité de demander. Nous apportons toutes sortes d'excuses et de raisons pour éviter toute possibilité de rejet. Les enfants ne sont pas programmés ainsi. Ils croient vraiment qu'ils peuvent obtenir tout ce qu'ils demandent, qu'il s'agisse d'une piscine de 15 mètres ou d'un cornet de crème glacée au chocolat.

Voici ce que vous devez bien comprendre : le monde répond à ceux qui demandent. Si vous ne vous approchez pas de ce que vous désirez, c'est probablement parce que vous ne demandez pas assez. Heureusement, il existe plusieurs façons de demander afin de créer une abondance future. Dans les quelques pages qui suivent, vous apprendrez une variété de stratégies pour demander qui vous assureront un énorme succès. Elles sont puissantes, tant en affaires que dans votre vie personnelle.

Voici un petit acronyme qui vous remettra sur la piste :

TOUJOURS
ASSOIFFÉ DE
CONNAISSANCE

Certains disent que la connaissance est le pouvoir. Faux! L'utilisation de la connaissance est le pouvoir. Voilà quelque chose que vous devriez graver dans votre mémoire pour toujours. Quand vous demandez, vous pouvez recevoir toutes sortes d'information, des idées, des stratégies, les noms de personnes influentes et, oui, même de l'argent. Il y a plusieurs raisons de demander et les récompenses sont substantielles. Pourquoi alors les gens hésitent-ils quand ils ont l'occasion de demander? Il y a essentiellement trois raisons.

1. **Leur système de valeurs leur dit que demander n'est pas bien.**

2. **Ils manquent de confiance.**

3. **Ils craignent le rejet.**

(Pour une étude en profondeur sur la manière de surmonter les obstacles personnels qui nous empêchent de demander, lisez *The Aladdin Factor*. Voir Guide ressources.)

Les vieux systèmes de valeurs profondément ancrés peuvent vous paralyser. Dans la Bible, il est dit : « Demandez et vous recevrez, cherchez et vous trouverez, frappez et on vous ouvrira. » Cela vient d'une haute autorité plus puissante que bien des systèmes de valeurs dont vous avez hérité, il y a bien des années, pendant votre enfance. Si vous vous reconnaissez, alors vous devez analyser votre système limitatif de valeurs. Demandez de l'aide. Parlez à un ami de confiance ou à un conseiller. Travaillez sérieusement. Comprenez qu'il existe d'autres manières de voir la vie et les circonstances. Changez votre façon de voir les choses et ce qui vous tient à cœur. Débarrassez-vous de ces vieilleries. Elles encombrent votre avenir et étouffent votre capacité de demander.

Vous souvenez-vous de la deuxième raison? Oui, c'est bien de confiance dont nous avons parlé au chapitre précé-

dent. Le manque de confiance limitera assurément votre désir de demander. Encore une fois, il s'agit d'abattre les vieilles barrières. Ayez confiance en vous. Faites un pas en avant. Demandez quand même. La pire réponse que vous pourrez entendre sera « non ». Ce qui nous amène à notre troisième raison, le rejet. Quand vous obtenez une réponse négative, êtes-vous plus mal en point? Pas vraiment, à moins que vous ne le preniez personnellement — ce qui est la principale raison pour laquelle les gens craignent le rejet. Certains ne peuvent contrôler leurs émotions, même si le mot « non » n'a jamais été destiné à être une humiliation personnelle.

Alors, quel est votre pointage? Une de ces trois forces négatives nuit-elle à vos occasions de progresser? Si c'est le cas, c'est ici que vous devez commencer. On appelle cela faire un acte de foi. Et cela signifie abandonner ses anciennes croyances, bien se sentir dans sa peau et comprendre que la vie n'est pas parfaite — il est normal de rencontrer plusieurs obstacles sur votre route.

2.
Sept façons de stimuler vos affaires, IL SUFFIT DE DEMANDER

Voici sept importantes façons de vous assurer que vos affaires deviendront plus profitables. Appliquez-les et vos revenus monteront en flèche. Pour vous aider, complétez le Plan d'action intitulé « Sept façons de stimuler vos affaires ».

1. Demandez de l'information

Pour attirer de nouveaux clients, vous devez d'abord connaître leurs défis actuels, ce qu'ils veulent accomplir et comment ils comptent y arriver. Ce n'est qu'à ce moment que vous pourrez faire la démonstration des avantages de votre produit ou service unique. Il est étonnant de constater le nombre de personnes qui ne suivent pas cette règle si simple. Les vendeurs sont reconnus pour ignorer cette partie essentielle dans leur présentation. Souvent, on peut voir les signes de dollars dans leurs yeux, ce qui montre qu'ils ne sont intéressés qu'à alléger votre portefeuille.

Nous les appelons les dinosaures. Voici une meilleure façon : d'abord, oubliez votre intérêt personnel. Ceci est d'une importance cruciale. *Focalisez votre attention* sur l'idée d'aider sincèrement la personne avec qui vous avez une rencontre. Posez des questions qui commencent par les mots *qui, pourquoi, quoi, où, quand* et *comment* pour obtenir toute l'information dont vous avez besoin. On appelle cela « le processus d'exploration ». Les avocats plaideurs sont experts en cette matière. Pendant l'exploration, on leur permet de poser pratiquement toutes les questions qui les aideront à préparer leur cause. Ils ne se fient pas aux conjectures. Ce n'est que lorsqu'ils sont armés des faits d'une cause qu'ils peuvent préparer une défense ou une poursuite devant le tribunal.

Il en va de même en affaires. Ce n'est que lorsque vous comprenez et évaluez bien les besoins des gens que vous rencontrez que vous pouvez leur offrir une solution. Si tout correspond, la solution à leurs besoins sera votre produit ou votre service.

Il y a deux importantes questions à poser au cours du processus d'exploration. D'abord : « Quel est votre plus gros défi actuellement? » Nous avons découvert que cette question est un excellent moyen d'établir de bonnes relations. Voici la clé : vous devez montrer un véritable intérêt en posant la question. Si vous ressemblez à un vieux cliché sorti des manuels de vente, vous rencontrerez de la résistance. Lorsque la personne répond, écoutez attentivement et posez une autre question qui vous apportera un supplément d'information. Répétez le processus jusqu'à ce que vous ayez suffisamment exploré le sujet pour vos besoins. Nous appelons cela « peler l'oignon ». À chaque nouvelle question, vous enlevez une autre pelure. À force d'enlever des pelures, on en arrive au cœur de la question. C'est souvent là que se trouve l'information la plus importante, mais il faut une interrogation habile pour y arriver. Un bon conseiller matrimonial ou un psychothérapeute utilise la même technique pour aller chercher ce qui se cache derrière une relation dysfonctionnelle ou une dépression aiguë. Alors, exercez-vous à poser des questions simples et directes. Soyez attentif. Écoutez bien et apprenez à lire entre les lignes. N'oubliez pas que la vraie question se trouve habituellement sous la surface.

La seconde question importante pour ouvrir la conversation est : « Quels sont vos buts et objectifs les plus importants pour les années qui viennent? » Si vous croyez que les gens ne répondront pas à une telle question, réfléchissez bien. Si vous avez établi de bons rapports au cours des dix premières minutes, si vous avez mis de côté votre désir de faire une vente et si vous avez démontré un intérêt sincère dans leurs

affaires, les gens vous en diront beaucoup plus que vous ne
le croyez.

LES :

C'est étonnant — dix minutes après avoir fait la rencontre d'un propriétaire d'entreprise ou d'un directeur pour
la première fois, lorsque je leur pose la question sur leurs
buts et objectifs, souvent ils se lèvent et disent : « Permettez que je ferme la porte. » Alors, ils ouvrent leur cœur.
C'est comme s'ils avaient attendu l'arrivée d'une personne prête à écouter pour se libérer du lourd fardeau de
leurs affaires et de leur vie personnelle. Ne sous-estimez
jamais la force de questions bien choisies et de la capacité
d'écouter.

« *Tu l'ébranles en lui demandant un million.*
Je lui demanderai cinq dollars
et il croira qu'il fait une bonne affaire. »

Un autre conseil quand vous demandez des informations.
N'interrogez pas les gens avec une pluie de questions portant
sur les résultats financiers. Séparez vos questions par quelques commentaires, partagez une idée ou offrez une suggestion utile. Réagissez à ce que la personne dit, puis passez à

votre question suivante. Plus vous pourrez établir de bons rapports, plus votre client potentiel se sentira à l'aise et plus il sera détendu. C'est ainsi qu'on établit cet ingrédient magique qu'on appelle la confiance. Quand la confiance s'installe, les occasions se présentent nombreuses et on vous accueille à bras ouverts. Cela apporte éventuellement de gros chèques. Vous pouvez pratiquer cette façon de demander dans votre vie personnelle, avec votre famille et vos amis. Les récompenses sont tout aussi substantielles.

2. Demandez de conclure une affaire

Voici une statistique étonnante : après avoir terminé une présentation complète sur les avantages de leur produit ou service, dans plus de soixante pour cent des cas, les vendeurs ne demandent pas de prendre la commande. C'est une mauvaise habitude qui pourrait éventuellement conduire votre entreprise à la ferraille.

Si vous avez besoin d'aide, les enfants sont des modèles à suivre. Comme l'a démontré le jeune Jonathan, ce sont des vendeurs-nés. En voici une autre preuve : nous jouons au golf par un chaud après-midi de juillet. L'aire de départ du sixième trou se trouve près d'une des clôtures extérieures. De l'autre côté du grillage se trouve une petite fille de six ans assise derrière une petite table de bois. Sur la table, il y a deux grands pots de plastique, l'un contient du thé glacé, l'autre de la limonade. Pendant que notre quatuor attend que les joueurs qui nous précèdent aient terminé leur jeu, la petite fille nous demande : « Seriez-vous intéressés par une boisson fraîche pendant que vous attendez? » Elle tient un verre de plastique dans une main et sourit largement. Elle s'appelle Mélanie.

Il fait chaud et nous avons tous soif, alors nous nous approchons de la clôture. « Lequel préférez-vous, le thé glacé ou la limonade? » demande-t-elle. Nous faisons notre choix, elle verse les boissons et tend la main en disant : « Ce sera cinquante-cinq cents pour chacun, s'il vous plaît. » Nous passons quatre pièces d'un dollar à travers le grillage métallique. Après avoir soigneusement rangé les pièces dans son portefeuille, elle nous tend les boissons par un trou dans la clôture et dit : « Bonne journée! » Aucun de nous n'a reçu sa monnaie! Qui s'en plaindra? Une telle présentation ne vaut-elle pas un pourboire de 45 pour cent?

**DEMANDEZ TOUJOURS
DE CONCLURE UNE AFFAIRE.**

Toujours.

À quelle fréquence croyez-vous que cette jeune fille fait sa demande? Oui, vous avez raison, chaque fois que quelqu'un se présente au départ du sixième trou. Cette jeune entrepreneure n'a pas suivi un cours de vente de dix semaines — elle a suivi son instinct. Voyez comme sa stratégie est brillante — une leçon d'affaires dont nous pourrions tous profiter. D'abord, elle a trouvé un emplacement de choix. Elle offre aussi un service précieux par une journée chaude. « Aimeriez-vous mieux du thé glacé ou de la limonade? » montre qu'elle connaît l'importance d'offrir un choix. De plus, elle avait tellement confiance en elle qu'elle ne croyait pas nécessaire de rendre la monnaie.

Comme Mélanie, vous devez toujours poser une question de clôture pour conclure une affaire. N'hésitez pas, ne tournez pas autour du pot ou, pire, n'attendez pas que votre client potentiel vous pose la question. Voici quelques exemples qui ont bien fonctionné dans notre cas.

« Aimeriez-vous en faire l'essai? » C'est le genre de question qui ne met pas de pression, qui ne menace pas. Si votre présentation était bien faite et qu'elle expliquait les avantages de votre produit ou service, la plupart des gens se diront : « Après tout, pourquoi pas? Qu'ai-je à perdre? » Quand nous vendons nos programmes et nos séminaires, nous demandons directement : « Aimeriez-vous assister à notre prochain programme? » Une autre façon directe de demander est de dire sincèrement : « Pourrais-je s'il vous plaît conclure une affaire avec vous? » Le conseiller bien connu Barney Zick y ajoute une touche d'humour. Il suggère, quand vous êtes bien mal pris, de dire : « Vous voulez en acheter un? » L'idée est de demander. Prenez note également que votre question de clôture, votre dernière question, doit être formulée pour obtenir un « oui » ou un « non » comme réponse, contrairement à vos questions précédentes, lors du processus d'exploration. Si les conférenciers et les écrivains à succès peuvent le faire, pourquoi pas vous? De toute évidence, cela fonctionne.

3. Demandez des recommandations écrites

Des témoignages bien écrits, orientés sur les résultats, de la part de personnes très respectées sont très puissants. Ils consolident la qualité de votre travail et vous décrivent comme une personne intègre, digne de confiance et qui respecte ses échéances.

Le plus étrange, c'est que la plupart des gens en affaires ne le font pas. Voici une bonne occasion de faire mieux que vos concurrents. Il vous suffit de demander. Quel est le meilleur moment? Tout de suite après que vous avez donné un excellent service, terminé un important projet en deçà du budget, fait un effort supplémentaire pour dépanner, ou à tout moment où vous avez vraiment donné satisfaction à votre client. Dans ces circonstances, les gens sont heureux de louanger vos efforts. Voici comment procéder.

Demandez simplement à votre client de vous donner un témoignage sur la valeur de votre produit ou de votre service, et tout autre commentaire qu'il jugera utile. Pour vous faciliter les choses, nous vous suggérons de poser quelques questions au téléphone et de prendre de bonnes notes. Demandez à votre client de décrire clairement les avantages. Demandez des résultats spécifiquement attribuables à votre travail.

Par exemple, si vous formez des vendeurs et venez de terminer un programme de trois mois auprès de tous les vendeurs d'une société en forte croissance, vous pourriez demander : « Quels résultats avez-vous remarqué au cours des soixante derniers jours ? » Le directeur des ventes pourrait répondre : « Depuis que vous avez partagé vos idées avec nous, nos ventes ont augmenté de 35 pour cent par rapport aux mois précédents. »

Voilà un résultat excellent, spécifique et mesurable. Évitez les réponses générales comme « C'était un excellent programme, tout le monde l'a vraiment apprécié. » Ce genre de réponse a peu d'impact sur le lecteur. Par contre, si votre équipe de vente a besoin d'aide et que vous lisez une augmentation de 35 % des ventes, vous serez plus porté à penser : « Voilà ce qu'il nous faut. Si cela a réussi pour eux, ça pourrait aussi réussir chez nous — comment puis-je rejoindre ce formateur de vente ? »

Après votre mini entretien téléphonique, offrez à votre client d'écrire la lettre vous-même. Cela lui sauvera du temps. C'est important pour deux raisons. D'abord, cela réduit la pression sur votre client. Il n'est peut-être pas très habile pour écrire des témoignages éloquents, et cela demande du temps. Deuxièmement, cela vous donne l'occasion d'écrire la lettre de manière à lui donner le plus d'impact possible. Si vous n'êtes pas doué pour la rédaction, embauchez un professionnel, cela en vaut le coût. Quand vous aurez terminé la rédaction, envoyez-la par télécopieur à votre client pour qu'il l'approuve. Puis, faites-la taper sur son en-tête et faites-la signer.

Prenez l'habitude d'accumuler les témoignages éloquents. Placez-les dans un cahier à anneaux que vous laisserez sur une table dans l'aire d'accueil de votre bureau, ou faites encadrer les meilleurs et accrochez-les au mur pour que les gens puissent les lire. Utilisez un surligneur pour attirer l'attention sur les passages les plus importants. Votre matériel de promotion devrait contenir au moins trois témoignages excellents placés bien en vue.

Vous pouvez aussi prendre les phrases les plus éloquentes de dix témoignages différents et les mettre sur une page avec le nom de vos clients. Mieux encore, incluez une photo de chaque client. Si votre produit est facile à photographier, comme une voiture ou des meubles, prenez une photo d'action. Par exemple, votre nouveau client assis au volant de la voiture ou montrant sa superbe table de salle à manger. L'impact visuel est très important.

ASSUREZ-VOUS LE SOUTIEN DE GENS TRÈS CRÉDIBLES

Si vous avez reçu des commentaires de personnalités locales, il est probable que vos futurs clients les reconnaîtront et qu'ils seront impressionnés.

Voici un autre aspect important des recommandations écrites : incluez quelques-uns de vos pairs dans votre secteur d'activité. Plus ils sont établis, mieux c'est. Par exemple, les quelques premières pages de ce livre contiennent les témoignages de « superstars » de l'industrie de la formation et de grands hommes d'affaires. Ne vous ont-ils pas influencé, un peu?

Vous pouvez aussi regrouper vos témoignages en catégories. Si votre produit ou votre service offre plusieurs avantages, divisez-les en catégories comme : excellence du service, prix, qualité, connaissance du produit et respect des délais de livraison. Si un client potentiel est intéressé par une catégorie en particulier, vous pourrez alors lui montrer plusieurs témoignages qui prouveront combien vous excellez dans ce domaine.

Ce sont des stratégies simples qui augmenteront de beaucoup vos affaires. Prenez-en donc avantage et décidez à l'avenir de demander des témoignages éloquents.

4. Demandez qu'on vous présente les meilleurs clients potentiels

À peu près tout le monde en affaires connaît l'importance des recommandations. En clair, c'est la façon la plus facile et la moins onéreuse d'assurer votre développement et votre succès sur le marché. Cependant, voici la réalité : notre expérience nous enseigne qu'une seule entreprise sur dix possède un système qui lui permet de gérer les références de clients. Comment expliquer cela?

C'est toujours la même vieille histoire — les mauvaises habitudes, plus le thème récurrent dont on vous a déjà parlé — la peur du rejet. Au chapitre 5, « Développer d'excellentes relations », nous avons parlé de l'importance de soigner ses clients privilégiés. Ils seront heureux de vous référer des clients parce que vous les traitez vraiment bien. Alors, pourquoi ne pas demander à chacun d'eux de vous référer des clients? Peut-être que vous ne croyez pas encore aux avantages. Voici un exemple qui devrait vous persuader d'y réfléchir.

Hélène est experte en planification financière. Elle se classe régulièrement parmi le premier cinq pour cent de l'équipe de vente de sa compagnie qui compte 2 000 représentants. Au cours des années, Hélène a créé un réservoir de clients privilégiés. Elle vise surtout les gens dans la cinquantaine et la soixantaine qui possèdent un portefeuille d'investissement d'au moins deux cent mille dollars. Voici comment elle a fait pour mousser ses affaires récemment. Un samedi matin, elle a invité ses clients privilégiés à un petit-déjeuner dans un hôtel local. Dans l'invitation, elle leur disait qu'ils apprendraient des nouvelles importantes sur les nouveaux règlements gouvernementaux qui pourraient avoir un effet sur leur prospérité future. Elle leur avait aussi demandé d'inviter trois ou quatre amis qui étaient dans la même situation financière qu'eux.

Le résultat? Quatre-vingt-douze personnes se sont présentées au petit-déjeuner, dont plusieurs invités. Le petit-déjeuner coûtait huit dollars par personne, et c'est Hélène qui a payé avec plaisir. Après sa causerie de quarante-cinq minutes, plusieurs des invités ont demandé plus d'informations. Cela s'est traduit par dix nouveaux clients et vingt-deux mille dollars de commission pour Hélène. Pas mal pour un avant-midi de travail!

Les meilleurs gens d'affaires savent bien que la sollicitation de références de clients est une partie importante de la stratégie globale du marketing. C'est une habitude qui peut augmenter votre revenu de façon spectaculaire. Comme toute autre habitude, elle demande que vous la répétiez souvent. Avec le temps, tout deviendra facile.

Les bonnes références ne viennent pas seulement de vos clients privilégiés, même si ceux-ci présentent l'avantage de vous ouvrir des portes qui seraient peut-être demeurées fermées. Chaque jour présente de nouvelles occasions. Quand vous rencontrez un client potentiel qui n'a pas besoin ou ne veut pas de votre produit ou de votre service, vous pouvez quand même lui demander s'il connaît quelqu'un qui pourrait avoir besoin de vous. Qu'avez-vous à perdre? La pire chose qui puisse se produire est qu'il vous dise « non ». Vous ne vous en porterez pas plus mal. Par contre, souvent il vous dira : « En effet, je connais quelqu'un qui pourrait être intéressé. »

LES :

J'avais rendez-vous avec le propriétaire d'une société de développement immobilier. Il a écouté mon exposé et m'a dit qu'il n'était pas intéressé à nos services. Cependant, quand je lui ai demandé de me suggérer des gens qui pourraient l'être, il s'est assis et a soigneusement épluché son carnet d'adresses pour me donner les noms de vingt-sept personnes de haut niveau.

En passant, assurez-vous de bien décrire ce qu'est un bon client potentiel pour vous. Vous ne voulez surtout pas vous retrouver avec un tas de noms qui ne vous conviennent pas. Vous ne feriez que perdre votre temps et le leur. Quand quelqu'un vous donne le nom d'un client potentiel, vérifiez toujours. Posez des questions sur ces personnes jusqu'à ce que vous soyez confiant qu'elles se qualifient vraiment.

Notre ami Barney Zick va plus loin : il demande qu'on lui recommande des clients dès le départ. En fait, considérez votre demande pour des clients potentiels comme une condition de chaque vente. La plupart des gens ne font jamais cela, vous avez donc une occasion en or de profiter de leur omission. Par exemple, vous pourriez dire : « Une des raisons pour lesquelles nous pouvons vous faire un si bon prix est que nous demandons aussi trois excellentes recommandations de clients. Je suis certain que vous connaissez l'importance des clients potentiels. En retour, nous vous assurons que vous aurez le meilleur service pour que vous soyez satisfait de votre décision de faire des affaires avec nous. »

Vous pourriez profiter de l'occasion pour appuyer vos paroles en partageant les témoignages éloquents d'autres clients satisfaits. Barney utilise aussi une variante. Il demande : « Pourriez-vous, s'il vous plaît, me présenter quelques personnes d'aussi grande qualité que vous? » En posant cette question, vous faites un véritable compliment à votre client et il se sent bien.

On nous demande souvent : « Devrais-je payer les gens qui m'indiquent des clients? » Cela ne dépend que de vous, même si la plupart des gens, particulièrement vos clients privilégiés, seront heureux de vous donner des indications sans rien demander en retour. D'autre part, si une commission, disons 10 pour cent, peut inciter une personne à vous donner de bons clients potentiels chaque mois, alors faites-le.

Vous pouvez aussi trouver des façons originales de dire merci à ceux qui vous envoient régulièrement des clients. Informez-vous sur ce qu'ils aiment, et surprenez-les avec un cadeau inattendu. Ce pourrait être une paire de billets de spectacle, une tasse de café originale (avec votre logo dessus), un panier de spécialités alimentaires ou un dîner pour deux à leur restaurant favori. Le geste de reconnaissance de leur aide est plus important que la valeur du cadeau. Par contre, si leurs références font augmenter vos affaires de façon importante, vous pourrez toujours augmenter la valeur des récompenses.

Une autre façon de vous assurer de recevoir des indications précieuses est d'en donner d'abord à vos propres clients. Vous pouvez aussi offrir une consultation gratuite ou un essai gratuit en retour des noms de quelques bons clients potentiels. Ces offres sont particulièrement indiquées quand vous lancez une nouvelle entreprise et que vous ne connaissez pas beaucoup de gens sur le marché.

Comme vous pouvez le constater, il existe plusieurs façons de générer de nouvelles affaires en établissant des relations avec vos clients privilégiés, et avec d'autres personnes qui ont de bons contacts avec les gens dont vous voudriez faire la connaissance. Faites un effort en changeant vos méthodes habituelles pour établir votre réseau de relations. Planifiez de communiquer avec les clients de plus grande importance ou de demander plus souvent des indications de clients potentiels pour augmenter vos affaires. N'oubliez pas qu'une récolte ininterrompue d'excellentes indications peut vous rendre riche. Une dernière chose : Utilisez le mot « introduire » au lieu de « indiquer ». Il est moins intimidant. Certaines personnes pourraient avoir eu de mauvaises expériences avec un vendeur arriviste qui les a contraintes à leur donner des indications de clients.

5. Demandez de faire encore plus d'affaires

Plusieurs personnes perdent des milliers de dollars en ventes chaque année parce qu'elles n'ont plus rien à offrir une fois leur première vente conclue. Cherchez à ajouter d'autres produits ou d'autres services à votre gamme. De plus, développez une méthode pour savoir quand votre client aura de nouveau besoin de vos produits ou services. Les gens achètent par cycles et vous devez savoir quand ces cycles ont lieu. La manière la plus simple est de demander à votre client quand vous devriez le rappeler pour renouveler sa commande. Il est souvent plus facile de vendre plus de vos produits à vos clients existants qu'il ne l'est d'en trouver de nouveaux.

LES :

Keith et son associé Bill sont propriétaires d'une entreprise d'électricité. Pendant quinze ans, ils ont bâti de façon régulière leur entreprise sur un travail de haute qualité et d'excellentes relations dans leur domaine. Ils ont un client important qui avait l'habitude de partager ses travaux d'électricité entre eux et un concurrent beaucoup plus gros qu'eux. Cet arrangement existait depuis des années. Keith aurait aimé obtenir l'autre moitié des contrats de son client, mais son concurrent semblait toujours avoir l'avantage. Malgré cela, chaque année, quand venait le temps de répondre aux appels d'offres, Keith préparait une soumission complète et détaillée, sachant qu'il avait peu de chances de l'emporter. Il n'a jamais cessé de demander.

Un jour, un nouvel acheteur est entré en fonction et a examiné les deux soumissions. Le concurrent, certain qu'il aurait le contrat comme d'habitude, avait rédigé une proposition d'une page. Keith, de son côté, avait soumis sa proposition normale et détaillée qui soulignait les avantages financiers et les bénéfices qu'offrait son entreprise. Quand le nouvel acheteur eut étudié les deux propositions, il a donné le contrat à Keith parce qu'il avait pris le temps de préparer convenablement sa demande. Comme l'a dit Keith plus tard : « Nous n'avons pas vraiment remporté le contrat, c'est notre concurrent qui s'est mis hors jeu. » Si vous persistez à demander et que vous le faites de façon intègre, la chance finira par vous sourire. En prime, dès que la nouvelle s'est répandue que Keith avait obtenu toutes les affaires de cet important client international, les portes se sont ouvertes et les demandes d'autres importants clients ont commencé à affluer.

Sachez que vos affaires s'immobilisent quand vous cessez de demander. Demander de faire plus d'affaires vous permet de prendre de la vitesse.

Il y a plusieurs années, les restaurants McDonald's, les gens des hamburgers, ont trouvé une façon unique d'augmenter leurs ventes. Ils ont entraîné leur personnel à poser une question de plus quand les gens achetaient un hamburger et une boisson. Cette simple question a ajouté 20 millions à leur chiffre d'affaires. La question était : « Une frite avec ça? » De toute évidence, plusieurs personnes ont répondu :

« Bien sûr, pourquoi pas? » Voici ce qu'il faut retenir : combien de fois posent-ils la question? Chaque fois! Pour cela, il faut une bonne communication et entraîner le personnel à être attentif à chaque client. Visiblement, cela rapporte beaucoup.

C'est ce qu'on appelle en anglais le « upsell ». Dans l'industrie de l'automobile, quand vous achetez une nouvelle voiture, on vous proposera probablement d'acheter une garantie prolongée pour quelques centaines de dollars de plus, ou un enduit permanent qui protègera votre voiture de la rouille et des éclats de cailloux pendant des années.

Que pourriez-vous demander d'autre quand vous faites des affaires? Ajouter une question de plus à votre présentation de vente pourrait augmenter votre revenu de façon substantielle. Rappelez-vous, si vous ne le faites pas, quelqu'un d'autre le fera!

6. Demandez à renégocier

Les négociations font partie des affaires et l'occasion de renégocier aussi. Plusieurs personnes stagnent parce qu'elles ne savent pas profiter de cette occasion. C'est une autre façon de demander qui peut vous sauver beaucoup de temps et d'argent.

Par exemple, si votre hypothèque arrive à échéance et que votre taux de renouvellement est de 7 pour cent, vous pouvez dire : « C'est un assez bon taux, je vais simplement renouveler pour trois autres années. » Et si vous rencontiez votre banquier et lui disiez : « Je magazine mon renouvellement d'hypothèque. D'autres banques sont intéressées à moi. Je serais heureux de rester avec vous si vous pouviez me donner un taux de 6 pour cent. » Vous serez étonné de voir combien de banques seraient d'accord parce qu'elles savent que la compétition est farouche pour ce genre de prêts. Le point de pourcentage en moins pourrait vous faire économiser beaucoup d'argent et il ne vous faudrait qu'une seule question pour l'obtenir.

Il existe d'autres occasions de renégocier, comme allonger la période de remboursement d'un prêt. Si vous êtes coincé dans vos finances, un trente jours supplémentaire, sans intérêts (vous n'avez rien à perdre à demander cela aussi), pourrait vous aider à stabiliser votre situation financière.

Il est possible de renégocier toutes sortes de contrats sur simple demande. Vous profiterez de beaucoup de flexibilité si vous le faites dans un esprit d'éthique et de gagnant-gagnant. Rien n'est coulé dans le béton. Si votre situation requiert un changement, demandez-le.

LES :

Un matin, je me rendais par avion dans une autre ville pour diriger un atelier *Achievers* d'un groupe d'entrepreneurs. Mon départ avait été retardé de plus d'une heure à cause de la plus importante tempête de neige de l'année. Au moment où nous étions prêts à amorcer l'atterrissage à l'aéroport international, situé à l'extérieur de la ville, il était 8 h 30. Mon atelier devait débuter à 9 h. Le capitaine nous a alors annoncé que nous ne pouvions atterrir à cause du brouillard. En conséquence, nous devions poursuivre notre route jusqu'à l'aéroport municipal, situé au centre-ville. Je me suis dit : « Superbe, c'est plus près de l'endroit où je vais » et j'ai commencé à me préparer pour le débarquement. Au cours de l'atterrissage, le capitaine a annoncé : « Il n'y a aucun équipement pour manipuler les bagages ici. Nous allons donc faire le plein, attendre que le brouillard se lève à l'aéroport international et retourner là-bas. » Puis, il a ajouté : « Tant que le brouillard ne se lèvera pas, vous êtes bloqués dans l'avion. » Intéressant choix de mots!

J'ai vu là une autre bonne occasion de demander. J'ai fait signe à l'hôtesse et je lui ai expliqué que je n'avais que des bagages à main et que ma réunion devait débuter dans quinze minutes. Elle a accepté de demander au capitaine de faire une exception et de me laisser descendre. Quelques minutes plus tard, elle est revenue en souriant, a ouvert la porte et déployé l'escalier. Jusqu'à ce moment, personne dans l'avion n'avait bougé. En regardant vers l'arrière, j'ai remarqué que plusieurs autres gens d'affaires faisaient la même demande. Ils n'avaient pas pensé que, pour se sortir de leur mauvaise situation, ils n'avaient qu'à demander.

7. Demandez des réactions

Il y a un autre élément important dans le fait de demander qu'on oublie souvent. Comment savez-vous si votre produit ou votre service répond aux besoins de votre client? Demandez-leur : « Êtes-vous satisfait de nous? Comment pouvons-nous améliorer nos services? Dites-nous ce que vous aimez et n'aimez pas de nos produits. » Sondez régulièrement vos clients et posez de bonnes questions, dont des questions difficiles. Examinez la possibilité d'organiser mensuellement un groupe *focus* qui vous permettrait de rencontrer vos clients face à face. Invitez-les pour le lunch et posez-leur beaucoup de questions. C'est un excellent moyen de peaufiner vos affaires.

DILBERT reproduit avec l'autorisation de United Feature Syndicate, Inc.

Si vous supervisez une équipe ou si vous dirigez une grande entreprise, demandez aux gens qui travaillent avec vous de vous donner des idées. Souvent, ils connaissent mieux les activités concrètes et quotidiennes qui font que l'entreprise tourne rondement. Parlez aussi à vos fournisseurs. Ils pourraient vous suggérer des façons d'augmenter votre efficacité en améliorant votre distribution, ou en réduisant les coûts par une politique d'inventaire à la limite. Peu importe votre secteur d'activité, vous êtes entouré de gens qui peuvent vous donner de précieuses réactions. Il vous suffit de demander. Comme nous l'avons dit plus haut, vous trouverez un atelier à la fin de ce chapitre qui vous permettra de préparer un Plan d'action pour mettre en pratique ces sept façons de demander.

3.
Comment DEMANDER

Certaines personnes ne récoltent pas les fruits de leurs demandes parce qu'elles ne le font pas efficacement. Si vous utilisez un langage vague, non spécifique, vous ne serez pas compris. Voici cinq manières de vous assurer que vos demandes donneront des résultats.

1. Demandez clairement

Soyez précis. Réfléchissez clairement à votre demande. Prenez le temps de vous préparer. Utilisez une tablette de papier pour trouver les mots qui ont le plus d'impact. C'est très important. Les mots sont puissants, alors choisissez-les avec soin. L'incohérence ne vous mènera nulle part. S'il le faut, demandez à des gens qui savent demander et profitez de leurs conseils. Demandez de l'aide.

2. Demandez avec confiance

Les gens qui demandent avec confiance obtiennent plus que ceux qui sont hésitants et incertains. Maintenant que vous savez ce que vous voulez demander, faites-le avec certitude, aplomb et confiance. Cela ne signifie pas qu'il faille être effronté, arrogant ou suffisant. La confiance peut être une force tranquille qui sera ressentie par ceux à qui vous demandez. Le seule chose négative qui puisse arriver est qu'on refuse votre demande. Cela vous place-t-il dans une position pire qu'avant? Évidemment, non. Cela signifie seulement que cette voie vers les résultats souhaités est fermée. Cherchez-en une autre.

3. Demandez avec constance

Certaines personnes plient bagage après une demande timide. Elles abandonnent trop tôt. Si vous voulez découvrir les vraies richesses de la vie, vous devez demander souvent. Faites-en un jeu, demandez tant que vous n'obtenez pas de réponse. Demandez sans arrêt. En vente, il faut habituellement compter sur quatre ou cinq « non » avant d'obtenir un « oui ». Les meilleurs ont compris cela. Quand vous aurez trouvé une façon de demander qui donne des résultats, répétez-la. Par exemple, certaines compagnies utilisent la même campagne publicitaire pendant des années. Pourquoi? Parce qu'elle donne des résultats.

4. Demandez de façon créative

Aujourd'hui, alors que la concurrence est intense et mondiale, votre demande pourrait se perdre dans le flot, ne jamais attirer l'attention des décideurs que vous tentez de rejoindre. Il y a une façon simple de surmonter cet obstacle. Dans son livre *Don't Worry, Make Money*, l'auteur Richard Carlson a appelé cette technique « les flocons de neige pourpres ». Cette stratégie attirera l'attention sur vous. Par exemple, si vous désirez attirer l'attention de quelqu'un, ne vous contentez pas d'une lettre ordinaire. Utilisez votre imagination pour créer une façon originale de vous présenter. Voici un bon exemple, tiré de *The Best of Bits and Pieces* :

> L'acheteur principal d'une grande entreprise était particulièrement inaccessible pour les vendeurs. Vous n'appeliez pas *cet acheteur*. C'est lui qui *vous* appelait. À plusieurs occasions, lorsque des représentants réussissaient à entrer dans son bureau, ils en étaient sommairement mis à la porte.

> Une représentante est finalement parvenue à pénétrer ses défenses. Elle lui a envoyé un pigeon voyageur. Attachée à une des pattes de l'animal, sa carte sur laquelle elle avait écrit : « Si vous désirez en savoir plus sur notre produit, jetez notre représentant par la fenêtre! »

Voilà un bon exemple d'un « flocon de neige pourpre ». Que pourriez-vous faire pour capter l'attention de vos plus importants clients potentiels? Faites-en un jeu. Faites du remue-méninges avec votre groupe *Mastermind*. Chaque mois, prévoyez du temps pour « jouer au flocon de neige pourpre ». Ne soyez pas étonné lorsque ces portes impénétrables s'ouvriront toutes grandes pour vous accueillir.

5. Demandez avec sincérité

Quand vous avez vraiment besoin d'aide, les gens répondent. La sincérité requiert qu'on soit vrai. Elle demande qu'on se débarrasse de l'image de façade et qu'on soit prêt à montrer sa vulnérabilité. Dites les choses comme elles sont, y compris les boules dans la gorge et tout le reste. Ne vous inquiétez pas si votre présentation n'est pas parfaite, demandez avec le cœur. Cherchez la simplicité et les gens s'ouvriront à vous.

De plus, votre demande sera mieux accueillie si vous faites clairement la preuve que vous y avez déjà mis beaucoup d'efforts. Par exemple, si une organisation caritative de jeunes était à seulement 50 $ de son objectif de 1 500 $ et que les jeunes vous disaient tout ce qu'ils ont fait pour recueillir les premiers 1 450 $ — lave-o-thons, vente de biscuits, corvées de nettoyage et vente de bouteilles — vous pourriez être tenté de leur donner la somme manquante, particulièrement s'ils avaient une date butoir et qu'il ne restait que quelques heures.

Lorsque vous avez épuisé tous les recours pour obtenir ce que vous désirez, les gens sont plus portés à vous aider quand vous demandez du soutien. Ceux qui demandent toujours sans rien faire réussissent rarement.

> IL Y A PLUSIEURS FAÇONS DE DEMANDER.
>
> *Apprenez-les toutes!*

Conclusion

L'habitude de Demander a changé le monde. Il y a plusieurs exemples de grands leaders qui savaient comment bien demander. Ils le faisaient avec engagement et passion. Jésus a demandé à ses disciples de le suivre. Ils l'ont fait et le christianisme est né. Martin Luther King Jr rêvait d'égalité pour tous les hommes. Il l'a demandé et a changé le cours de l'histoire, donnant sa vie en ce faisant. Mère Teresa a demandé de l'aide pour les pauvres et les mourants, et on a vu naître les Missionnaires de la Charité qui regroupaient des milliers de sympatisants dans le monde entier. Pendant la Seconde Guerre mondiale, Winston Churchill a demandé aux habitants du Royaume-Uni de ne « jamais, jamais, jamais, jamais abandonner », et la Grande-Bretagne a évité l'invasion. Il est important de noter que chacun de ces leaders avait une vision puissante et s'était totalement consacré à atteindre ses buts. Pour eux, demander était la manière naturelle de poursuivre leur progression de façon continue. Chaque jour, vous avez l'occasion de demander ce que vous désirez. Soyez conscient de ces moments. Levez-vous avec confiance et exprimez vos demandes. Ce sont les graines de votre prospérité future. Semez-les maintenant pour en récolter les fruits plus tard.

Nous voici rendus aux trois derniers chapitres. Vous en êtes au dernier tour. Félicitations pour avoir persévéré jusqu'ici. Ces trois dernières stratégies vous feront passer à la vitesse supérieure, afin d'atteindre vos résultats. Elles vous demanderont de gros efforts. Restez au *focus* alors que nous vous initierons à la persévérance tenace, à prendre des mesures décisives et à avoir une raison de vivre.

DEMANDEZ-VOUS :

Suis-je maintenant prêt à faire des changements ?

PLAN D'ACTION

SEPT FAÇONS DE STIMULER VOS AFFAIRES

DEMANDEZ CE QUE VOUS VOULEZ

Pour vous aider à augmenter votre productivité et votre revenu dès maintenant, prenez quelques minutes pour compléter ce Plan d'action pour demander. Si vous mettez en pratique ces stratégies avec succès, vous pourriez augmenter votre revenu d'au moins 50 pour cent. Commencez maintenant!

1. Demandez l'information

Quelle amélioration pourriez-vous apporter dans votre manière de demander de l'information?

_____

_____

2. Demandez de conclure une affaire

Votre question de clôture en affaires vous donne-t-elle les résultats souhaités? Sinon, trouvez au moins deux nouvelles façons de demander de faire d'autres affaires. Soyez simple et spécifique.

A. _____

B. _____

3. Demandez des recommandations écrites

Nommez cinq personnes qui peuvent vous donner d'excellents témoignages. Fixez-vous un moment pour les appeler et faites-le.

1. _____   4. _____

2. _____   5. _____

3. _____

4. Demandez qu'on vous présente les meilleurs clients potentiels

Esquissez une méthode détaillée pour vous assurer d'un apport constant de nouveaux clients potentiels dans votre entreprise. Le mot important est *constant* — cela veut dire qu'il faut le faire chaque semaine.

_____

_____

_____

5. Demandez de faire encore plus d'affaires

Nommez cinq clients que vous approcherez pour faire plus d'affaires. Préparez de bonnes raisons pour les faire acheter plus — rabais spéciaux, lancement d'un nouveau produit ou tirage d'un prix spécial.

1. _____   4. _____

2. _____   5. _____

3. _____

6. Demandez à renégocier

Identifiez une chose que vous voudriez renégocier au cours du mois qui vient. Pensez aux taux d'intérêts, marges de crédit, congés, salaires, descriptions de tâche, et autres.

_____

_____

_____

7. Demandez des réactions

Énumérez deux façons d'améliorer les réactions que vous désirez que vos clients vous communiquent. Pensez au télé-marketing, à des groupes *focus* sur le client, à des question-naires, et autres.

A. _____

_____

B. _____

_____

En plus de ces sept stratégies, vérifiez constamment pour voir s'il y a des choses que vous avez cessé de demander.

Dressez maintenant la liste de trois choses que vous avez cessé de demander et dont vous voudriez avoir plus.

A. _____

_____

B. _____

_____

C. _____

_____

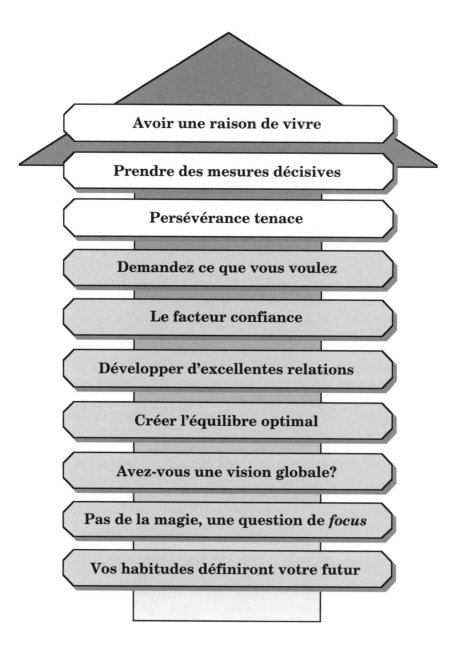

Avoir une raison de vivre

Prendre des mesures décisives

Persévérance tenace

Demandez ce que vous voulez

Le facteur confiance

Développer d'excellentes relations

Créer l'équilibre optimal

Avez-vous une vision globale?

Pas de la magie, une question de *focus*

Vos habitudes définiront votre futur

*Il ne reste que trois stratégies.
À l'œuvre! Bon travail!*

8ᴱ STRATÉGIE DE *FOCUS*

Persévérance tenace

« La force miraculeuse qui élève certains vient
de leur labeur, de leur application
et de leur persévérance,
animés d'un esprit brave et déterminé. »
— MARK TWAIN

Si vous observez bien les gens qui réussissent vraiment dans la vie, vous remarquerez un trait de caractère commun.

Nous l'appelons la Persévérance tenace. Au premier coup d'œil, les mots *ténacité* et *persévérance* paraissent avoir le même sens. C'est vrai. Nous en avons fait une expression pour insister sur l'importance de cette habitude. Au cas où vous auriez l'idée de ne pas en tenir compte sans y avoir réfléchi soigneusement, voici une phrase importante à assimiler et à garder pour toujours en mémoire, dans les recoins les plus profonds de votre cerveau : **Vous ne récolterez jamais de grands succès dans votre vie sans une action tenace et persévérante.**

Dans ce chapitre, vous découvrirez comment faire invariablement de bons choix, afin que vos désirs et vos objectifs se transforment en une réalité passionnante. Vous apprendrez aussi ce que veut dire un plus haut degré de ténacité, et comment vous pouvez l'appliquer tous les jours. De plus, nous vous montrerons comment construire votre force de caractère afin que vous puissiez passer à travers les moments difficiles et les défis inattendus quand ils se présentent.

Manque de ténacité

Plusieurs organisations ont des difficultés parce que leurs dirigeants souffrent d'un degré élevé d'inconstance. Nous avons des nouvelles pour vous. Le monde des affaires d'aujourd'hui est bien différent de celui d'il y a dix ans. La barre de la performance a été élevée à un nouveau niveau. L'incompétence ne sera plus tolérée. Par exemple : vous convoquez une réunion pour 9 h lundi. Chacun de vos vingt représentants est tenu d'y assister. À 9 h 15, seulement 14 personnes sont présentes. Deux autres ont fini par arriver à 9 h 25 et les autres ne se sont jamais montrées. C'est ainsi presque chaque semaine.

Ce manque de constance détruira l'unité de votre équipe. Généralement, quelques *prima donna* en sont la cause première. Parfois, elles viennent, parfois non. C'est très frustrant. Dans le monde d'aujourd'hui, la réponse est simple — enfermez-les dehors! Oui, à 9 h précises, fermez à clé les portes de la salle de réunion. On aura vite fait de comprendre le message : « Si vous voulez faire partie de notre équipe, soyez constant. »

1.
Les bénéfices de la CONSTANCE

Tout d'abord, pour vous donner un avant-goût de ce dont nous parlons, observons un merveilleux modèle. On le surnomme M. Ténacité : Cal Ripken Jr.

Au cas où vous ne seriez pas un amateur de baseball, Cal Ripken Jr joue pour les Orioles de Baltimore. Il est une légende de ce sport en raison de sa constance incroyable. Le 6 septembre 1995, Cal jouait son 2 131e match consécutif de baseball dans les ligues majeures. De ce fait, il a brisé le record de 2 130 parties établi par Lou Gehrig, un record qui n'avait pas été battu depuis plus de cinquante-six ans.

Mettons cela en perspective : pour égaler la ténacité de Cal Ripken Jr, un employé qui travaille en moyenne huit heures par jour, cinq jours par semaine, devrait travailler huit ans, un mois et vingt jours, sans jamais manquer pour cause de maladie! Il n'est pas surprenant qu'on l'appelle l'Homme de fer du baseball. Il a joué dans toutes les parties depuis plus de treize ans. (Le soir où il a brisé le record, l'autre personne la plus près de ce record était Frank Thomas, des White Sox de Chicago, qui avait joué à peine 235 parties.)

La capacité de Ripken d'être présent à chaque partie s'est traduite par une suite de succès remarquables. Pendant qu'il était sur sa lancée, il a gagné deux fois le trophée du joueur le plus utile à son équipe, en 1983 et en 1991. Il a aussi joué dans douze parties d'étoiles consécutives, et il a frappé plus de coups de circuit que tout autre arrêt court des ligues majeures. Financièrement, il est à l'aise, mais plus que l'argent, il a un formidable sens du devoir accompli.

Sa philosophie du travail est d'une simplicité rafraîchissante. Tout ce qu'il a toujours voulu, c'était jouer au baseball, si possible pour Baltimore, et faire de son mieux à chaque partie.

C'est une démonstration d'un sens des responsabilités peu commun et d'une éthique du travail plutôt rare de nos jours. En ne faisant que se présenter régulièrement à chaque match et en jouant du mieux qu'il pouvait, les récompenses sont finalement venues. À travers tout cela, Ripken a conservé une attitude humble et sans prétention.

Il est intéressant de noter que Cal Ripken Jr a aussi développé la même constance dans sa vie familiale. Sa femme et ses enfants sont importants, et c'est évident. Faites la comparaison entre cette vie et le rituel hebdomadaire de scandales et de demandes de contrats qui sont maintenant le lot du sport professionnel, perpétué par des personnes moins matures et plus faibles de caractère.

Dernier point concernant cette histoire, et un point qu'il vaut la peine de se rappeler. Quand vous défendez votre point de vue et que vous le faites remarquablement bien, vous attirez les personnes les plus en vue et vous vous méritez de grandes récompenses. Le soir où Cal Ripken Jr a établi son record, il a été fêté par les personnages les plus célèbres au monde, par des sociétés multinationales et même par le président des États-Unis. Il a été inondé de cadeaux et a reçu plusieurs ovations. Imaginez! Tout cela pour s'être présenté chaque jour et faire ce qu'il aime.

JACK ET MARK :

Une des principales raisons pour lesquelles nous avons obtenu un succès considérable avec notre série de livres *Bouillon de poulet pour l'âme*, c'est la constance à définir des objectifs chaque semaine, chaque mois et chaque année. Ils sont bien définis et nous offrent le maximum de défi. Nos buts nous inspirent parce que nous ne sommes pas absolument certains de la façon dont nous les atteindrons. Notre créativité est toujours en éveil. Avec l'aide de nos partenaires des groupes *Mastermind*, nous trouvons toujours des solutions. Actuellement, nous avons déjà édité plus de cinquante titres de *Bouillon de poulet*.

La première année de publication, nous avons vendu 135 000 livres. La deuxième année, ce nombre a augmenté jusqu'à 1,35 million, et après huit ans (2001) les ventes totales de nos livres dépassent 60 millions. Nous avons également découvert qu'avec une persévérance tenace et un plan d'action proactif, nous obtenons une lancée impossible à arrêter. Tout comme Cal Ripken Jr, nous produisons une suite de victoires.

Maintenant, regardez-vous un moment sous un microscope. Dans quelle sorte de suite êtes-vous présentement? Est-ce que votre constance se manifeste de façon réelle chaque jour? Ou êtes-vous éparpillé un peu partout, glanant ici et là les occasions de la vie? Si vous réussissez assez bien, nous vous félicitons. Cependant, transposez vos capacités à un autre niveau, vers cette atmosphère raréfiée où les défis sont plus grands et les récompenses encore plus lucratives.

2.
Épousez
votre plus grande FORCE

Dans les chapitres précédents, nous avons mis tous les exercices du Plan d'action à la fin, afin que vous puissiez mieux *focaliser votre attention* et prendre tout le temps nécessaire. Mais, nous allons changer cela. **En fait, nous vous demandons de cesser toute activité immédiatement, de vous préparer mentalement et de faire l'exercice suivant, en deux parties, avant de continuer. Si vous décidez de continuer à lire, vous manquerez totalement l'impact de cette puissante leçon.**

En vous servant de la feuille de travail suivante, dressez une liste des six choses que vous devez absolument faire dans les trois prochains mois, ce que nous appellerons les « Je dois faire... » Nous parlons d'activités que vous devez compléter, quelle que soit la raison. Elles peuvent comprendre des buts à court terme que vous avez déjà définis. Soyez bref. À côté de chaque « Je dois faire... », écrivez un mot qui décrit vos sentiments face à cette action.

Les choses que « Je dois faire... » dans les trois prochains mois

EXEMPLES

1. Réorganiser et nettoyer mon bureau.
2. Payer mes taxes.
3. Avoir une conversation à cœur ouvert avec mon fils de seize ans.

Pensez à comment vous vous sentez honnêtement quand vous visualisez chaque tâche. Pour vous aider, voici quelques exemples de mots pour qualifier vos « sentiments » : en colère, triste, joyeux, excité, troublé, inquiet, frustré, heureux, amoureux, reconnaissant. Ce sont tous des mots qui ont une relation directe avec les émotions. Choisissez vos propres mots pour décrire comment **vous** vous sentez face à chaque point sur votre liste de « Je dois faire... ». Il est très important que vous complétiez cet exercice *immédiatement* pour en obtenir le maximum de bénéfices. Dans notre *Achievers Coaching Program* (Programme d'entraînement des gagneurs), cette activité constitue un des plus gros progrès chez nos clients.

« JE DOIS FAIRE... »

Les choses que « Je dois faire... » dans les trois prochains mois, c'est-à-dire pas plus tard que le _____ (date) _____ .

SENTIMENTS

Quel mot décrit le mieux vos sentiments face à l'obligation de faire ces activités?

« JE DOIS FAIRE... »	SENTIMENTS
1. _____	_____
2. _____	_____
3. _____	_____
4. _____	_____
5. _____	_____
6. _____	_____

Bravo! Maintenant, révisons votre liste. Regardez chaque point et, une à la fois, rayez chaque tâche. **Oui, rayez-la de votre liste.**

Voici pourquoi : vous n'êtes **pas obligé** de faire toutes ces choses. Non, vous n'êtes vraiment pas obligé! Vous pouvez protester en disant que certaines d'entre elles doivent vraiment être faites. On ne peut pas les éviter — il faut payer les taxes, dites-vous. Non, vous n'êtes pas obligé de payer vos taxes. Vous pourriez vous retrouver en prison ou devoir payer une amende, mais vous n'êtes pas obligé de payer vos taxes. Ce ne sont que les conséquences qui sont obligatoires si vous ne les payez pas — mais vous n'êtes pas obligé de payer les taxes. Au cas où vous seriez un peu confus par ce raisonnement, faisons une simple déclaration :

DANS LA VIE,
LES « JE DOIS FAIRE... » N'EXISTENT PAS.

Cela comprend payer les taxes, travailler soixante-dix heures par semaine ou rester dans un emploi, une entreprise ou une relation qui ne vous donne pas de plaisir.

Regardez votre liste de nouveau — votre monde s'écroulera-t-il vraiment si vous ne faites pas ces tâches dans les trois prochains mois? Bien sûr que non. Ne pas les faire vous rendra peut-être malheureux, et il pourrait y avoir de sérieuses conséquences à ne pas les faire. Nous comprenons. Nous voulons insister sur le fait que **vous n'êtes pas obligé.**

Changeons de sujet un instant. (Si vous êtes toujours confus, prenez patience. Tout deviendra bientôt très clair.) Regardez les mots que vous avez choisis pour décrire vos sentiments. Des années d'expérience nous portent à croire que beaucoup de ces mots sont négatifs, surtout si vous avez reporté la tâche depuis un certain temps et si vous ne voulez pas la faire. Il est normal d'être anxieux, préoccupé ou frustré dans de telles situations. Regardez à nouveau les mots que vous avez utilisés. Quelle sorte d'énergie se dégage de ces mots « sentiments » — négative ou positive? Vous avez raison! Si le sentiment est négatif, vous créez automatiquement une énergie négative qui mine vos capacités de performer à un haut niveau.

Maintenant, allons à la deuxième partie de l'exercice, en utilisant la feuille de travail qui suit. Dressez une liste d'au moins six choses que vous voulez faire, ou que vous *choisissez* de faire dans les trois prochains mois. C'est une liste différente. Qu'est-ce que vous voulez vraiment faire? Encore une fois, choisissez un mot pour décrire ce que vous ressentez face à chaque point sur votre liste. Étudiez tout d'abord les exemples suivants.

Pour tirer le maximum de bénéfices de ce travail, il est important que vous le complétiez maintenant.

MES CHOIX

Choses que je choisis de faire au cours des trois prochains mois (ex. : planifier un anniversaire spécial, lancer un nouveau produit, prendre des leçons de guitare), c'est-à-dire pas plus tard que le _____ (date)_____ .

SENTIMENTS

Quel mot décrit le mieux vos sentiments face à votre désir de faire ces activités?

MES CHOIX	**SENTIMENTS**
1. _____	_____
2. _____	_____
3. _____	_____
4. _____	_____
5. _____	_____
6. _____	_____

Regardez maintenant les mots pour décrire les sentiments. Ils sont probablement beaucoup plus positifs que ceux sur votre liste « Je dois faire... ». Si vos activités produisent de l'énergie positive, vous aurez alors une plus grande facilité et un plus grand désir de les compléter. N'est-ce pas préférable de se sentir heureux et stimulé au lieu d'être inquiet et frustré?

À l'heure actuelle, vous pourriez vous dire : « C'est facile de me sentir bien à propos des choses que je veux faire, mais la vie n'est pas toujours ainsi faite. Il y a beaucoup de choses que je n'aime pas faire, mais je dois les faire de toute façon. C'est comme ça. »

Non, c'est faux. Voici le « grand » point important :

> TOUT DANS LA VIE
> EST QUESTION DE CHOIX.
>
> *Absolument tout.*

Une étoile est née — La mère et la fille qui ont cru pouvoir faire les meilleurs choix.

Le 23 juin 1940, Wilma Rudolph est née prématurément; elle ne pesait que deux kilos. Elle est née dans une famille pauvre de race noire qui, comme beaucoup d'autres, était dans l'indigence à cause de la Grande Dépression. Sa mère a passé plusieurs années à soigner Wilma d'une suite de maladies : rougeole, oreillons, scarlatine, varicelle et pneumonie double. Toutefois, Wilma a dû être transportée chez le médecin quand on a découvert que sa jambe et son pied gauche faiblissaient et se déformaient. On lui a dit qu'elle avait la polio, une maladie invalidante pour laquelle il n'existait aucun traitement. Madame Rudolph n'allait pas laisser tomber sa fille. Comme l'a rapporté Wilma plus tard : « Le médecin a dit que je ne marcherais plus jamais. Ma mère a dit que oui. J'ai cru ma mère! » Mme Rudolph a découvert que Wilma pouvait être traitée à l'hôpital Meharry, l'école de médecine pour les Noirs de l'université Fisk, à Nashville. Même si c'était à quatre-vingts kilomètres de chez elle, la mère de Wilma l'a emmenée dans cet hôpital deux fois par semaine pendant deux ans, jusqu'à ce qu'elle puisse marcher avec l'aide d'un appareil orthopédique en métal. Par la suite, les médecins ont enseigné à Mme Rudolph la façon de faire les exercices de physiothérapie à la maison. Tous les frères et sœurs de Wilma l'ont aidée, et ils ont tout fait pour l'inciter à être forte et à travailler dur pour se rétablir. Finalement, à douze ans, elle pouvait marcher normalement, sans béquilles, appareil ou chaussures orthopédiques. Au départ, Mme Rudolph avait fait un choix — que sa fille se rétablisse et qu'elle puisse marcher. Sa persévérance et sa ténacité face au rejet et aux difficultés extrêmes ont finalement porté fruit. Ensuite, Wilma elle-même a fait un choix très important. Elle a décidé de devenir une athlète, ce qui s'est avéré un choix inspiré.

À l'école secondaire, elle est devenue étoile du basketball, établissant des records d'État comme marqueuse, et elle a mené son équipe au championnat d'État. Par la suite, elle est devenue championne de course sur piste et a fait ses premiers Jeux olympiques en 1956, à l'âge de seize ans. Elle a gagné une médaille de bronze au relais 4 x 4. Ce n'était que le début.

Le 7 septembre 1960, à Rome, Wilma est devenue la première femme américaine à gagner trois médailles d'or aux Olympiques. Elle a gagné la course du 100 mètres, celle du 200 mètres et a répété l'exploit avec l'équipe de relais du 400 mètres.

Ce succès a fait d'elle une des athlètes féminines les plus célèbres de tous les temps. De plus, sa célébrité a contribué à briser les barrières du sexe dans les courses sur piste et les autres disciplines pour les hommes seulement.

Parmi les nombreuses récompenses qu'elle a reçues pendant et après sa carrière athlétique, elle a été la première femme à recevoir le trophée James E. Sullivan pour son bon esprit sportif, le trophée European Sportswriters' Sportsman de l'année, et le trophée Christopher Columbus pour la personnalité internationale la plus remarquable dans les sports.

Malgré ses difficultés physiques dans sa jeunesse, Wilma Rudolph a choisi de vivre et de se produire sur une scène beaucoup plus grande. Ce faisant, elle est devenue un modèle extraordinaire pour les enfants défavorisés de partout dans le monde. En 1997, trois ans après son décès d'un cancer au cerveau, le gouverneur Don Sundquist a proclamé le 23 juin "Journée Wilma Rudolph" au Tennessee.

Nous espérons que vous êtes maintenant convaincu que la vie est une question de choix. Vous en avez la preuve chaque jour. Avez-vous remarqué que certaines personnes choisissent de mener une vie de médiocrité? Malheureusement, certaines font même le choix ultime — elles choisissent de s'enlever leur propre vie.

Par contraste, d'autres s'élèvent au-dessus des pires difficultés et choisissent de créer pour elles-mêmes une meilleure situation. Souvent, elles réussissent magnifiquement. Les bibliothèques sont remplies de biographies et d'autobiographies d'hommes et de femmes qui ont développé l'habitude de la *Persévérance tenace* pour transformer leur vie. Le point déclencheur s'est produit quand ils comprirent qu'ils pouvaient choisir un futur différent.

S'il vous plaît, comprenez bien ceci. C'est vital. Tous les résultats que vous connaissez actuellement dans votre vie sont parfaits pour vous, qu'il s'agisse de votre carrière, de vos relations personnelles ou de votre situation financière. Comment pourrait-il en être autrement? La raison pour laquelle vous êtes là où vous en êtes dans la vie est simplement le résultat de tous les choix que vous avez faits jusqu'à présent. En d'autres mots, la constance de vos choix positifs, ou leur inconstance, vous a donné votre style de vie actuel. Quand vous acceptez la pleine responsabilité de ce fait, vous êtes sur la bonne voie pour jouir de la paix de l'esprit. De nombreuses personnes subissent une vie pleine de frustrations parce qu'elles sont bloquées dans les « Je dois faire… ».

Quand vous dites des choses comme : « Elle m'a mis en colère », en vérité, vous avez *choisi* d'être en colère. Vous n'y étiez pas obligé. Vous avez répondu par la colère plutôt que de faire un choix différent.

Voici d'autres commentaires que vous entendrez souvent : « Je suis coincé dans cette relation. » En d'autres mots, je dois rester coincé. Ou : « Je hais ce travail, je ne ferai jamais assez d'argent pour profiter d'une vraie liberté », ce qui veut vraiment dire : « Je dois faire ce travail mal rémunéré pour toujours. » Quelle tristesse!

LES « JE DOIS FAIRE… » VOUS METTENT DE LA PRESSION, ET LES « JE CHOISIS DE FAIRE… » VOUS PLACENT DANS UNE POSITION DE PUISSANCE.

CHOISISSEZ SAGEMENT!

Quand vous vivez constamment dans les « Je dois faire… », vous vous placez dans une situation de pression qui provoque chez vous de la résistance et du ressentiment, ce qui vide votre vie d'énergie.

Quand vous vivez chaque jour dans une position de « Je choisis de faire », vous êtes en situation de puissance. Vous vous sentez en pouvoir, en contrôle de votre vie.

Il faut un effort conscient pour penser constamment à vos décisions de tous les jours — même à des tâches simples comme laver la vaisselle. Dites-vous : « Je choisis de laver la vaisselle maintenant, et je le ferai le mieux possible. » C'est beaucoup mieux que de dire : « Oh! non, il faut que je fasse la vaisselle, quelle corvée! » Si vous détestez vraiment faire des tâches courantes, choisissez maintenant de créer un mode de vie où vous n'aurez pas à faire ces choses. Déléguez-les à une autre personne ou engagez quelqu'un pour s'en occuper.

Il est aussi bon de souligner que la résistance causée par vos travaux « Je dois faire... » entraîne souvent une procrastination chronique, et vous savez à quel point c'est improductif. Décidez maintenant de changer votre *focus*. Faites de chaque activité un choix conscient. Plus jamais de listes de devoirs. À partir d'aujourd'hui, éliminez ces mots de votre vocabulaire. Reprenez votre pouvoir. Déployez votre énergie et profitez de la liberté que procurent des choix cohérents dans votre vie.

Voici un bon exemple : un de nos clients, un homme au début de la cinquantaine, était frustré par son incapacité de cesser de fumer. Dans un de nos ateliers *Achievers* (les Gagneurs), il s'est levé et, la voix remplie d'émotion, il a dit : « Il faut que je cesse de fumer sinon je vais mourir, et je ne veux pas mourir maintenant! » Il était totalement frustré et, de toute évidence, il était inquiet par rapport à son avenir.

Nous lui avons demandé de reformuler sa situation en « Je choisis de faire... » au lieu de « Je dois faire... ». Il en est ressorti cette déclaration puissante : « Aujourd'hui, je choisis de gagner la bataille sur la cigarette. »

Comme c'était un homme compétitif, il a décidé de traiter son habitude de fumer comme un adversaire. C'était une bataille, et il la gagnerait. Il a utilisé cette assertion chaque jour et, en deux mois, il a cessé de fumer pour de bon. En exerçant son propre pouvoir de choisir, et en appliquant son nouveau choix, il n'y avait pas de contestation. Cette victoire l'a poussé à faire d'autres changements dans son style de vie, dont un programme d'exercices régulier et de meilleures habitudes alimentaires. Comme vous pouvez le constater, faire consciemment de meilleurs choix crée une chaîne d'événements passionnants.

Quand vous faites constamment de meilleurs choix, vous créez de meilleures habitudes. Ces meilleures habitudes améliorent votre caractère et vous ajoutez de la valeur au monde. Quand votre valeur augmente, vous attirez des circonstances favorables plus importantes et meilleures. Cela vous permet de contribuer davantage à votre vie et, en retour, vous obtenez de plus grands et de meilleurs résultats. Certaines personnes ont tout à fait compris ce principe. Elles se distinguent dans la société comme des personnes fortes et puissantes.

Une de nos clientes, une dame alerte de soixante-treize ans, a reçu la liste de « Devoir » dans un de nos ateliers. Après l'avoir regardée, elle a croisé les bras et a déclaré d'une voix forte : « Je n'ai pas à faire quoi que ce soit! » Elle a simplement refusé de participer. Plus tard, nous avons découvert qu'elle avait depuis longtemps des entreprises prospères et qu'elle avait, de toute évidence, appris cette leçon importante il y a plusieurs années.

N'oubliez pas que vos pensées dominantes prennent généralement le dessus dans les décisions de tous les jours. Assurez-vous que vos choix conscients vous rapprochent davantage de l'achèvement de vos buts les plus importants. Il est aussi nécessaire de comprendre que choisir de ne pas faire quelque chose est une option valable. Si quelqu'un vous demande de vous joindre à un comité qui vous demandera de sacrifier deux soirées chaque semaine, vous pouvez toujours refuser si ce n'est pas dans votre meilleur intérêt. Choisir de dire « non » est souvent la meilleure stratégie pour maintenir votre vie équilibrée et en contrôle.

3.
Le CERCLE de la ténacité

Votre ténacité à vouloir performer vous crée automatiquement un meilleur avenir. C'est comme une roue qui tourne.

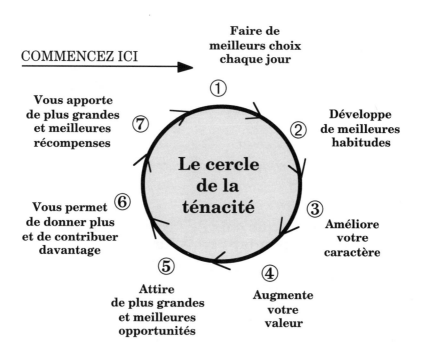

Note de l'auteur : La caricature qui suit n'a aucune signification particulière dans ce chapitre — nous avons pensé
qu'elle était trop bonne pour l'ignorer!

« Eh bien, c'en est fait de la lecture! »

Voici quelques exemples de plus que vous pourriez considérer :

1. Je choisis chaque soir de ne pas regarder la télévision pendant trois heures.

Je choisis plutôt de consacrer une heure à en apprendre
plus sur mon entreprise, mon indépendance financière, l'art
de parler en public, l'écriture d'un livre ou toutes autres activités intéressantes qui élargiront mes connaissances et ma
conscience.

2. Je choisis chaque jour de ne pas perdre mon temps à lire des journaux à sensation et des magazines vides de sens.

Je choisis plutôt de commencer ma journée en lisant un texte qui m'inspirera, comme un livre de la série *Bouillon de poulet pour l'âme*, une biographie inspirante ou un message spirituel positif. Attention, nous ne suggérons pas de cesser de lire des journaux appropriés à votre travail. En affaires, il est important de se tenir au courant de l'actualité. Il faut simplement éviter les journaux vides de sens.

3. Je choisis de ne pas devenir un bourreau de travail.

Je choisis plutôt chaque semaine de prévoir du temps libre avec ma famille et mes amis, et du temps pour moi-même, dont je profiterai sans culpabilité.

Commencez-vous à y voir clair? Voyez-vous à quel point vous pouvez devenir puissant en étant maître de vos choix chaque jour? À partir de maintenant, quand les mots « Je dois faire… » vous viennent à l'esprit, criez : «Annulez! Annulez! — Je choisis de ne plus tolérer de "Je dois faire…" dans ma vie. » C'est grisant. Au début, vous devrez être sur vos gardes et surveiller vos pensées pour éviter que ces vilains petits « Je dois faire… » se faufilent sournoisement dans votre tête. Soyez sans pitié à cet égard. Rejetez-les avec persévérance jusqu'à ce que votre nouvelle habitude « Je choisis de faire… » s'enracine profondément.

> « *Si jamais je suis maintenue en vie artificiellement,*
> *je choisis d'être débranchée,*
> *mais pas avant d'habiller du huit ans!* »
> — Henriette Montel

4.
La FORMULE E-R

Maintenant que nous avons démêlé l'importance des choix, préparez-vous pour une des stratégies les plus importantes de tout ce livre. Vous aurez besoin de toute votre conscience pour bien la saisir. Si vous avez besoin de vous étirer, ou de prendre un petit moment pour faire le plein d'énergie, allez-y maintenant pour ensuite être alerte. Voici notre garantie : si vous faites vôtre 100 pour cent de ce que vous apprendrez dans la suite de ce chapitre, vos affaires et votre vie personnelle feront un bond vers un tout nouveau niveau de performance. Selon notre expérience, très peu de gens utilisent régulièrement cette stratégie. Il en résulte que leur vie est comme des montagnes russes, ils ont plus souvent des bas que des hauts.

La formule E-R vous concerne totalement. Elle veut dire : **Engagements et Responsabilité.**

Voici une histoire de vacances pour présenter cette formule de première importance et pour illustrer notre point :

LES :

Nous étions en vacances dans un populaire centre de villégiature d'Amérique Centrale, et nous nous promenions dans la ville un après-midi. Une jeune femme s'est approchée de nous et nous a demandé si nous aimerions avoir des tresses. Elle nous a montré des photos d'autres personnes qui avaient transformé leur apparence et nous a fait remarquer les belles perles utilisées dans la fabrication des tresses. Intriguées, ma femme et ma fille ont demandé : « Combien ? »

« Seulement quinze dollars », fut la réponse.

« C'est tout ? » ont-elles répliqué.

« Oui, c'est tout, seulement quinze. »

« Combien de temps ? »

« Pas plus de trente minutes », a répondu la jeune femme d'un ton rassurant.

Nous avions projeté quelques visites des lieux plus tard dans l'après-midi, mais nous avons décidé d'ajuster notre programme pour libérer une demi-heure. À la dernière minute, mon fils adolescent a aussi décidé que des tresses, c'était « cool ». Alors, j'ai accepté d'aller les chercher au salon de coiffure dans trente-cinq minutes.

Je me suis fait un devoir d'arriver au salon à temps mais, à mon grand étonnement, les tresses étaient loin d'être terminées. C'était un endroit achalandé, toutes les chaises étaient occupées et neuf « faiseuses de tresses » papotaient tout en faisant leur travail. Pour faire une histoire courte, le tressage de la famille Hewitt a pris plus de trois heures. Inutile de dire que nos plans de l'après-midi ont été brisés. La deuxième surprise est venue à la fin. Au lieu de coûter au maximum quinze dollars par personne, le montant réel était de soixante-quinze dollars. Notre vendeuse avait négligé de nous dire qu'il y avait une surcharge pour chaque perle. Ma fille en avait besoin de 120 pour tenir ses tresses.

Nous avons payé le prix gonflé et nous sommes partis en ayant l'impression d'avoir été floués, bien que le nouveau « look » n'ait pas manqué de provoquer quelques éclats de rire. Retournerions-nous encore à cet endroit pour demander leurs services ? Pas question !

Avez-vous déjà pris une entente en pensant que vous saviez de quoi il s'agissait, pour ensuite constater que les données avaient changé subitement ? Comment vous êtes-vous senti dans cette situation ? Vous étiez probablement contrarié, frustré, en colère et désappointé, et vous vous êtes peut-être blâmé de n'avoir pas été plus perspicace. Voici le premier point important que nous voulons vous faire comprendre :

> TOUTES LES RELATIONS ROMPUES
> PEUVENT ÊTRE RELIÉES
> À DES ENGAGEMENTS NON RESPECTÉS.

Ceci s'applique aux affaires, au mariage, aux situations familiales, à votre banquier, à vos amis, à vos partenaires et à toute autre relation imparfaite entre deux personnes ou plus.

Avez-vous remarqué à quel point la société occidentale en particulier a plus de difficulté à respecter ses engagements de nos jours? Si vous voulez des preuves, regardez simplement les milliers d'avocats dont on a besoin pour réparer tous les dégâts. La crainte d'être poursuivi grandit de façon phénoménale dans plusieurs industries, particulièrement dans la profession médicale. C'est complètement fou. Voici la bonne nouvelle. Vous avez une occasion unique de vous démarquer simplement en maintenant votre intégrité. Peut-être penserez-vous : « Comment maintenir constamment mon intégrité? » Merci de le demander, c'est la question la plus importante. Voici la réponse la plus importante :

> LA VRAIE INTÉGRITÉ EST BASÉE SUR
> LE RESPECT DE VOS ENGAGEMENTS.

Assimilez bien cette phrase. Si vous voulez sérieusement vivre à un niveau plus élevé et retirer de plus grosses récompenses, votre ténacité sera souvent mise à l'épreuve. Pensez à ceci : chaque jour, vous prenez des engagements. Chaque jour, les autres vous jugent sur la façon dont vous vous comportez après ces décisions. À quoi ressemble votre feuille de pointage au plan du respect des engagements lors d'une journée normale? Voici un indice : il n'existe pas de petits engagements.

Un de nos clients a fait cette remarque, et c'est en effet un énoncé profond. Par exemple, un vendeur téléphone pour vous inviter à un lunch demain à 12 h 15. Vous arrivez à l'heure et il se présente avec vingt-cinq minutes de retard, sans raison et sans excuse. En assumant que vous l'avez attendu, comment vous sentez-vous? Est-ce acceptable? S'il y avait une excuse raisonnable, comme un embouteillage ou un pépin au bureau, vous pourriez l'excuser. Mais si la chose se reproduit une deuxième ou une troisième fois? Nous voilà devant une série d'engagements non respectés. Vous êtes toujours à l'heure mais l'autre personne est en retard de façon chronique. De nos jours, avec la compétition en affaires, cette situation n'est plus tolérable.

Quand vous ne respectez pas un engagement une fois, on vous donnera probablement une deuxième chance. Quand vous ne respectez pas vos engagements à répétition, votre capital et vos valeurs sur le marché diminuent rapidement — les gens vont ailleurs. Quand vous développez l'habitude de respecter constamment vos petits engagements, les plus gros se régleront d'eux-mêmes. Faites-en une philosophie de vie. Ce faisant, vous serez récompensé au-delà de toute attente. C'est ainsi que cela se passe depuis des siècles.

Voici un autre exemple. Il s'adresse aux hommes mariés, et même si vous êtes une femme, vous vous reconnaîtrez peut-être. Votre femme vous demande de remplacer l'ampoule dans l'entrée de la maison. Vous répondez : « Oui, je vais le faire avant le lunch. » À l'heure du repas, elle n'est pas encore changée. Votre femme vous le redemande encore, poliment mais fermement. Deux jours plus tard, il n'y a pas encore d'éclairage dans l'entrée. Frustrée, elle finit par changer l'ampoule elle-même. Vous pouvez peut-être vous réjouir de vous être soustrait à ce travail et ne plus y repenser, mais voici le point : si vous évitez constamment de faire ce que vous avez dit que vous feriez, votre réputation en souffrira. La relation se détériore graduellement, parce que des engagements plus importants ne sont pas respectés eux non plus et, dans bien des cas, le mariage finira par s'effondrer. Si la chose arrive, vous pourriez vous retrouver avec les lettres DD — dûment divorcé — à la fin de votre nom. C'est une conséquence fort sérieuse que vous pourriez regretter pendant très longtemps.

Au contraire, quand vous faites constamment ce que vous dites que vous ferez, les qualificatifs qui vous distinguent sont *sérieux* et *digne de confiance*. Quand vous pratiquez cela chaque jour, vos récompenses sont nombreuses. Elles comprennent des clients fidèles, des profits plus élevés, des relations aimantes et, le plus important sans doute, un sentiment de bien-être de savoir que vous êtes une personne très intègre. C'est une étiquette dont vous pouvez être fier. Elle vous sera effectivement très utile.

Dans des endroits reculés d'Irlande, les fermiers ont une façon traditionnelle de sceller un accord. Après la vente de quelques bovins, ils se crachent dans les mains, les frottent ensemble et scellent l'entente par une bonne poignée de main. Leur parole est leur entente — et il n'y a aucun avocat autour. C'est cette force de caractère qui engendre la confiance et le respect.

Il existe une situation où il est permis de rompre un engagement. On l'appelle la Désobéissance intelligente. Disons que, selon votre système de valeurs, vous croyez fermement qu'il est mal de blesser physiquement qui que ce soit. Un jour, vous arrivez à la maison et vous entendez crier. Vous ouvrez doucement la porte du salon et vous voyez un homme avec un fusil qui menace votre famille. Une situation potentiellement explosive. Vous intervenez en frappant l'intrus derrière les genoux avec un bâton de golf, le désarmant et désamorçant la situation. Vous savez maintenant pourquoi on l'appelle la Désobéissance intelligente!

Un autre point. N'oubliez pas qu'en temps normal, si vous éprouvez de la difficulté à respecter un engagement, il est possible de renégocier. Utilisez toujours cette option pour maintenir votre intégrité. Il suffit de quelques instants pour téléphoner et dire : « Je serai en retard de quinze minutes, est-ce que cela te dérange? » Quand vous prenez l'habitude d'être responsable de vos actes, vous vous démarquez comme un être unique. À la fin, une fois fermé le livre de votre vie, on se souviendra de ce que vous avez fait, non de ce que vous avez dit. Donc, soyez responsable de votre performance. Donnez une mesure à vos actions. Comme le dit Woody Allen, le réalisateur de cinéma : « Une grande partie de la vie n'est qu'un acte de présence ! »

André Agassi est un des plus grands joueurs de tennis au monde. Personnage haut en couleur, il est reconnu aussi pour sa façon unique de s'habiller. Il a gagné plusieurs tournois majeurs, dont Wimbledon et l'Omnium des États-Unis. Toutefois, comme cela arrive souvent, le cycle du succès a soudainement changé. Pour André, c'est arrivé en 1997. Il a connu une année désastreuse et a terminé au 122e rang du tour, une position médiocre comparativement à son statut de premier quelques années plus tôt. Les choses allèrent si mal que Agassi a songé à abandonner le tennis.

En 1998, il est revenu en force dans la compétition et, en 1999, il a gagné les titres de l'Omnium des États-Unis et de France, et il a atteint les finales à Wimbledon. À cause de cela, il a regagné sa première place au monde. Qu'est-ce qui a causé ce revirement dramatique ? Agassi a rapporté ce qui suit dans une interview avec le journaliste Brian Hutchinson : « C'était très frustrant. J'ai connu un terrible manque de confiance après avoir été parmi les dix meilleurs pendant huit ans. J'ai compris qu'il me fallait revenir à la case départ. Il fallait que je me remette en forme et que je recommence tout encore une fois. J'étais tombé si bas dans les rangs que je ne savais pas ce qui était réaliste ou ne l'était pas. Je n'avais plus de buts, sauf celui de vouloir aller mieux, jour après jour. »

Il ne pense plus à la retraite. « Je suis là maintenant et je travaille. À la fin du match, je regarde autour, je vois beaucoup de visages heureux et cela me fait du bien », dit-il. C'est un autre grand exemple de ténacité, de responsabilité et d'intégrité personnelle — les principes de base du succès constant.

5.
Le FACTEUR intégrité

Il existe une formule en trois parties pour vous aider à vivre avec la plus grande intégrité. Elle est simple et efficace. Nous vous mettons au défi de commencer à l'utiliser chaque jour.

1. **Quand vous dites toujours la vérité, les gens ont confiance en vous.**

2. **Quand vous faites ce que vous dites, comme promis, les gens vous respectent.**

3. **Quand vous faites en sorte que les autres se sentent spéciaux, les gens vous aiment.**

Les mots « comme promis » dans la deuxième partie sont importants. Utilisez-les dans votre correspondance régulière. Cela renforcera le fait que vous allez vraiment jusqu'au bout. Si un client vous demande de lui télécopier des informations spécifiques dans les prochaines vingt-quatre heures, commencez toujours votre lettre par : « Tel que promis ». Par exemple : « Comme il a été promis, voici la soumission que vous avez demandée hier. » C'est un rappel subtil que vous respectez vraiment vos engagements, comme vous l'aviez promis.

Vous souvenez-vous des Trois grandes questions auxquelles nous avons fait référence au chapitre 5, « Développer d'excellentes relations » ?

Les aimez-vous ?
Avez-vous confiance en eux ?
Les respectez-vous ?

Le facteur intégrité jumelle ces trois questions aux principes d'Être responsable et de Respecter ses engagements. C'est une formule puissante. Apprenez à la vivre. Décidez maintenant d'établir un nouveau standard dans votre façon quotidienne de fonctionner. Ainsi, vous serez dans les 3 pour cent des gagneurs. Vous attirerez davantage et de plus grandes opportunités que vous ne l'auriez jamais cru possible. Quand vous mettez en pratique le facteur intégrité, vos clients sont plus heureux de vous recommander. Cela aura un effet direct sur vos bénéfices.

L'INTÉGRITÉ,

Ne partez jamais sans elle.

CONCLUSION

En terminant, voici une autre histoire inspirante, qui incorpore tout ce dont nous avons parlé dans ce chapitre — persévérance tenace, engagements et responsabilité et, bien sûr, le facteur intégrité.

Ken Hitchcock est un homme important de bien des façons, et non la moindre était physique. Il y a plusieurs années, Ken pesait plus de 205 kilos. Son énorme stature ne l'a pas empêché de poursuivre ses amours et sa passion — entraîneur de hockey. Il est devenu un très bon entraîneur, menant, lors de cinq saisons sur six, un club junior aux championnats de la division, un dossier vraiment remarquable.

Mais la vraie ambition de Ken était de devenir entraîneur dans la Ligue nationale de hockey (LNH). Comme stratège, il savait à peu près tout ce qu'il fallait savoir sur le jeu. Il savait aussi comment stimuler les joueurs pour qu'ils donnent constamment le meilleur d'eux-mêmes. Son poids, par contre, était une entrave. On lui a dit qu'il ne serait probablement jamais choisi comme entraîneur d'une grande ligue en raison de sa taille.

Un jour, à la fin d'une pratique avec son club junior, il a glissé et est tombé sur la glace. Il fut très embarrassé et frustré de ne pas pouvoir se remettre sur ses jambes. Il fallut l'aide de ses joueurs pour le ramener au banc. Ce fut un moment déterminant pour Ken. Il a compris de façon absolue que ses ambitions ne se réaliseraient jamais, à moins qu'il ne s'attaque à son problème d'obésité. Il a donc décidé de prendre son avenir en main en choisissant de gagner la bataille contre l'obésité.

Avec l'aide d'un ami proche, il a entrepris un difficile programme pour perdre du poids, qui comprenait un entraînement tous les jours et une diète soigneusement balancée.

Avec une persévérance tenace et un engagement de réussir, il a perdu 115 kilos en moins de deux ans. Ken a décidé de devenir responsable de ses résultats. Il a pris une entente avec lui-même, c'est-à-dire de faire le nécessaire pour poser sa candidature à un poste d'entraîneur dans la Ligue nationale de hockey.

En 1997, son rêve s'est réalisé quand il est devenu entraîneur des Stars de Dallas. À sa première saison complète, il a habilement mené l'équipe au sommet du classement de la saison régulière, ce qui constitue une autre réussite remarquable. Deux ans plus tard, il avait atteint le rêve de tout entraîneur dans la LNH — gagner la Coupe Stanley. C'était le tout premier championnat des Stars de Dallas.

Si Ken Hitchcock a pu le faire, pourquoi ne pourriez-vous pas faire quelque chose de remarquable? Nous allons le répéter une fois de plus... la vraie intégrité consiste à faire constamment de bons choix, à respecter vos engagements envers vous-même, à persévérer pendant les moments difficiles et à être responsable à 100 pour cent de vos résultats. C'est une formule gagnante. Il faut du courage et un désir d'être le meilleur possible. Une fois votre décision prise, il n'y a pas de retour en arrière. À moins que vous préfériez la culpabilité de savoir que vous n'avez jamais vraiment fait tout votre possible.

CONTINUEZ — SOUVENT, LE SUCCÈS
EST AU PROCHAIN TOURNANT

Pour ceux qui ne lâcheront pas.

PLAN D'ACTION

LE FACTEUR
INTÉGRITÉ

Répondez honnêtement à ces questions. Elles vous aideront à préparer une nouvelle façon d'agir. De plus, elles vous démontreront clairement votre niveau actuel d'intégrité et de responsabilité.

1. **Dans quels domaines de ma vie est-ce que je ne respecte pas constamment mes engagements?**

   _____

   _____

   _____

   _____

2. **Quel sera le prix à payer si je ne change pas? Pensez aux conséquences à long terme.**

   _____

   _____

   _____

   _____

   _____

3. Que dois-je changer en particulier pour profiter du mode de vie Facteur Intégrité?

_____

_____

_____

_____

4. Quelles récompenses spécifiques et quels bénéfices recevrai-je en faisant ces ajustements?

_____

_____

_____

_____

C'est une chose que de comprendre l'importance de l'intégrité dans votre vie; la vivre constitue un défi entièrement différent. Le prochain chapitre vous montrera comment.

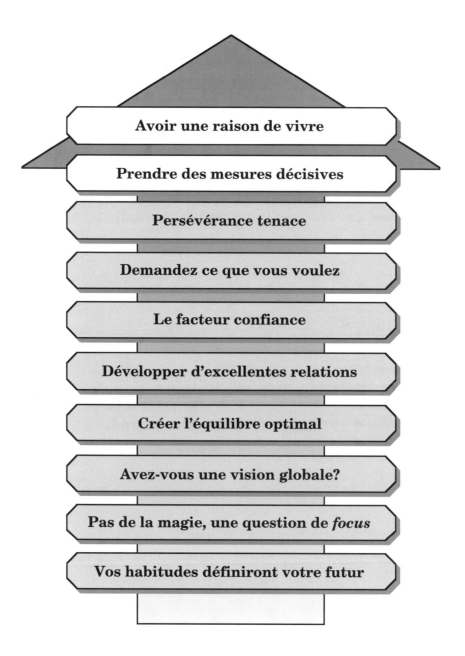

Vous touchez au but...
La persévérance vous mènera au bout.

9ᴱ STRATÉGIE DE *FOCUS*

Prendre des mesures décisives

« Pour que les choses changent,
vous devez changer.
Autrement, à peu près rien ne changera.
— JIM ROHN

Avez-vous l'habitude de reporter les choses à plus tard?

Par exemple, vous devez terminer un rapport pour la fin du mois. Au lieu de planifier de le faire en trois étapes simples, vous attendez aux deux derniers jours et c'est la panique. D'autres gens sont affectés par votre désordre, ce qui crée encore plus de désarroi et d'anxiété. Vous finissez par terminer votre projet et vous jurez : « Jamais plus — c'est la dernière fois que je remets les choses à ce point — c'est trop stressant. » Pourtant, vous recommencez chaque fois, n'est-ce pas? Pourquoi? Parce que vous en avez l'habitude. Allez, admettez-le. Vous êtes un procrastinateur.

Si ça peut vous réconforter, vous n'êtes pas le seul. À peu près tout le monde est procrastinateur. Parfois, c'est bien, mais c'est surtout un malaise insidieux et chronique qui nuira à votre avenir.

Dans ce chapitre, vous apprendrez à vous débarrasser de cette mauvaise habitude une fois pour toutes. De toutes les stratégies dont nous avons discuté, celle qui traite de « Prendre des mesures décisives » est facile à mesurer. C'est noir ou blanc. Vous ne pourrez fuir les conséquences avec cette stratégie. Elle sépare les faibles des forts, les timides des courageux et les « parleurs » des « faiseurs ».

L'esprit de décision est votre plus grand allié dans la préparation de votre cheminement de vie. La procrastination est une voleuse, qui attend, déguisée, de vous voler vos espoirs et vos rêves. Pour en avoir la preuve, regardez-y de plus près.

Il y a un autre mot qui se cache dans le mot procrastiner qui devrait vous alerter quant aux dangers de ne pas agir. Pouvez-vous le voir?

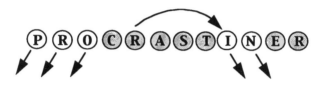

Quel mot fourbe que procrastiner! Il cache le vrai mot, **castrer**, qui signifie aussi appauvrir et rendre inefficace. Comprenez-vous? Quand vous procrastinez, vous appauvrissez votre avenir, vous l'amputer. « A-I-I-I-E-E-E… c'est douloureux! » Vous avez raison, ça fait très mal. Désormais, quand vous vous apprêterez à procrastiner, pensez à l'image douloureuse de la castration de manière à vous choquer pour vous faire réagir.

Ed Foreman, président de Executive Development Systems, à Dallas, est un homme qui aime passer à l'action. À vingt-six ans, il était déjà millionnaire. Par la suite, il créa plusieurs entreprises prospères dans le pétrole et le gaz, le béton, le sable et gravier, et l'élevage de bétail. Il a même trouvé le temps de se faire élire au Congrès des États-Unis à deux reprises, pour représenter deux États différents, le Texas et le Nouveau-Mexique, fait unique au 20e siècle.

Aujourd'hui, il consacre son temps à partager des stratégies d'actions positives avec des dirigeants d'entreprises du monde entier. Il a une énergie contagieuse et un enthousiasme pour la vie, et il n'a pas de temps à perdre avec des gens qui s'assoient pour pleurnicher et se plaindre de ce qu'ils n'ont pas. Il a baptisé leur malaise *Syndrome du Un jour viendra.* Il a été écrit spécialement pour les procrastinateurs. On le connaît aussi sous le nom du Credo du procrastinateur.

> *« Un jour viendra, quand je serai grand,*
> *quand j'aurai terminé l'école et trouvé du travail,*
> *où je commencerai à vivre ma vie comme je l'entends...*
> *Un jour viendra, quand l'hypothèque sera payée,*
> *que mes finances iront bien*
> *et que les enfants seront grands,*
> *où je conduirai cette nouvelle voiture*
> *et où je ferai des voyages passionnants à l'étranger...*
> *Un jour viendra, maintenant que je suis à l'aube*
> *de la retraite, où j'achèterai cette jolie autocaravane*
> *et je parcourrai notre beau pays, et je verrai*
> *tout ce qu'il y a à voir... un jour viendra. »*
>
> — ED FOREMAN

Un jour, après une vie entière à penser « un jour viendra » et à regretter « un jour viendra », ces procrastinateurs arrivent à la fin de leur vie. La seule phrase qui les habite au moment de la mort est : « Si seulement j'avais fait ce que je voulais vraiment faire, ma vie aurait été bien différente. » Ils pensent tristement aux occasions ratées. « Si seulement j'avais investi 10 pour cent de mes gains mensuels. » « Si seulement j'avais fait attention à ma santé. » « Si seulement j'avais acheté ces actions de 100 dollars lorsqu'elles se vendaient un dollar. » « Si seulement j'avais osé et lancé ma propre entreprise. » Hélas! il est maintenant trop tard. Et un autre procrastinateur termine sa vie rongé par le remords, la culpabilité et l'insatisfaction.

Méfiez-vous, cher lecteur, le *Syndrome du Un jour viendra* est un piège fatal. La vie est trop courte pour ne pas en profiter au maximum. L'indécision et l'incertitude vous confineront dans un monde de « si seulement ». Ce n'est pas ce que vous souhaitez, non? Alors, préparons un plan d'attaque solide qui vous garantira une vie remplie d'actions positives et d'expériences uniques et mémorables.

« Il est incapable de prendre une décision. »

1.
Six bonnes RAISONS

Examinons d'abord les raisons pour lesquelles les gens sont procrastinateurs. Ensuite, nous vous apprendrons comment vous débarrasser de ce problème irritant. Si vous n'êtes pas un procrastinateur, lisez quand même le reste de ce chapitre, au cas où l'envie vous en viendrait un jour. Vous apprendrez d'excellentes techniques qui vous rendront encore plus résolu que vous ne l'êtes.

Il y a six bonnes raisons qui peuvent vous rendre procrastinateur.

1. Vous vous ennuyez

C'est une réalité. Il nous arrive tous de temps à autre de manquer d'enthousiasme. Parfois, notre travail devient routinier et nous finissons par le faire machinalement. Comme nous l'avons déjà dit, les entrepreneurs sont particulièrement reconnus pour ceci. Après que l'excitation du lancement d'un nouveau projet s'est dissipée, ils ont besoin d'un nouveau défi, quelque chose qui leur donnera une nouvelle poussée d'adrénaline.

Comment combattre l'inertie? Voici quelques suggestions : d'abord, reconnaissez que vous vous ennuyez. Soyez bien conscient de ce que vous ressentez, de votre énergie qui baisse et de votre manque d'enthousiasme pour terminer des projets. Vous vous sentez peut-être fatigué sans pourtant dépenser beaucoup d'énergie physique. (Si vous êtes particulièrement fatigué, consultez votre médecin. Il pourrait y avoir une raison médicale à votre léthargie.)

Posez-vous quelques questions et répondez très franchement. Ce que je fais m'ennuie-t-il? (La réponse à cette question est « oui » ou « non ».) Qu'est-ce qui fait que je m'ennuie? Qu'est-ce qui pourrait me redonner de l'énergie?

Les dirigeants prospères entretiennent leur enthousiasme en se lançant constamment dans de nouveaux projets et de meilleures occasions d'affaires. Ils ne cessent d'augmenter le niveau de leurs attentes et ne sont jamais satisfaits d'un travail routinier qui ne présente aucun défi ou ne demande pas d'ingéniosité. Ils adorent prendre de nouveaux risques et la possibilité qu'ils pourraient frapper un coup de circuit majeur. De plus, l'incertitude rend la chose plus attrayante!

Une façon de relancer vos énergies serait de penser à viser de plus grosses transactions et à préparer ce qu'il faudrait pour produire ce genre de revenus. Il y a deux possibilités. Vous pourriez vendre plus de votre produit ou service à vos clients existants. Vous pourriez aussi partir à la chasse de plus gros clients. Imaginez que vous signez des contrats qui sont deux ou trois fois plus importants que ceux que vous avez signés jusqu'à maintenant. Commencez à élargir votre vision.

Pour y arriver, il vous faudra évidemment une nouvelle série de contacts et de connaissances. Vous devrez également faire preuve de plus de créativité et d'innovation. La créativité génère de l'énergie et l'innovation fait surgir l'adrénaline. Soudain, vous avez des objectifs beaucoup plus grands et une nouvelle excitation commence à envahir le bureau.

Prenez garde, car c'est très contagieux! Bientôt, toute votre équipe se lancera droit devant, avec une toute nouvelle motivation et de nouvelles initiatives. Soudain, la vie est de nouveau amusante et vous êtes dans une période faste. Au revoir ennui, bonjour plus grosses cibles et revenus encore plus intéressants.

2. Vous êtes débordé de travail

Souvent les gens sont procrastinateurs parce qu'ils laissent les choses s'accumuler au lieu de s'occuper d'une tâche à la fois et de la terminer. Ça peut commencer par une petite chose qui ne s'est pas faite parce que ce n'était pas le bon moment, ou que vous n'en aviez pas envie.

Puis, survient une autre chose et vous la remettez aussi à plus tard. Vous avez maintenant deux choses à faire. Prises séparément, aucune de ces tâches n'est trop lourde à accomplir; mais en les additionnant, elles créent une résistance. Vous finissez par les remettre toutes les deux à plus tard. Après un certain temps, une liste croissante d'une douzaine de tâches a été remise à plus tard et la procrastination apparaît dans toute son horreur. C'est elle qui prend maintenant le contrôle sur vous. Bientôt, vous avez tellement de choses à faire que vous vous sentez accablé à la seule pensée de vous y mettre. Alors, vous ne le faites pas. Si vous vous reconnaissez dans ce portrait, ne vous découragez pas. Il y a des moyens de vous aider à surmonter ces obstacles. Nous vous montrerons comment avant la fin de ce chapitre.

3. Vous avez perdu votre confiance

C'est ici que la peur et le doute font équipe pour vous retenir en créant des images négatives dans votre esprit. Voici ce que vous devez apprendre : la plupart des choses que vous redoutez ne se produiront jamais. Si la peur est une des principales raisons qui vous empêchent d'aller de l'avant, relisez, s'il vous plaît, le chapitre 6, « Le facteur confiance ».

La procrastination équivaut à votre doute. Ne laissez pas le doute et l'incertitude vous paralyser. N'oubliez pas qu'il est plus épuisant mentalement de penser à ce qu'il y a à faire et aux difficultés que vous pourriez rencontrer que de faire physiquement le travail.

Les gens décidés qui passent rapidement d'une tâche à une autre le font parce que la seule pensée qu'ils devront le faire plus tard leur crée plus de pression et de stress. Nous l'avons déjà dit, la peur peut être une grande source de motivation. L'entraîneur de football bien connu Dan Matthews a sa propre explication : « Ce qui m'a toujours motivé, c'est que la peur et la déception de la défaite sont toujours plus fortes que la joie et la satisfaction de la victoire. Le jour où cela changera, il sera temps de me retirer de ce métier. »

4. Vous avez une faible estime de vous-même

Il s'agit ici de tout autre chose que d'une baisse temporaire de votre niveau de confiance. Les personnes qui ont une faible estime de soi développent souvent l'habitude de saboter tout succès potentiel parce qu'elles estiment qu'elles ne méritent pas de réussir. On peut trouver chez elles de vieux systèmes de croyances négatifs ou un passé traumatisant.

Une façon de tuer une occasion est d'éviter de la saisir. Les gens qui ont une faible estime de soi peuvent inventer toutes sortes d'excuses pour éviter de faire le premier pas vers un avenir meilleur. Parfois, ils iront de l'avant et s'en sortiront très bien. Leur but est maintenant accessible, et soudain ils laissent tout tomber sans raison apparente. Si cela vous arrive (ou à un de vos proches), nous vous suggérons de prendre le temps d'en chercher la cause. *The Tomorrow Trap*, l'excellent livre de Karen Peterson, traite en profondeur de ce défi. Vous le trouverez très utile.

5. Vous n'appréciez vraiment pas votre travail

Ce dilemme comporte deux faces. D'abord, nous devons tous faire certaines choses que nous n'apprécions pas. C'est une des règles du jeu si vous voulez devenir plus prospère. Vous n'aimez peut-être pas cela, mais c'est ainsi. Par exemple, vous n'aimez peut-être pas faire des choses banales comme la paperasse ou la tenue de livres, mais il est difficile de se soustraire totalement à ces tâches, même si vous savez très bien déléguer. Notre ami Ed Foreman a fait une recherche sérieuse sur ce sujet. Voici ce qu'il a découvert : les gens qui réussissent font les choses que ceux qui ne réussissent pas n'aiment pas faire. Ils n'aiment pas faire certaines de ces choses, eux non plus, mais ils les font quand même. C'est un point fondamental et vous devez bien le comprendre.

D'autre part, il est possible que vous soyez prisonnier d'un emploi médiocre ou d'une carrière qui ne vous permet pas d'utiliser vos plus grands talents. Si c'est le cas, cherchez une occasion de les faire valoir. La vie est trop courte pour rester prisonnier d'un travail que vous n'aimez pas. La plupart du temps, votre travail devrait vous stimuler et vous donner de l'énergie. Pourquoi continuer à faire quelque chose qui draine votre énergie et n'est pas épanouissant pour vous?

La plupart des gens ne bougent pas par besoin de sécurité, ou parce que la seule pensée d'entreprendre quelque chose de différent les effraie. Le changement est en dehors de leur zone de confort et intimidant. Eh bien, voici la réalité : les plus grandes satisfactions dans la vie se trouvent en dehors de votre zone de confort. Apprenez à vivre avec ça. La peur et le risque sont des préalables si vous voulez profiter d'une vie de succès et d'aventures.

6. Vous êtes facilement distrait, ou purement et simplement paresseux!

Il y a peu à dire à ce sujet. Soyez franc. Si vous évitez de passer à l'action parce que vous préférez vous installer confortablement chaque soir pour regarder des reprises de films à la télévision, il y a peu de chances que vous profitiez d'une vie d'aisance de sitôt. L'essentiel de tout cela? Pour réussir, il faut des efforts, de la ténacité et du *focus* dans nos actions. La paresse ne fait pas partie de l'équation. C'est une substance interdite.

2.
PRENDRE DES DÉCISIONS
de façon résolue

En règle générale, la procrastination a pour cause le manque de motivation. Il est plus facile de remettre les choses à plus tard que de les faire d'une manière résolue. Il est important de vous rendre compte que vous entrez dans une spirale descendante d'inactivité. Quand vous vous en rendez compte, ayez une petite conversation avec vous-même et cherchez résolument une façon de vous en sortir.

Il y a essentiellement deux façons principales de vous motiver : vous pouvez craindre les conséquences de ne pas agir; ou vous pouvez vous stimuler à l'idée des récompenses et des avantages que vous obtiendrez en étant proactif.

Vous devez garder ces deux images bien vivantes, une négative et une positive. Demandez-vous : « Qu'est-ce que je veux réellement — un avenir où j'aurai toujours de la difficulté à joindre les deux bouts, ou une vie de prospérité, de joie et de satisfaction? » Plus ces deux images seront frappantes, plus vous deviendrez résolu. Ne vous laissez pas endormir par un faux sentiment de sécurité. Quand vous entendez cette petite voix destructrice vous murmurer à l'oreille « Remets-le à demain, à la semaine prochaine, au mois prochain ou à l'an prochain », rappelez-vous immédiatement ces deux images sur votre écran de télévision mental. Quelle image voyez-vous si vous ne vous mettez pas à l'œuvre? Voulez-vous avoir une longue liste de « si seulement » quand vous évaluerez votre vie? Évidemment pas!

Comprenez clairement ceci et ressentez la douleur de votre castration. (Non, ce n'est pas une erreur d'impression!)

Maintenant, tournez le bouton et regardez l'autre image. Cette fois, voyez toutes les récompenses et les avantages qui se sont matérialisés simplement parce que vous avez agi sans réserve. Régalez-vous de cette image. Fixez-la dans votre esprit. Ressentez cette impression de satisfaction. Sentez-vous bien parce que vous vous êtes stimulé vers un plus haut niveau de performance. Voici un bon exemple de ce dont nous parlons.

Au cours des années 1970, Susan Brooks, enseignante de Floride, aimait collectionner les vieilles recettes de famille. Celles qui l'intéressaient le plus étaient les recettes de biscuits maison, alors elle en a beaucoup fait cuire. Ses amis aimaient tellement ces friandises traditionnelles que le mot s'est passé et la production de biscuits chez les Brooks a augmenté de façon importante. Peu de temps après, elle a quitté la Floride pour la Géorgie avec ses meilleurs amis, qui sont rapidement devenus des associés dans leur premier magasin de vente au détail de biscuits. Au cours des quatre années qui ont suivi, treize franchises ont été créées et on a vendu beaucoup de biscuits.

Cependant, en 1981, les choses se sont soudainement gâtées, l'association s'est rompue ainsi que l'intégrité des opérations de franchisage. Susan s'est retrouvée avec une « jarre à biscuits » vide, c'est-à-dire quelques meubles et deux fours industriels. Susan dit : « Ce fut ma phase Université Biscuit — j'ai appris sur la ligne de front ce qu'il faut pour gérer une entreprise! »

Plusieurs autres personnes auraient abandonné à ce point. Mais pas Susan et sa famille. Ils ont chargé toutes leurs possessions dans deux camions de location. En compagnie de son mari, Barry, et de ses deux jeunes enfants, ils ont mis le cap vers l'ouest pour repartir à neuf à Tempe, en Arizona.

Ayant appris des leçons du passé, Susan a pris une importante décision stratégique : cette fois, au lieu de magasins au détail, elle a décidé de créer un catalogue de commandes postales pour vendre ses biscuits et autres articles. À compter de ce moment, elle était dans l'industrie du cadeau et non dans celle des biscuits. Elle a été récompensée pour avoir choisi d'agir résolument et de prendre une nouvelle route. Sa société, Cookies From Home (*www.cookiesfrom home.com*), possède maintenant une usine de 1 675 mètres carrés et dessert une clientèle corporative et postale d'un bout à l'autre du pays. Sa liste de clients a explosé de 3 000 à 75 000. En fait, on retrouve les biscuits de Susan dans une foule d'endroits intéressants dont le Canada, le Mexique, l'Angleterre, la France et l'Arabie Saoudite.

Susan a fait appel à une action résolue pour traverser les moments difficiles. Elle n'a pas l'habitude de remettre les choses à plus tard seulement parce qu'elle rencontre quelques obstacles sur son chemin. Une de ses images favorites sur un mur de son bureau représente un petit bateau malmené par une mer agitée. La légende se lit : « N'importe qui peut tenir la barre par temps calme. »

Susan dit que les leçons les plus importantes qu'elle a apprises sont : « Je sais ce que je ne sais pas. Alors, je m'entoure de gens qui le savent, ce qui me permet de me concentrer sur ce que je fais le mieux. De plus, je *choisis* d'aller travailler chaque jour. » Susan Brooks était déterminée à réaliser sa vision. Sa persévérance tenace lui a assuré le succès.

Le message est clair : que vous travailliez sur un petit projet ou sur un objectif majeur, persévérez pour pouvoir célébrer son aboutissement. Assurez-vous que vous n'êtes pas une de ces personnes frustrées qui traversent la vie avec l'étiquette « Ne finit rien ». Comme le dit si éloquemment Jim Rohn : « La peine de la discipline ne pèse que quelques grammes, alors que celle du regret pèse des tonnes. »

Pour vous assurer que vous n'aurez absolument aucune excuse pour votre indécision, nous allons maintenant vous révéler deux formules éprouvées qui vous aideront à résoudre tout problème futur qui demandera de passer à l'action. La première, la formule RDDA, est une mini formule que vous pouvez utiliser chaque jour. La seconde, le Solutionneur de problèmes, est plus élaborée.

3.
La FORMULE RDDA

Ceci vous aidera à demeurer vigilant quand vous entrerez dans les eaux inconnues du futur. Avant de prendre toute décision importante, nous vous recommandons d'utiliser l'acronyme RDDA expliqué ci-après comme guide.

1. Réfléchir

Comme nous l'avons déjà dit, il est essentiel de prendre du temps pour réfléchir. La réflexion vous permet un temps d'arrêt pour que vous puissiez considérer toutes vos options. « Est-ce que cela m'aidera à atteindre mon objectif majeur plus efficacement? » « Pourquoi je veux faire cela? » « Quels seront les avantages spécifiques que je retirerai de cette action? » « Quel sera le prix à payer si ça ne fonctionne pas? » « Combien de temps me faudra-t-il vraiment pour ceci? » Plus vous êtes conscient avant de prendre une décision importante, moins vous risquez de faire d'erreurs. Prenez le temps de réfléchir. Faites comme les pilotes d'avions et dressez une liste de vérification infaillible pour vous guider chaque fois.

2. Demander

Posez de bonnes questions axées sur le *focus*. Apprenez tout ce que vous devez savoir pour prendre une décision intelligente et informée. Demandez à d'autres personnes, à vos mentors, ou à des gens qui ont des connaissances et de l'expérience dans ce domaine. Plus la décision sera importante, plus vous devrez prendre le temps de tout vérifier. Cela ne veut pas dire analyser à n'en plus finir. Ce n'est qu'après avoir recueilli assez d'informations de sources variées que vous serez prêt à passer à la prochaine étape de la formule.

3. Décider

Utilisez la technique de la Double spirale pour augmenter votre esprit de décision. Visualisez les conséquences négatives si vous ne prenez pas de décision. Comparez-les aux avantages positifs qui découleront de votre action.

Ensuite, prenez une décision ferme à propos de ce que vous allez faire. La moitié du travail consiste en la prise de décision. Les procrastinateurs chroniques sont insatisfaits de leur vie parce qu'ils ne prennent pas la décision d'aller de l'avant. Après quelque temps, il devient inconfortable d'être assis entre deux chaises. Si vous ne faites pas attention, vous risquez de tomber entre les deux.

4. Agir

Après avoir bien réfléchi, recueilli l'information nécessaire et pris votre décision, le temps est venu de passer à l'action. C'est la partie la plus importante de la formule RDDA. Plusieurs personnes passent leur vie sur le mode PRÊT au lieu de PRÊT, PARTEZ! Vous devez partir. Donnez-vous un coup de fouet pour passer à une action ciblée. Faites d'abord le premier pas. Lentement, vous prendrez de la vitesse. Comme la traditionnelle boule de neige qui descend une pente, vous ne pourrez plus vous arrêter après la première poussée. N'oubliez pas que les plus grandes récompenses dans la vie ne se matérialisent que lorsqu'on agit.

W. Clement Stone, un des plus grands *success stories* en Amérique et coauteur de *Success Through a Positive Mental Attitude*, avait une manière bien à lui de se stimuler à passer à l'action. Il se plaçait devant un miroir et frappait les mains avec force en disant très fort : « Fais-le MAINTENANT! » Il répétait ce manège trois fois de suite. Ceci le mobilisait pour les tâches à venir. Cela a dû fonctionner pour lui. À seize ans, il vendait de l'assurance-vie comme si demain ne devait jamais venir. À vingt et un ans, la Grande Dépression s'était installée, et bien des gens pensaient qu'il était impossible de survivre. Imperturbable, le jeune Stone a créé sa propre compagnie, la *Combined Insurance,* a embauché 1 000 vendeurs et en a fait une des plus grandes entreprises d'Amérique du Nord. Souvenez-vous que ce sont les petites habitudes, comme l'exercice du miroir, qui sont souvent le catalyseur qui vous fera démarrer.

DILBERT, reproduit avec l'autorisation de United Feature Syndicate, Inc.

4.
Le SOLUTIONNEUR
de problèmes

On appelle le Solutionneur de problèmes notre seconde formule pour une prise de décision active. C'est une suite de dix étapes qui vous aideront à résoudre tout gros problème ou défi que vous rencontrerez à l'avenir. C'est une formule puissante. Faites-en votre priorité quand vous ne savez plus quelle direction prendre. Tout est exposé dans la section Plan d'action à la fin de ce chapitre.

Ces deux excellentes stratégies vous aideront dans toutes vos situations de prise de décision. Prenez l'habitude d'utiliser les deux. Elles constituent une partie essentielle de votre armure et vous aideront à repousser les assauts négatifs quotidiens alors que vous vous dirigez à grands pas vers un mode de vie plus heureux et plus sain. Soyez diligent. Soyez sur vos gardes. Apprenez à observer ce que vous faites bien et ce qui requiert votre attention. Prendre les bonnes décisions demande de la pratique et un haut degré de conscience. Vous avez maintenant les outils nécessaires pour maîtriser cette partie de votre plan vers le succès.

5.
Parlons d'ARGENT

Il est évidemment important d'atteindre vos objectifs financiers chaque année, particulièrement si vous vivez dans une société où les prix augmentent sans cesse. Si votre famille compte des adolescents, vous savez ce dont nous parlons!

L'analyse complète des stratégies monétaires et de placement dépasse de beaucoup le cadre de ce livre. Cependant, comme votre revenu est lié étroitement au temps libre dont vous disposez, nous avons cru qu'il serait bon de partager avec vous quelques notions fondamentales telles que nous les percevons. Cela fait partie de votre éducation dans le domaine de la prise de décision active.

Que signifie l'argent pour vous?

Nous avons tous nos croyances à propos de l'argent. Contrairement à ce que certains croient, l'argent n'est pas la source de tous les maux. Si c'était vrai, à peu près tous les organismes à but non lucratif, œuvres caritatives ou églises cesseraient d'exister. Cependant, un amour démesuré de l'argent, jusqu'à l'exclusion de tout le reste, crée bien de l'anxiété.

Fondamentalement, il y a trois choses dans la vie qui peuvent vous ruiner :

1. Le pouvoir — observez les dictateurs et les mégalomanes de ce monde.

2. Le sexe — habituellement avec de trop nombreuses personnes, l'exemple premier étant les politiciens, bien entendu.

3. L'avidité — la recherche malsaine de trop d'argent, souvent aux dépens de quelqu'un d'autre.

Pour bien comprendre votre sentiment réel au sujet de l'argent, posez-vous quelques questions simples. Par exemple : Est-il correct d'avoir beaucoup d'argent? Quelles habitudes, reliées à l'argent, se sont manifestées dans ma vie jusqu'ici? Est-ce que je gagne et accumule l'argent avec plaisir ou ai-je tendance à me saboter quand les choses vont bien de façon inattendue?

Nous avons ajouté un excellent questionnaire sur l'argent à la fin de ce chapitre qui vous aidera vraiment à mieux identifier votre réalité financière. Assurez-vous de le compléter.

Voici quelques autres réflexions concernant les systèmes de croyances à propos de l'argent. Certaines personnes ont été élevées dans un milieu très économe où faire des économies de bouts de chandelles était un mode de vie naturel. D'autres se sont fait dire par leurs parents et autres figures d'autorité que l'argent était « sale ». Vous avez déjà entendu : « Ne mets pas d'argent dans ta bouche, c'est sale! »

Certains, plus chanceux, ont été élevés dans un milieu où on valorisait une bonne éthique du travail, et où l'argent était sagement dépensé et investi. Il y avait aussi un élément de plaisir sans être trop frugal.

L'argent va vers ceux qui l'attirent

À notre avis, l'argent n'est qu'une récompense pour services rendus. Si vous donnez un excellent service et que vous apportez une valeur significative aux gens qui vous entourent, l'argent suivra. En conséquence, pour attirer plus d'argent, vous devez être attirant, en ce sens que les gens préféreront vos produits ou services à ceux de vos concurrents. En somme, il faut toujours *centrer son attention* sur la création d'une plus-value. Faites ce qu'il faut pour que ce que vous offrez sur le marché soit le meilleur.

Si vous avez des difficultés financières et que vous aimeriez augmenter de façon significative votre valeur nette, comprenez bien ceci : vos habitudes par rapport à l'argent sont la cause principale de votre statut financier. Ainsi, si vous n'avez jamais eu l'habitude d'épargner ou d'investir, vous pourriez en éprouver les conséquences en ce moment. Si vous dépensez toujours plus que vous ne gagnez, vous aurez inévitablement des difficultés un jour. Ceux qui gagnent 50 000 $ par année ont des habitudes de 50 000 $. Ceux qui gagnent 500 000 $ ont des habitudes de 500 000 $. C'est une vérité absolue.

Pour changer vos habitudes, vous devez d'abord accepter votre situation financière actuelle. Il ne sert à rien de nier l'évidence! La prochaine étape vers l'indépendance financière est d'en faire un sujet d'étude. Faites vos devoirs. Apprenez comment l'argent circule, comment il augmente et croît et, surtout, qui est vraiment habile pour l'attirer.

Il y a sans doute des gens dans votre quartier ou votre ville qui ont gagné beaucoup d'argent. Découvrez comment ils ont fait. Soyez créatif. Soyez courageux. Allez jusqu'à oser prendre rendez-vous avec eux. De plus, vous devez avoir un conseiller financier ou une équipe de conseillers brillants pour vous aider et vous soutenir. Informez-vous. Identifiez le meilleur. Encore une fois, faites vos devoirs. *Focalisez votre attention*. La plupart des gens ne font pas ce genre d'effort. Pour eux, il est probablement plus facile de regarder la télévision tous les soirs que de créer un avenir financier solide dont leur famille pourra profiter plus tard.

Les règles de base pour la création de la richesse

Nous allons maintenant vous présenter deux personnes fortunées — Sir John Templeton et Art Linkletter — et partager avec vous leurs listes des *TOP-10* façons de créer une prospérité sans limite. Nous avons choisi ces personnes à cause de leur intégrité et de leur capacité à accumuler de l'argent. Vous serez peut-être surpris de la simplicité de leurs découvertes. Étudiez chacune d'elles soigneusement. Leurs idées pourraient accélérer de plusieurs années votre ascension vers la richesse.

D'abord, Sir John Templeton. Le fondateur du *Templeton Group,* Sir John Templeton, est un légendaire gestionnaire d'une société d'investissement. Son génie de gestionnaire financier a rendu riches des milliers d'investisseurs dans le monde entier. Les dix principes qui suivent sont le cœur et l'âme de son succès incroyable.

1. Pour parvenir au succès, ne soyez ni un optimiste ni un pessimiste, mais un réaliste avec une nature ambitieuse.

2. Estimez-vous heureux de pouvoir vous enrichir, ainsi que vos voisins, d'abord spirituellement et ensuite, peut-être, financièrement.

3. Les dettes, personnelles ou collectives, ne devraient pas vous empêcher d'investir dans votre avenir. Visez à vous libérer de vos dettes.

4. Investissez dans plusieurs endroits différents — la diversité assure la sécurité.

5. L'argent devrait servir beaucoup plus qu'à se reproduire lui-même.

6. N'oubliez pas que la patience est une vertu.

7. Si vous voulez prospérer, analysez avant d'investir.

8. N'oubliez jamais que le secret pour s'enrichir soi-même est d'enrichir les autres.

9. Cherchez à être meilleur ne signifie pas que vous soyez le meilleur.

10. Créez votre succès avec un seul mot —*Amour.*

SOURCE : *Les dix règles d'or du succès financier*

Art Linkletter est probablement mieux connu comme fantaisiste et une personnalité du monde du spectacle. Bébé, il a été abandonné puis adopté par un ministre du culte dans la petite communauté de Moosejaw, en Saskatchewan, au Canada. Son émission bien connue, *House Party,* sur le réseau CBS, a été une de celles qui ont duré le plus longtemps à la télévision. Art Linkletter est aussi un homme d'affaires astucieux qui est directement impliqué dans des douzaines d'entreprises prospères. Voici les plus importantes idées d'Art pour créer la richesse et le succès.

1. Je ferai le travail qui me plaît. On ne vit qu'une fois, faisons donc ce que nous aimons.

2. Sur ma route, il y aura toujours des difficultés, des échecs et des défis.

3. La marge entre la médiocrité et le succès est très mince en termes de temps et d'effort supplémentaire par rapport à ce qui est attendu.

4. J'utiliserai mes contacts chaque fois que je le pourrai pour ouvrir la porte aux nouvelles occasions, mais je m'assurerai de travailler quand la porte sera ouverte pour moi.

5. Je reconnaîtrai mes propres faiblesses et je serai constamment vigilant, et je trouverai des gens qui excellent dans les domaines où je suis faible.

6. Je considérerai qu'une occasion de progresser est plus importante que l'argent immédiat et les avantages divers d'une situation.

7. J'étendrai toujours un peu au-delà de ma zone de confort mes habiletés et objectifs, tout en demeurant raisonnable.

8. J'apprendrai de mes échecs, pour ensuite les laisser derrière moi.

9. Je suivrai la Règle d'or. Je ne signerai pas une entente qui risque de léser, de tricher une autre personne ou d'en abuser.

10. J'utiliserai l'argent des autres à condition d'être certain que cet argent peut croître plus rapidement que le coût des intérêts. Je ne serai pas cupide.

Pour terminer, permettez-nous, nous aussi, d'ajouter nos propres stratégies les plus importantes sur lesquelles nous mettons notre *focus*.

JACK :

- Faites ce que vous aimez avec passion et excellence, et l'argent suivra.

- Lisez le plus possible, participez à des séminaires, écoutez des cassettes et mettez en pratique ce que vous apprenez.

- Étudiez les lois universelles du succès, de la prospérité et de l'abondance.

- Donnez un pourcentage de vos revenus à votre église et à vos œuvres caritatives préférées.

- Cherchez toujours à vous améliorer dans tout ce que vous faites.

MARK :

- Décidez de devenir financièrement indépendant et votre subconscient prendra les dispositions qu'il faut. Traduisez votre décision dans un plan : « Je gagnerai... »

- Portez sur vous une carte de 7 cm x 12 cm sur laquelle vous aurez écrit : « Je suis si heureux d'être... » (En voie de devenir millionnaire; d'augmenter mes revenus de 50 pour cent par année; de rencontrer un nouveau client potentiel chaque jour; de vendre X unités du produit Y chaque jour; ou votre but, quel qu'il soit.) Lisez cette carte au petit-déjeuner, au déjeuner, au dîner et avant de vous endormir, au point de ne plus faire qu'un avec l'idée, et elle finira par devenir réalité.

- Aimez votre travail ou votre gagne-pain, et laissez-le vous aimer en retour. J'aime parler, écrire, créer, penser, faire de la promotion et du marketing et, parce que j'aime ces choses, elles prospèrent.

- Créez une équipe de rêve de collègues qui pensent comme vous et qui vous aideront à réaliser maintenant vos espoirs.

- Rendez souvent service avec amour et un cœur joyeux.

LES :

- Mettez le *focus* sur ce que vous faites le mieux. Aspirez à devenir un leader dans votre domaine de compétence. Mes propres talents sont ceux de conseiller, d'écrire et de créer des produits qui permettent de développer la conscience de soi.

- Recherchez les occasions spécifiques qui viennent compléter et étendre vos plus grandes forces. J'ai créé le *Achievers Coaching Program* (Programme d'entraînement des gagneurs) pour les entrepreneurs parce que je peux facilement m'identifier à leurs défis.

- Investissez d'abord dans votre propre affaire. Évitez les domaines et les secteurs que vous connaissez peu. C'est la raison qui a fait que Warren Buffet a si bien réussi.

- Entourez-vous de mentors financiers géniaux comme nous vous l'avons déjà suggéré. Les gens que vous connaissez sont au moins aussi importants que les choses que vous connaissez.

- Développez et gardez de simples habitudes financiè-res. Investissez 10 pour cent de vos revenus mensuels, chaque mois. Ne dépensez pas plus que vous ne gagnez. Sachez où va votre argent. Cherchez à vous débarrasser de vos dettes.

DIEU POURVOIT À LA NOURRITURE DE CHAQUE OISEAU

Mais il ne la met pas dans leur nid!

ÉTUDIEZ LA RICHESSE

Pour vous aider encore plus, voici une liste de sept bons livres qui traitent de l'argent et de la création de la richesse. Fixez-vous comme objectif de les lire tous. Il y a des centaines de livres qui traitent de ce sujet. Faites de ceux-ci la première étape de votre quête de la sagesse financière.

1. *The Richest Man in Babylon,* George C. Clason (Penguin Books, 1989). *L'homme le plus riche de Babylon* (Un monde différent, 2000).

2. *The Wealthy Barber,* David Chilton (Stoddart Publishing, 1989). *Un barbier riche* (Trécarré, 1997).

3. *The Millionaire Next Door,* Thomas J. Stanley et William D. Danko (Longstreet Press, Inc., 1996). *L'esprit millionnaire* (ADA 2000).

4. *The Golden Rules for Financial Success,* Gary Moore (Zondervan Publishing House, 1996).

5. *The 9 Steps to Financial Freedom,* Suze Orman (Random House, 1998).

6. *Think and Grow Rich,* Napoleon Hill (Fawcett Crest Books/CBS Inc., 1960). *Réfléchissez et devenez riche* (Éd. de l'Homme, 1996).

7. *Rich Dad, Poor Dad,* Robert T. Kiyosaki avec Sharon L. Lechter (Techpress Inc., 1997). *Père riche, père pauvre* (Un monde différent, 2001).

Vous avez maintenant les outils nécessaires pour agir de façon résolue dans vos affaires financières. Notre dernier mot sur ce sujet? Agissez *maintenant*. En matière d'argent, le temps *est* essentiel.

CONCLUSION

Pourquoi hésiter ?

Dans les plaines de l'hésitation se trouvent
les ossements blanchis des millions de gens qui,
au seuil de la victoire, se sont assis pour attendre,
et c'est en attendant qu'ils sont morts.
— AUTEUR INCONNU

Voici une histoire à propos de la plus grande décision de toutes les décisions — *la décision de vivre.* Elle parle d'un homme remarquable, Viktor Frankl, qui s'est retrouvé emprisonné dans un camp de concentration nazi pendant la Deuxième Guerre mondiale. Psychologue très en vue avant que la guerre ne change sa vie dramatiquement, Frankl a subi le sort de millions de Juifs — les travaux forcés dans les conditions les plus horribles qu'on puisse imaginer. Chaque jour, plusieurs de ses compagnons de détention mouraient de malnutrition, de sévices sauvages, ou étaient exterminés dans les chambres à gaz, l'ultime humiliation.

Malgré des conditions sévères, Viktor Frankl a compris qu'il y avait une chose que ses gardiens ne pouvaient contrôler — son attitude. En termes simples, il a choisi de vivre. Rien, absolument rien, ne pourrait le détourner de son désir de gagner la plus grande de toutes les batailles humaines.

Pour adoucir les conditions terrifiantes dans lesquelles il se trouvait, il s'est concentré sur une image positive du futur. Il a imaginé qu'il était un psychologue célèbre, assistant à des concerts et jouissant d'un style de vie épanouissant. Il ne s'est jamais permis de capituler devant la dépravation qui l'entourait. Son incroyable détermination, son esprit de décision, sa persévérance et sa force de caractère ont finalement porté fruit à la fin de la guerre. Ceux qui n'avaient pas de raison de vivre, et il y en avait plusieurs, n'ont pas survécu. Viktor Frankl est devenu un des thérapeutes les plus renommés du monde et un des leaders les plus stimulants. Le livre qui raconte sa lutte, *Découvrir un sens à sa vie,* est un classique. Assurez-vous de le lire plus d'une fois. C'est un tonique pour l'âme.

PLAN D'ACTION

LE SOLUTIONNEUR
DE PROBLÈMES

L'ASSURANCE FINANCIÈRE

Quand vous faites face à un défi important, utilisez le solutionneur de problèmes qui suit pour vous aider à le résoudre. Il s'agit d'une série de dix questions qui vous mèneront pas à pas vers la solution que vous désirez. Pour de meilleurs résultats, il est important de suivre toute la méthode écrite. Utilisez-la souvent, votre esprit de décision sera amélioré de façon spectaculaire lorsque vous le ferez.

1. Quel est mon défi?

Décrivez exactement votre situation. N'oubliez pas d'être clair, bref et précis.

_____

_____

_____

2. Décidez de faire face au problème et de vous en occuper.

Prendre la décision de surmonter votre peur est un grand pas en avant. Pour votre santé et votre tranquillité d'esprit, décidez *maintenant*.

3. Quel est le résultat que je veux?

Encore une fois, définissez clairement l'issue que vous préférez. Visualisez la conclusion et décrivez les grands avantages que vous en retirerez lorsque vous vous serez occupé du problème.

---

4. En un mot, décrivez comment vous vous sentirez une fois le problème réglé.

---

5. De quelle information ai-je besoin pour m'aider?

Apprenez davantage en lisant, en cherchant dans de vieux dossiers, dans d'anciens contrats, et autres.

---

6. Que puis-je faire moi-même?

---

7. Qui d'autre peut m'aider?

**8. Maintenant, quel plan d'action précis
vais-je utiliser?**

Il s'agit de votre stratégie. Réfléchissez à chaque étape
jusqu'à la conclusion finale.

1. _____

2. _____

3. _____

9. Quand vais-je commencer? _____ (date) _____

**Quand vais-je mettre un point final à cette
question pendante? _____ (date) _____**

Au travail!

N'oubliez pas que la paix de l'esprit se trouve de l'autre
côté de la peur.

10. Examinez vos résultats et célébrez!

L'HABITUDE
DE L'ASSURANCE FINANCIÈRE

Une série de questions
pour clarifier votre situation actuelle

1. Que signifie l'argent pour vous?

_____

_____

_____

2. **Méritez-vous beaucoup d'argent?**
   ❒ oui   ❒ non

   Pourquoi? ou Pourquoi pas?

   _____

   _____

   _____

3. **Définissez la LIBERTÉ FINANCIÈRE
   en ce qui vous concerne personnellement.**

   _____

   _____

   _____

4. **Savez-vous combien vous dépensez et
   combien vous gagnez exactement chaque mois?**
   ❒ oui   ❒ non

5. **Êtes-vous axé vers la consommation,
   ou avez-vous un plan précis d'épargne
   et d'investissement qui a priorité sur tout?**

   _____

   _____

   _____

6. **Avez-vous pris l'habitude de vous payer
   chaque mois?**
   ❒ oui   ❒ non

7. **Avez-vous un conseiller financier génial
   ou une équipe de conseillers brillants?**
   ❒ oui   ❒ non

8. De combien d'argent aurez-vous besoin, lorsque (et si) vous prendrez votre retraite, pour jouir du style de vie que vous voulez?

_____

_____

_____

9. Quel est votre manque à gagner actuellement, si tel est le cas?

_____

_____

_____

10. Vous acheminez-vous sûrement vers une valeur nette substantielle?

Cela signifie avoir assez d'argent pour jouir de la qualité de vie que vous voulez vraiment. Avoir le choix de travailler ou de ne pas travailler, parce que vous en avez les moyens.

Si vous n'avez pas encore atteint ce niveau de liberté financière, que devez-vous changer?

_____

_____

_____

_____

_____

_____

_____

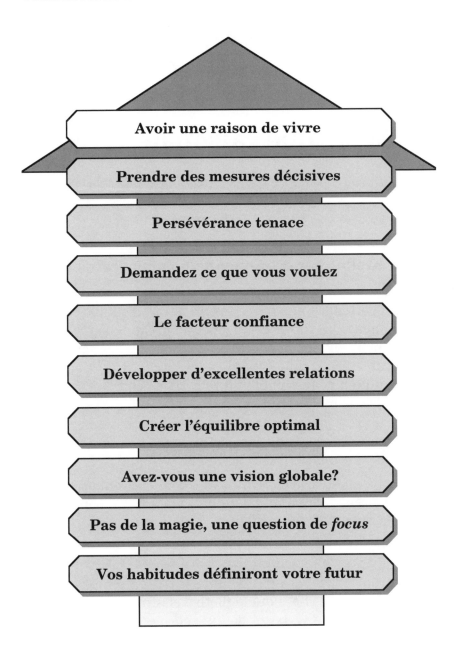

Avoir une raison de vivre

Prendre des mesures décisives

Persévérance tenace

Demandez ce que vous voulez

Le facteur confiance

Développer d'excellentes relations

Créer l'équilibre optimal

Avez-vous une vision globale?

Pas de la magie, une question de *focus*

Vos habitudes définiront votre futur

Il ne vous reste qu'une stratégie
— vous y êtes presque.

10ᴱ STRATÉGIE DE *FOCUS*

Avoir une raison de vivre

« L'existence vouée à une cause jugée importante,
voilà la joie véritable. »
— GEORGE BERNARD SHAW

Craig Kielburger est un jeune homme vraiment étonnant.

À l'âge tendre de treize ans, l'âge où la plupart de ses amis étaient plus intéressés à jouer au hockey ou au football, Craig informait le monde avec passion sur l'organisation qu'il avait créée et qui portait le nom *Free the Children.*[3] Son emploi du temps ressemblait à celui d'un conférencier international célèbre. De l'Inde à Washington, D.C., et New York, suivi d'un voyage au Canada, puis vers Haïti. Ajoutez à cela un profil flatteur à l'émission *60 Minutes* qui louangeait sa croisade pour mettre fin au travail des enfants.

Quelle est donc la motivation de cet adolescent de 1 m 50, qui fait preuve d'une maturité bien au-delà de son âge? Il dit : « Je ressens simplement une passion pour la question du travail des enfants et je veux faire quelque chose pour y mettre fin. »

Autrement dit, Craig Kielburger a *une raison de vivre.* Il a trouvé quelque chose qui le motive et stimule son adrénaline. Sa raison de vivre lui donne énormément d'énergie. Il est enthousiaste et infatigable dans sa poursuite. En même temps, il est suffisamment normal pour montrer qu'il est encore un enfant. Le journaliste Robert Russo a observé ce

---

3. Pour faire un don à *Free The Children,* téléphonez au 905-760-9382 ou visitez leur site Internet *www.freethechildren.org.*

qui suit : « Après une visite à la maison du vice-président des États-Unis, Al Gore, il s'est exclamé, émerveillé : "J'ai une de ses serviettes de table. C'est écrit vice-président des États-Unis dessus. Il a ses propres serviettes de table!" Les Américains ont eu le coup de foudre pour ce jeune phénomène canadien qui semble très équilibré et qui vit son propre rêve, pas celui de ses parents. »

Son rêve lui a donné une détermination farouche, une énergie intarissable qui ont forcé d'autres personnalités de haut rang à s'asseoir et à prêter attention. Bouleversé par les millions d'enfants qui sont forcés de travailler en Inde, Craig a décidé de s'y rendre. Son voyage a coïncidé avec la visite du premier ministre du Canada, Jean Chrétien. Le jeune Kielburger a suscité un tel intérêt dans les médias que M. Chrétien a finalement accepté d'avoir un entretien personnel avec lui. C'est certain, vous pouvez réussir l'impossible si vous avez le feu sacré. Voici la question troublante : pourquoi certaines personnes ont-elles cette passion dévorante alors que la vaste majorité ne l'ont pas? La plupart des gens agissent machinalement, prisonniers d'une routine qui finit par les ennuyer. Si vous vivez cette approche machinale de la vie, courage! Il existe une meilleure façon de vivre.

1.
Trouvez votre RAISON DE VIVRE

Des livres entiers ont été écrits sur ce vaste sujet. Nous en avons résumé l'essentiel. Prenez note que ce chapitre est d'une importance capitale pour vous. Dans les pages qui suivent, vous découvrirez à quel point il est essentiel d'avoir une raison de vivre. Nous vous aiderons même à la définir clairement. La plupart des gens n'en ont pas la moindre idée. Vous comprendrez pourquoi, lorsque nous vous expliquerons plus loin un concept révolutionnaire que nous avons nommé le *Niveau d'être*. Nous ne voulons pas que vous finissiez comme cette masse de gens errant dans des considérations générales, incertains de ce qu'ils font et pourquoi ils le font.

Puis, il y a ces gens qui arrivent à un carrefour dans leur vie. Quelque part entre trente-cinq et cinquante-cinq ans survient la fameuse crise de l'âge mûr. Soudain, des questions plus profondes surgissent, comme « La vie ne se résume-t-elle qu'à ça? » Après un examen sérieux, ils commencent à ressentir un manque, une sensation de vide. Il manque quelque chose, mais ils ne peuvent pas bien le définir. Lentement, ils en arrivent à comprendre que l'accumulation des biens matériels et le paiement de l'hypothèque ne les satisfont plus.

APPRENDRE À AVOIR UNE RAISON DE VIVRE

Ce scénario vous semble-t-il familier? Vous interrogez-vous à propos de l'absence d'une raison d'être dans votre propre vie? Les idées formulées dans ce chapitre dépassent de beaucoup les habitudes quotidiennes sur lesquelles vous avez commencé à travailler, si importantes soient-elles. Jusqu'à un certain point, nous souhaitons ardemment donner un sens à notre vie. Nous voulons sentir dans nos tripes que nous avons de l'importance et que nous contribuons à quelque chose.

Adopter un style de vie à une raison de vivre nous donne l'occasion d'enrichir les autres en y laissant notre empreinte positive. Par exemple, si votre philosophie quotidienne est de donner et que vous avez développé l'habitude d'aider les autres sans attendre quoi que ce soit en retour, vous avez commencé à donner un sens à votre vie. Quand vous pourrez étendre cette philosophie pour englober une vision plus large, votre raison de vivre se cristallisera. Nous allons vous montrer comment.

2.
Le marathon de l'ESPOIR

Tout d'abord, pour clarifier davantage ce point, nous allons vous raconter la remarquable histoire de Terry Fox.

Âgé d'à peine dix-huit ans, Terry apprenait qu'il avait le cancer. On avait diagnostiqué un ostéosarcome, une forme de cancer qui se métastase rapidement et qui attaque souvent les jambes et les bras, avec risque de s'étendre aux poumons, au cerveau ou au foie. Après qu'il eut accepté la terrible réalité, Terry avait en fait deux options : abandonner tout espoir et attendre la mort, ou trouver quelque chose qui donnerait un sens à sa vie. Il a choisi la deuxième option. Le cancer allait lui coûter une jambe. Sur son lit d'hôpital, Terry rêvait de traverser le Canada à la course à pied. Ce jour-là, il a juré de réaliser son rêve. Sa vision prenait forme.

En décidant de consacrer sa vie à faire avancer le combat pour vaincre le cancer, il s'était donné une véritable raison de vivre. Le but de cette course sur une jambe, qu'il avait nommée le *Marathon de l'espoir,* était de recueillir un million de dollars pour la recherche sur le cancer. Il a recueilli 24,6 millions de dollars!

Le jeune Terry avait découvert une raison de vivre si importante que cela a eu sur lui l'effet d'un tonique autant physique que mental, chaque jour. La force de sa raison de vivre était si grande qu'elle lui a permis de réaliser des performances remarquablement élevées. Il n'avait qu'une jambe en santé, mais une prothèse attachée au moignon de son autre jambe lui permettait de courir. Son mouvement ressemblait plutôt à un sautillement. Il donnait l'impression de s'accrocher l'orteil à chaque pas. Terry courait en shorts, ce qui laissait voir sa jambe artificielle et rendait certaines personnes mal à l'aise. La réponse de Terry était : « C'est moi maintenant, pourquoi le cacher? » Parti le 12 avril 1980, il a couru l'équivalent d'un marathon (42 kilomètres) presque chaque jour, pour parcourir un total de 5 342 kilomètres en 143 jours à peine, un exploit extraordinaire! Ce faisant, il a donné espoir à des milliers de personnes dans le monde.

Ceci pourrait vous amener à vous demander : « Qu'est-ce que je fais de ma vie? À quoi rime tout le travail de ma vie? Que laisserai-je derrière moi quand mon temps sera venu? »

Ne trouvez-vous pas que ce sont des questions importantes?

Le Défi

Laisse les autres vivoter,
mais ne le fais pas.

Laisse les autres se disputer pour des riens,
mais ne le fais pas.

Laisse les autres se plaindre de leurs petits bobos,
mais ne le fais pas.

Laisse les autres mettre leur avenir
entre les mains d'un autre,
mais ne le fais pas.

JIM ROHN

3.
Trois ÉLÉMENTS-clés

Examinons de plus près les trois éléments qui ont aidé Terry Fox à trouver sa nouvelle raison de vivre. Nous devons d'abord faire la distinction entre se fixer des buts et avoir une raison de vivre. Votre raison de vivre transcende vos buts. C'est la *Vision globale* — comme un parapluie qui recouvre tout. Les buts, d'autre part, sont les étapes que vous franchissez sur votre route. La raison de vivre de Terry était d'aider à éliminer le cancer. Son but spécifique, par contre, était de recueillir un million de dollars pour la recherche sur le cancer en traversant le Canada à la course à pied. Quand vos buts quotidiens correspondent à une raison de vivre bien définie, vous appréciez la tranquillité d'esprit et la sensation merveilleuse de vivre pleinement. Ce qui est bien rare de nos jours.

Les trois éléments-clés suivants vous aideront à activer votre propre raison de vivre.

1. Faites correspondre votre raison de vivre avec vos talents naturels

Terry Fox a fait correspondre sa raison de vivre à quelque chose qu'il aimait vraiment — l'athlétisme. Comme il était un excellent coureur, la course à travers le pays s'est imposée naturellement comme véhicule pour atteindre son but. Nous avons tous reçu des talents naturels. Les découvrir fait partie du jeu de la vie. Souvent, notre travail ne correspond pas à ce que nous pouvons faire de mieux. Nos valeurs et nos actions sont peut-être en opposition par rapport à notre raison de vivre. Ce sont ces messages contradictoires qui causent les conflits internes et l'incertitude.

2. Soyez résolu

Chaque jour, Terry demeurait fidèle à sa raison de vivre. Malgré la neige, la pluie et les giboulées, il persévérait. Au départ, il n'y avait presque aucune couverture médiatique, et il s'est parfois senti seul et incompris. Il a surmonté ces obstacles en mettant sa raison de vivre au centre de ses pensées. Bien des gens perdent de vue leur objectif parce qu'ils sont distraits ou influencés par d'autres personnes. En conséquence, ils sautent d'une situation à une autre, rebondissant comme une boule dans un billard électrique.

Avoir une raison de vivre exige de la ténacité — la détermination de faire ce qu'il faut. C'est ce qui sépare les faibles des forts, les procrastinateurs de ceux qui sont vraiment engagés. C'est ce qui éveille les passions profondes et leur donne une signification. Quand votre raison de vivre est claire, votre vie prend tout son sens. Vous dormirez du sommeil du juste, au lieu de vous inquiéter des tracas quotidiens qui engendrent le stress et les tensions.

3. Gardez une attitude humble

Ne laissez pas un ego malsain prendre le dessus sur vos bonnes intentions. Les personnes qui ont le plus d'impact positif sur la société ne se soucient pas de la célébrité ni de la fortune. Mahatma Gandhi, Mère Teresa, et des milliers d'autres personnes qui ne sont pas aussi connues ont simplement fait ce qu'elles avaient à faire. L'avidité et le pouvoir ne faisaient pas partie de leur formule pour avoir une raison de vivre.

Vers la fin de son Marathon de l'espoir, Terry Fox a attiré des milliers de personnes dans les grandes villes. Son attitude a toujours été : « Je ne suis qu'une personne ordinaire, ni meilleure ni pire que les autres. Bien des gens travaillent à ce projet et ils méritent aussi une reconnaissance. » C'est cette attitude humble, son souci sincère pour les autres, ainsi que sa détermination de ne jamais abandonner dans sa lutte contre l'adversité qui l'ont rendu si cher à des millions de personnes. Même après que le cancer eut attaqué ses poumons, il était déterminé à continuer. Terry n'a jamais terminé sa course. Il est mort le 28 juin 1981. Cependant, l'héritage qu'il a laissé continue d'aider les victimes du cancer. À ce jour, une incroyable somme de 150 millions de dollars a été recueillie pour la recherche sur le cancer au cours de la journée annuelle Terry Fox.[4] L'événement a lieu dans au moins 50 pays et attire plus de deux cent mille participants. Vous pensez peut-être : « C'est une belle histoire, mais je ne me vois vraiment pas en train de changer le monde de façon spectaculaire. Je ne suis pas une célébrité. Mon seul défi est de joindre les deux bouts à la fin du mois. »

C'est la raison même de vos difficultés — vous n'avez pas encore compris l'importance d'une raison de vivre. Si vous aviez compris, vous ne considéreriez pas votre vie comme un combat.

---

4.   Pour faire un don à la Fondation Terry Fox pour la recherche sur le cancer, appelez le 416-924-8252, ou visitez leur site Internet au *www.terryfoxrun.org*.

Dans notre métier de formateurs, notre plus gros défi est d'amener les gens à comprendre à quel point ceci est crucial pour leur avenir. Ne serait-ce pas merveilleux d'avoir un bouton « Raison de vivre » pré-programmé sur la tête qu'il vous suffirait de pousser pour que votre véritable raison de vivre devienne soudain claire? Évidemment, il faut beaucoup plus. Le reste de ce chapitre vous éclairera bien davantage.

Voici la prochaine étape pour éveiller votre raison de vivre.

4.
Découvrez
votre RAISON DE VIVRE

Comme nous l'avons dit plus haut, la plupart des gens n'ont pas une raison de vivre bien définie. Pour vous aider à trouver la vôtre, voici quelques questions sérieuses. Prenez le temps de bien réfléchir avant de répondre. Si vous êtes en panne, ou si vous vivez une phase transitoire importante, pensez à prendre quelques jours dans un endroit isolé pour réfléchir à ce que vous voulez faire de votre vie. Il est impossible de prendre d'excellentes décisions au milieu du tourbillon des activités quotidiennes. Il est impossible de réfléchir dans l'action! Si vous ne possédez pas votre propre sanctuaire, il existe probablement des lieux de retraite dans votre région. Consultez les Pages Jaunes. Votre église pourrait aussi vous aider.

David McNally, auteur des best-sellers *Even Eagles Need a Push* et *The Eagle's Secret,* a réalisé une superbe vidéocassette sur Terry Fox, laquelle a remporté des prix. (Voir les détails dans le Guide ressources.) Cette vidéocassette est vraiment une inspiration. David est considéré comme une autorité en matière de développement personnel et professionnel. Il est l'auteur d'un exercice très important en dix questions qu'il a nommé *Découvrir et réaliser sa raison de vivre* (voir le Plan d'action). Ce sont des questions fondamentales. Donnez-vous toutes les chances — prenez quelques minutes pour faire l'exercice — il pourrait s'avérer une grande découverte pour vous. Mais avant, terminez la lecture de ce chapitre. Ce faisant, vous comprendrez mieux comment définir votre raison de vivre.

Voici quelques considérations importantes : votre quête commence avec la reconnaissance de vos habiletés et de vos talents spéciaux. En quoi excellez-vous ? Qu'aimez-vous vraiment faire ? Le Plan d'action du chapitre 2, Atelier : *Focus* sur les priorités, vous a permis de répondre à ces questions. La plupart des gens stagnent au travail. Ils deviennent blasés et s'installent dans une routine. C'est très frustrant. Souvent, c'est parce qu'ils manquent de défi. Leur travail ne fait pas appel à leurs forces et ils finissent pas faire des choses qui les vident de leur énergie au lieu d'être inspirés par un projet grandiose. Vous reconnaissez-vous dans ce portrait ?

Travailler avec une raison de vivre signifie aussi que quelque chose vous tient profondément à cœur. Vous ne vous sentez pas obligé de performer, c'est la passion qui vous guide. Terry Fox était extrêmement ému par les jeunes victimes du cancer. Cela l'a soutenu chaque jour, en dépit des difficultés.

Quand vous avez une raison de vivre, vous avez l'impression de contribuer à quelque chose. Et vous n'avez pas besoin d'être célèbre. Vous pouvez avoir un impact significatif sur votre propre communauté. Votre niveau d'enthousiasme est un autre facteur important dans la recherche de la voie à suivre. Pensez-vous surtout en termes de « Je dois faire… » ou de « Je choisis de faire… » ? Comme nous l'avons mentionné plus tôt, vivre en mode « Je choisis de faire… » vous donne de la force. Vous vous sentez plein d'énergie. Quand votre raison de vivre dépasse votre personne, la qualité de votre engagement augmente également. À mesure que votre raison de vivre se manifestera, vous développerez une philosophie de vie unique et un point de vue dans une *Vision globale*. Les tâches routinières et superficielles deviennent moins importantes quand votre travail prend une nouvelle signification.

Pour vivre pleinement, vos buts doivent épouser votre raison de vivre. Si vous ne pensez qu'à mettre le *focus* sur faire de l'argent, vous raterez une grande partie de la vie.

DILBERT reproduit avec l'autorisation de United Feature Syndicate, Inc.

5.
Déclaration
de RAISON DE VIVRE

Plusieurs entreprises ont dépensé de fortes sommes pour élaborer des déclarations de mission. En règle générale, cette tâche concerne les cadres supérieurs de l'entreprise. Parfois, on retient les services d'un conseiller en gestion. Il en résulte habituellement trois ou quatre paragraphes de clichés et de bonnes intentions. Souvent, on reproduit la mission sur une belle plaque qu'on accroche dans l'entrée principale du bureau. Malheureusement, dans plusieurs entreprises, les choses en restent là. Il est encore plus triste de constater que, lorsqu'on leur demande, la plupart des employés de l'entreprise sont incapables de réciter la déclaration de mission. Elle ne fait jamais partie de la culture de l'entreprise. Trop souvent, c'est une autre idée conçue par la direction, une autre saveur du mois.

LES :

Je devais faire une allocution devant les membres du conseil d'administration d'une grande chaîne d'alimentation. Je savais qu'ils avaient une déclaration de mission et qu'ils s'apprêtaient à la mettre à jour. J'ai donc appelé au hasard un certain nombre de leurs magasins et j'ai demandé à la personne qui me répondait : « Pourriez-vous me réciter la mission de votre entreprise, s'il vous plaît? » Personne n'a pu répondre à ma question. Un gérant m'a dit : « Je crois que nous en avons un exemplaire quelque part. Il faudrait que je fouille dans mes classeurs. » Et tant pis pour une mission bien appliquée!

Si vous êtes propriétaire d'une entreprise ou un décideur important, examinez bien ces suggestions. D'abord, modifiez l'appellation « Déclaration de mission » pour « Notre raison de vivre ». En général, les employés comprendront mieux cette expression qu'une mission. Gardez le texte simple et bref pour que tous les employés puissent le mémoriser. Une phrase puissante que chacun peut mettre en pratique chaque jour fera plus qu'une longue déclaration verbeuse oubliée dans un classeur.

Un bon exemple est celui de Harry Rosen Men's Wear, une chaîne de vêtements haut de gamme. Voici leur déclaration : « Aller plus loin que les attentes de nos clients. » Elle est imprimée au verso des cartes d'affaires des employés et chacun d'eux la connaît. Chaque employé est aussi autorisé à mettre cette déclaration en pratique. Par exemple, si vous achetez des pantalons qui nécessitent des retouches et que vous en avez besoin demain, mais vous ne pourrez pas venir les prendre, le vendeur s'assurera de vous les faire livrer par messager. Pas de problème. C'est ça aller plus loin. Nous vous suggérons de limiter votre déclaration personnelle de raison de vivre à une phrase significative. Rédigez-la de façon telle que vous puissiez l'appliquer dans une multitude de situations quotidiennes.

LES :

Ma déclaration de raison de vivre est la suivante : **Aider le plus grand nombre de personnes possible pendant ma vie, pour améliorer la leur de façon significative.** Cela me donne une multitude de possibilités. Je peux aider les gens d'affaires par notre programme de trois ans, le *Achievers Coaching Program* (Programme d'entraînement des Gagneurs). Je peux aussi partager mes idées en écrivant des livres et des articles pour les magazines, et en enregistrant des cassettes. Ou, je peux simplement offrir un mot d'encouragement et un sourire à une personne qui en a besoin, par exemple, une serveuse qui est sous pression parce que le restaurant manque de personnel. Ou encore, un préposé au stationnement qui parle rarement avec les clients, car ils sont trop pressés pour prolonger les salutations.

JACK :

Ma déclaration de raison de vivre est la suivante : **Inspirer et aider les gens à s'assumer afin qu'ils vivent leur plus grand idéal dans une atmosphère d'amour et de joie.** Comme l'a dit Les plus haut, les occasions et les tribunes sont nombreuses pour réaliser ces choses. Je peux écrire des livres, diriger des séminaires, prononcer des allocutions, écrire des articles, faire des entrevues à la radio et à la télévision, motiver et être un mentor pour mon personnel, consulter d'autres organisations, développer un programme pour les étudiants à risque du secondaire dans les quartiers défavorisés, ou simplement inspirer la personne assise à mes côtés dans l'avion.

MARK :

Ma déclaration de raison de vivre est la suivante : **Inspirer mon auditoire par des paroles sages afin que leur monde soit meilleur.** Mon auditoire peut varier de plusieurs milliers de personnes dans un grand congrès à quelques personnes dans une salle du conseil. Ou encore, comme Les et Jack, mon auditoire peut aussi être une seule personne pendant dix minutes. Il est étonnant de constater comment on peut toucher une personne avec quelques mots d'encouragement bien choisis et du soutien. Parfois, il suffit d'un court moment pour apporter un changement positif.

Nous avons également préparé une déclaration de raison de vivre pour notre série *Bouillon de Poulet pour l'âme*. Elle dit simplement :

> CHANGER LE MONDE,
> UNE HISTOIRE À LA FOIS.

6.
Comment développer votre RAISON DE VIVRE

Pour vous aider à développer encore plus votre raison de vivre, vous allez découvrir une méthode unique d'élargir votre conscience. On l'appelle le *Niveau d'être*.

Nous avons déjà parlé du travail de pionnier de George Addair. George est un homme remarquable qui a consacré sa vie à ce qu'il appelle « L'œuvre ». Celle-ci comprend des groupes d'étude spéciaux et des programmes de connaissance de soi qui transforment les participants. En 1999, plus de trente mille personnes avaient obtenu leur diplôme de ses programmes Omega Vector et Delta Vector. (Voir le Guide ressources pour plus d'information.)

La recherche incessante de George pour comprendre les principes les plus fondamentaux de la vie lui a fait découvrir ce code unique qui permet de vivre à un niveau plus élevé. Pour bien comprendre comment fonctionne le Niveau d'être, lisez plusieurs fois les pages qui suivent jusqu'à ce que vous en saisissiez tout le sens. Si vous n'êtes pas totalement conscient de ces vérités fondamentales, vous demeurerez enlisé, insatisfait, incapable de récolter les plus grandes récompenses de la vie.

Pour faciliter la compréhension de ce concept, nous allons le diviser en trois parties. D'abord, vous apprendrez la différence entre croissance personnelle et l'expression « Niveau d'être ». Ensuite, nous identifierons les étapes fondamentales de l'évolution humaine. Ne vous inquiétez pas, il ne s'agit pas d'une longue leçon détaillée d'histoire. En tant que penseurs axés sur l'essentiel, nous aimons arriver rapidement au cœur du sujet. Enfin, vous découvrirez de façon détaillée comment le Niveau d'être fonctionne et la relation importante qui l'unit aux deux premiers sujets. Quand vous serez en mesure de bien synchroniser ces trois éléments et de les mettre en application, vous serez à peu près certain de réussir votre vie.

> *Je ne suis pas née juste pour vivre,*
> *je suis ici pour faire avancer les choses.*
> — Helice Bridges

7.
Croissance personnelle
et NIVEAU D'ÊTRE

Regardez le graphique à la page 322. Il illustre la relation entre la croissance personnelle et le temps. Toute croissance personnelle est verticale. On la décrit souvent par des métaphores comme *viser le niveau supérieur, atteindre le sommet, escalader la montagne, s'élever ou être à la hauteur de son potentiel.*

D'autre part, on décrit l'échec comme une descente, et les métaphores sont plutôt les suivantes : *toucher son bas-fond, être dans le trou, régresser, faire du sur-place,* et autres.

L'autre axe, celui du temps, est horizontal. Cela situe le passé derrière nous et l'avenir devant.

En réalité, aucun des axes n'est directionnel. L'axe haut/bas représente votre *Niveau d'être.* L'axe gauche/droite représente *le non-être,* un état d'illusion, parce que votre passé est déjà mort et que votre avenir n'est pas encore né. À l'intersection des deux axes se situe le « ici et maintenant », c'est-à-dire votre situation actuelle. Comme vous le verrez dans quelques minutes, plus vous êtes élevé dans l'échelle verticale, plus vous pouvez comprendre comment fonctionne la vie.

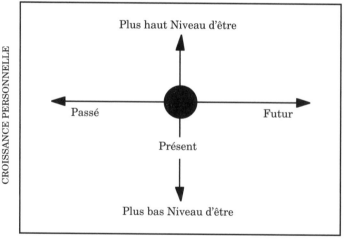

Croissance personnelle et Niveau d'être

Plus haut Niveau d'être

CROISSANCE PERSONNELLE

Passé — Présent — Futur

Plus bas Niveau d'être

TEMPS

Reproduit avec l'autorisation de George Addair.

Le cercle symbolise votre Niveau d'être actuel, en d'autres mots, votre situation présente. Le style de vie n'est pas relié au temps. Le succès et l'échec d'une personne ne sont déterminés que par son Niveau d'être.

La prochaine étape de ce casse-tête est de comprendre que l'évolution humaine se divise en trois grandes catégories : l'étape de l'*Enfance,* l'étape *Adulte* et l'étape de la *Prise de conscience de soi.* L'étape de l'Enfance est mécanique et inconsciente, le domaine du sommeil intérieur. Remarquez que nous parlons aussi bien des adultes que des enfants. L'étape Adulte implique un véritable réveil. Malheureusement, certains ne se réveillent jamais; ils demeurent prisonniers dans les plus bas niveaux de conscience. Aux niveaux supérieurs, les gens qui ont atteint le niveau de la Prise de conscience de soi savent quelle est leur raison de vivre et ont une philosophie de vie bien articulée. Nous élaborerons ce concept plus tard.

D'abord, il faut faire une autre distinction importante : la différence entre les *événements* et les *états.* Le monde extérieur dans lequel nous évoluons est une série d'événements. C'est ce qui se passe dans notre monde chaque jour. Cependant, notre monde intérieur est fait d'états. Ceux-ci comprennent une large gamme d'émotions, d'instincts et d'intuition. Ces états déterminent notre Niveau d'être, ou de conscience.

La phrase suivante est cruciale. Ce n'est que lorsque vous pourrez faire une distinction consciente entre les événements (votre monde extérieur) et les états (votre monde intérieur) que vous saurez comment la vie fonctionne vraiment. Par exemple, votre style de vie (niveau de vie) actuel est déterminé par vos états intérieurs de conscience, *et non* par des événements extérieurs. Il est impossible de vivre un bas Niveau d'être intérieurement et, en même temps, un haut Niveau d'être extérieurement. La plupart des gens ne comprennent pas ceci — ils cherchent à manipuler les événements extérieurs pour atteindre le succès. Cela ne marche jamais. La seule façon de connaître un plus haut niveau de succès, incluant la liberté financière, la satisfaction au travail et des relations plus enrichissantes, est de changer votre Niveau d'être intérieur. Pour apprécier pleinement toute la gamme des Niveaux d'être, étudiez le graphique à la page 325. Chaque niveau correspond à un barreau d'une échelle. Chaque fois que vous en gravissez un échelon, votre conscience et votre capacité d'obtenir ce que vous désirez augmentent.

DÉFINITION DES NIVEAUX D'ÊTRE

Le niveau de vie, le style de vie, la prospérité et la pauvreté d'une personne sont déterminés non pas par les événements ou les circonstances du monde extérieur, mais par l'état de son Être intérieur. Il est impossible de vivre un faible Niveau d'être intérieurement et, en même temps, de connaître un haut niveau de succès extérieurement. La liste de la page 325 donne plusieurs exemples de ces États intérieurs ou Niveaux d'être.

Examinons de plus près les Niveaux d'être d'un point de vue pratique. Les échelons inférieurs de l'échelle sont ceux du niveau Mécanique ou endormi, aussi nommés Étape de l'enfance. Les gens à ce niveau ne sont habituellement pas intéressés à apprendre ou à améliorer de façon significative leur qualité de vie. Ils possèdent un niveau limité de conscience. On pourrait dire qu'ils sont inconscients de l'existence d'un niveau supérieur. Pour eux, la vie est routinière et simple. Leur principale préoccupation est la sécurité et la survie. Tant qu'ils peuvent préserver le *statu quo,* conserver un emploi, regarder un peu la télévision et payer les comptes, ils survivront. Ils ont tendance à blâmer les événements et les autres pour leur manque de succès, mais ils ne sont pas prêts à changer. En conséquence, ils stagnent. Connaissez-vous de telles personnes?

Comprenez-nous bien. Nous ne disons pas que ceci est mal. Comme vous le savez, tout dans la vie est question de choix. Si vous choisissez ce Niveau d'être, alors vous y resterez. Effectuer une transition nécessite un mouvement vertical. Cela n'a rien à voir avec le temps. Ce concept est fondamental. Travailler plus fort et plus longtemps chaque jour ne fera que vous apporter plus de ce que vous avez déjà.

Exemples de Niveaux d'être

ÉTAT D'AUTONOMIE : Haute estime de soi et validation de soi. Motivé de l'intérieur. Suit la « Voix intérieure ». Libéré de tous les besoins, il aide les autres de façon désintéressée. Ne ressent aucune résistance.	Conscient et éveillé
ÉTAT PERMISSIF : Accepte la vie inconditionnellement. Présente une habileté de leadership invisible. Inoffensif pour tous. Possède un pouvoir personnel. Vit chaque jour sans porter de jugement et accepte la vérité sans blâmer les autres.	(Étape de la prise de conscience de soi)
DÉCOUVERTE DE L'AMOUR : Apprend et pratique le don et l'amour inconditionnel. Accepte facilement, indulgent. Commence à apprécier d'être sans malice.	Éveil (Étape adulte)
ÉTAT D'ÉVEIL : Explore le comportement gagnant-gagnant. Devient intuitif. Prend des risques conscients. Apprend à donner plus au lieu de prendre. Commence à partager ses émotions. Réfléchit aux situations, utilise sa raison.	
AMOUR DE SOI ET INSTINCTS DE VANITÉ : Juge les autres, rationalise et justifie pourquoi sa vie va mal. Vit souvent dans le déni — utilise les représailles — est réactif — intellectualise. Comportement mécanique dépendant.	Mécanique ou endormi (Étape de l'enfance)
INSTINCTS DE SÉCURITÉ : Défensif — craintif — tendance à s'inquiéter — jaloux — blâme les autres et les événements pour son manque de succès. Agit pour avoir l'approbation — veut attirer l'attention. Présente un comportement mécanique dépendant.	
INSTINCTS DE SURVIE : Possessif — territorial — comportement contrôlant et agressif. Fait appel à des méthodes agressives et des menaces pour garder le contrôle. Comportement mécanique dépendant.	

Reproduit avec l'autorisation de George Addair.

Pour accéder à un Niveau plus élevé d'être, il vous faudra découvrir comment la vie fonctionne vraiment.

Un peu plus haut sur l'échelle, nous trouvons les gens qui sont bloqués par la culpabilité et le doute d'eux-mêmes. Souvent, les gens qui sont à ce Niveau d'être recherchent l'approbation des autres. Ils ne se valorisent pas. Ils ont donc tendance à ne pas atteindre leurs objectifs et à ne pas terminer ce qu'ils entreprennent. Il est intéressant de noter qu'ils ont toutes sortes d'excuses pour leur manque de progrès. D'autres traits qui les caractérisent sont le besoin d'avoir raison et une tendance à être très égocentriques.

Un peu plus haut sur l'échelle, nous entrons dans l'Étape adulte, là où le processus d'éveil commence. Quand vous atteignez ce Niveau d'être, votre vie est faite de risques conscients, vous commencez à comprendre le gagnant-gagnant et à donner au lieu de prendre. Vous pouvez maintenant partager vos émotions avec confiance et il est apparent que vous recherchez une vie qui a un sens.

Si vous allez plus haut dans l'échelle des Niveaux d'être, vous atteignez l'Étape de la prise de conscience de soi. À ce point, vous êtes totalement conscient et éveillé, ce qui demande que vous fassiez preuve d'une intégrité totale dans toutes vos actions. Ce n'est pas facile. Peu de gens vivent leur vie dans cette atmosphère raréfiée. À mesure que vous devenez plus conscient, vous vous attardez moins aux événements et vous avez besoin de moins de biens matériels. Aider les autres devient plus important et vous ne sentez plus de résistance.

Au plus haut niveau, vous peaufinez constamment vos talents spéciaux. Ceci vous apporte plus d'occasions d'aider. Votre vie commence à couler au lieu d'être une série d'événements non reliés et de situations de stress. Vous savez intuitivement quelles sont les bonnes décisions et dans quelle direction aller. En retour, ceci vous aide à devenir de plus en plus autonome et vous êtes guidé par votre propre sens de la destinée.

Voici la grande question : Où vous situez-vous dans l'échelle ? À quel Niveau d'être êtes-vous ? Un mot de prudence s'impose ici. Il vous serait facile de dire que vous montez ou descendez l'échelle selon les jours. En vérité, certains de vos comportements sont plus fréquents que d'autres. Ce sont vos habitudes dominantes — votre véritable Niveau d'être.

Comprenez bien ceci. Avant de pouvoir grimper au barreau suivant sur l'échelle, vous devez lâcher prise sur celui où vous êtes en ce moment. N'oubliez pas qu'il y a ici une étape de transition. À un certain moment, vous aurez lâché le barreau mais vous ne pourrez pas encore atteindre le suivant. C'est la partie la plus angoissante — l'incertitude de ne pas savoir si vous atteindrez le niveau suivant. Ceci crée un doute. La peur mêlée au doute est une combinaison puissante qui peut vous paralyser au niveau où vous êtes actuellement. La seule façon d'aller plus haut est d'accepter le changement et de prendre le risque. C'est comme sauter dans la piscine pour la première fois. Si vous ne savez pas nager, votre peur de ne pas refaire surface pourrait vous garder en dehors de l'eau pour toujours. En vérité, vous referez surface, mais vous devez d'abord sauter pour le découvrir.

8.
Faites une Liste d'arrêt

Vous pouvez accélérer votre ascension vers un plus haut Niveau d'être en dressant une Liste d'arrêt. Pour vous aider, nous avons inclus à la fin de ce chapitre, un exercice que nous avons appelé « Votre Liste d'arrêt personnelle ». C'est une liste de toutes les choses que vous faites et qui vous retiennent, qui vous empêchent de monter dans l'échelle. N'oubliez pas que rien ne changera jusqu'à ce que vous changiez. Insistez sur l'habitude de changer invariablement vos habitudes. Ce faisant, vous commencerez à apprécier la joie de vivre la vie à ses plus hauts niveaux.

LES PRINCIPES DE LA VIE

Sachez ce que vous voulez.
Sachez pourquoi vous le voulez.

Découvrez vos talents.
Utilisez-les chaque jour.

Travaillez fort.
Travaillez intelligemment.

Donnez sans condition.
Aimez sans condition.

Découvrez votre raison de vivre.
Vivez votre raison de vivre.

CONCLUSION

Vivre votre vraie raison de vivre au plus haut Niveau d'être indique que vous voulez faire avancer les choses. C'est la position la plus épanouissante qui soit, et elle offre de magnifiques récompenses. Vous serez heureux, vous aurez la tranquillité d'esprit et vous exprimerez, de la façon la plus significative possible, les talents que Dieu vous a donnés.

Alors, poursuivez votre quête. Efforcez-vous de vous comprendre davantage et de connaître le rôle qui vous est destiné. C'est le voyage d'une vie. Chemin faisant, vous devrez devenir plus responsable, ce qui demande de faire différents choix, dont certains seront sans doute difficiles. Comme vous le verrez dans notre Mot de la fin, qui suit ce chapitre, c'est l'engagement ultime… l'engagement de changer.

LA VIE EST COURTE.

À PARTIR D'AUJOURD'HUI,
FOCALISEZ VOTRE ATTENTION
À APPORTER VOTRE CONTRIBUTION À LA VIE.

PLAN D'ACTION

Découvrir et vivre votre raison de vivre

Les dix questions qui suivent ont été formulées pour vous aider à déterminer si votre vie est axée sur une raison de vivre. Jumelées avec les points essentiels dans ce chapitre, elles vous aideront à formuler clairement une définition d'une raison de vivre qui vous convient. Réfléchissez à chaque question avant d'y répondre, et lisez les commentaires. Par la suite, cochez simplement « Oui », « Ne sait pas/incertain », ou « Non ».

1. Connaissez-vous vos compétences et ce qui vous dynamise ?

❏ **Oui**   ❏ **Ne sait pas/incertain**   ❏ **Non**

Plusieurs personnes ne trouvent jamais leur place parce qu'elles évitent d'analyser leurs objectifs de carrière. Elles se retrouvent dans un travail sans jamais se demander : « Qu'est-ce que je fais de bien ? Quel est le genre de vie que je veux mener ? » « Quel genre de travail apporte en moi une énergie positive ? » Il est important que vous le sachiez et que vous utilisiez vos talents spéciaux.

2. Utilisez-vous pleinement vos talents préférés ?

❏ **Oui**   ❏ **Ne sait pas/incertain**   ❏ **Non**

Plusieurs personnes stagnent dans le travail. Elles pourraient faire tellement mieux, mais elles ont peur de se mettre au défi. Il y a quatre visions distinctes face à un emploi. Malheureusement, la plupart des gens se limitent aux trois premières.

A. « C'est juste un emploi. N'importe quel travail fait l'affaire, à la condition qu'il soit bien payé et que je puisse faire ce que je veux après le travail. »

B. « Il faut que le travail soit stable. J'ai besoin des avantages sociaux, des vacances et de la sécurité d'un emploi permanent. »

C. « Je veux de la substance et du contenu dans ma profession, mon métier ou ma vocation. Je veux utiliser mes talents et relever des défis. »

D. « Le travail n'a pas rapport avec l'argent; le travail est la voie qui mène à une connaissance plus approfondie et à une croissance personnelle. Le travail me permet de mettre le *focus* sur une action que je crois vraiment qu'il faille accomplir dans cette organisation, dans ce milieu ou dans le monde. »

3. Votre travail soulève-t-il chez vous de l'intérêt ou des questions qui ont une grande importance pour vous?

❏ **Oui**   ❏ **Ne sait pas/incertain**   ❏ **Non**

La base de toute raison de vivre est le souci des autres. Il est nécessaire d'être ouvert à tout ce qui nous entoure. Pour développer le souci des autres, il faut être conscient. Vous ne devriez pas vous laisser accabler par un sens du devoir ou une obligation. Quand vous vous souciez naturellement des autres, c'est parce que quelque chose vous a profondément touché et ému. »

4. Croyez-vous que, par votre travail, vous apportez une contribution au monde?

❏ **Oui**   ❏ **Ne sait pas/incertain**   ❏ **Non**

Le « syndrome rongé par la rouille » est très répandu dans notre société actuelle. Car tant de gens trouvent le travail dénué de sens qu'ils en perdent toute motivation. Le travail doit offrir plus que de l'argent et un statut; il doit vous offrir la chance de changer quelque chose.

5. Entreprenez-vous la plupart de vos journées avec enthousiasme?

❏ **Oui**   ❏ **Ne sait pas/incertain**   ❏ **Non**

Quand vous avez une raison de vivre plus grande que vous-même, vous vous sentez davantage engagé et vous êtes plus enthousiaste. N'oubliez pas que le temps passe très vite. Abordez donc chaque journée et chaque tâche avec zèle.

6. Avez-vous développé votre propre philosophie de vie et de succès?

❏ **Oui**   ❏ **Ne sait pas/incertain**   ❏ **Non**

Chacun a besoin de principes de vie. Trop de gens, toutefois, acceptent les valeurs des autres sans jamais développer les leurs. Ils ne réfléchissent pas assez à leur vie; ils s'inquiètent plutôt d'obtenir l'approbation des autres. Le vrai pouvoir se manifeste en pratiquant ses valeurs personnelles profondes.

7. Prenez-vous les risques nécessaires pour vivre selon votre philosophie?

❏ **Oui**   ❏ **Ne sait pas/incertain**   ❏ **Non**

Personne n'est jamais totalement certain de la voie à suivre, mais ceux qui ont le courage de croire en eux et en leurs idées, en incluant le risque de perdre un peu, sont de vrais hommes et de vraies femmes. Vous devez oser — avoir le courage, être fidèle à vous-même.

8. Sentez-vous que votre vie a un sens, une raison d'être?

❏ **Oui**   ❏ **Ne sait pas/incertain**   ❏ **Non**

Terry Fox est un exemple merveilleux de quelqu'un qui a ressenti profondément sa raison de vivre. Son souvenir nous motive à élever nos propres attentes sur ce que nous pouvons être. Vous pouvez choisir de focaliser votre énergie sur ce qui vous procure les sentiments les plus profonds. Vous pouvez consacrer votre temps et vos talents à des personnes, des engagements, des idées et des défis qui vous semblent significatifs.

9. Avez-vous des buts actifs cette année concernant votre raison de vivre?

❑ Oui ❑ Ne sait pas/incertain ❑ Non

La raison de vivre, comme élément de notre vie, nous sert d'inspiration. En réalité, ce sont nos buts qui nous motivent jour après jour. Notre vie est vide quand nous n'avons pas d'idéal à atteindre. Par contre, les buts, bien qu'ils ne soient pas toujours faciles à atteindre, procurent la satisfaction du travail accompli, ce qui en retour rehausse notre valeur propre.

10. Vivez-vous pleinement votre vie actuellement, au lieu d'espérer que les choses finiront bien par s'arranger un jour?

❑ Oui ❑ Ne sait pas/incertain ❑ Non

Pourquoi attendre de gagner à la loterie? Utilisez votre potentiel maintenant au lieu de l'apporter avec vous dans la tombe. C'est maintenant qu'il faut vivre selon vos valeurs et avec une raison de vivre.

SOURCE : *The Power of Purpose.*

Comment évaluer vos résultats :

- Pour chaque **oui,** accordez-vous un **0.**
- **Ne sait pas/incertain**, accordez-vous un **1.**
- Pour chaque **non**, accordez-vous un **2.**

Additionnez votre pointage. Comme ces questions sont subjectives, il n'y a pas de bonnes ou de mauvaises réponses. Toutefois, l'analyse de votre pointage vous donnera une idée générale. Voici comment cela fonctionne.

Si vous avez entre 0 et 7, votre vie est assez en *focus*, vous avez un sens de la direction et vous voulez apporter votre contribution à la société.

Si vous avez entre 8 et 15, vous avez une idée de votre raison de vivre, mais vous devez mieux définir votre engagement. Vivez-vous vraiment selon vos valeurs et « faites-vous ce que vous dites » chaque jour?

Si vous avez entre 16 et 20, vous courez le risque de ne pas utiliser votre potentiel et de gaspiller votre vie. Veuillez noter ceci : ce pointage élevé peut aussi signifier que vous êtes au milieu d'une crise ou d'une transition majeure.

Maintenant que vous avez eu l'occasion de réfléchir à ce qu'une raison de vivre signifiante est pour vous, rédigez une déclaration d'une phrase qui saisit l'essence de votre raison de vivre telle que vous la voyez en ce moment.

Choisissez vos mots avec soin et, comme toujours, soyez précis.

_____

_____

_____

Pour renforcer votre raison de vivre, répétez cette déclaration chaque jour. Imprimez-la sur une carte spéciale que vous pouvez conserver près de vous. Développez l'habitude de réaffirmer votre déclaration de raison de vivre jusqu'à ce qu'elle devienne profondément ancrée dans votre subconscient. C'est le catalyseur qui changera votre comportement et vous permettra d'apprécier votre existence avec une raison de vivre.

Si vous ne pouvez pas rédiger une déclaration significative après avoir complété ce questionnaire, ne vous en inquiétez pas trop. Souvent, il faut des mois (et parfois des années) pour clarifier cela. Ce qui vous aidera, c'est de continuer à chercher et à réfléchir à ce que vous faites et pourquoi. Éventuellement, les réponses se présenteront à vous d'elles-mêmes.

Votre Liste d'arrêt personnelle

Dressez une liste de toutes les choses que vous devez cesser de faire ou que vous voulez abandonner pour faciliter votre transition vers le Niveau d'être suivant. Soyez précis. Pensez à votre carrière, à vos finances, à vos relations, à votre santé, à votre philosophie et à votre attitude.

Voici quelques exemples :

1. Cesser de dépenser sans compter.
2. Cesser d'être en retard.
3. Cesser les relations toxiques.
4. Cesser de blâmer les autres pour ce que vous n'avez pas.
5. Cesser de vous déprécier par des pensées négatives à votre endroit.

Avoir une raison de vivre

Prendre des mesures décisives

Persévérance tenace

Demandez ce que vous voulez

Le facteur confiance

Développer d'excellentes relations

Créer l'équilibre optimal

Avez-vous une vision globale?

Pas de la magie, une question de *focus*

Vos habitudes définiront votre futur

Félicitations — vous avez réussi!

*Maintenant, servez-vous de votre force
de* focus *pour aider les autres.*

MOT DE LA FIN...

C'est votre vie...
Relevez le défi!

« Rire beaucoup et souvent;
gagner le respect des gens intelligents
et l'affection des enfants;
apprécier les critiques honnêtes
et supporter la trahison de faux amis;
goûter la beauté,
trouver le meilleur chez les autres;
rendre le monde un peu meilleur, que ce soit
par un enfant en santé, un coin de jardin
ou une condition sociale meilleure;
savoir qu'une seule vie est plus douce
parce que vous avez vécu.
Voilà le succès. »
— RALPH WALDO EMERSON

Félicitations, vous avez lu ce livre d'une couverture à l'autre. Si vous êtes l'une de ces personnes qui aiment aller voir les quelques dernières pages pour en connaître la fin — hélas! vous faites probablement la même chose dans beaucoup de domaines de votre vie. Comprenez qu'il n'y a pas de raccourcis pour construire une vie riche. C'est un processus continu. Il faut y mettre le temps, de vrais efforts et un désir de vous améliorer. C'est un défi louable. Toutefois, votre plus grand défi commence demain. Comment mettrez-vous en pratique ce que vous avez appris dans les pages de ce livre? Toutes les stratégies que nous avons partagées avec vous sont vraiment efficaces. Elles peuvent améliorer énormément votre vie. À la condition que vous choisissiez de les utiliser.

Nous sommes tous confrontés à des décisions difficiles. Cela fait partie du dilemme humain. Quelle voie choisirez-vous, celle-ci ou celle-là? Il n'y a certainement pas de garantie absolue quand vient le temps de tracer votre itinéraire personnel de vie vers un meilleur avenir. Toutefois, les habitudes fondamentales que nous avons partagées avec vous tout au long de ce livre vous seront très utiles pour faire en sorte que votre vie personnelle et vos affaires dépassent tout ce que vous avez imaginé. Elles ont fonctionné dans notre cas et dans celui de milliers d'autres. Relevez le défi. Prenez la décision maintenant de reprendre le *focus* et de devenir la meilleure personne possible, un jour à la fois.

Il est temps maintenant de vous faire entendre. Vous avez le choix de dire : « C'étaient des informations intéressantes », pour mettre ensuite le livre sur une tablette et reprendre vos vieilles habitudes. Il serait dommage d'agir ainsi parce que votre vie ne changera pas beaucoup. Si vous avez pris le temps de lire ce livre, de toute évidence vous voulez améliorer des choses.

Ce que vous avez lu vous rend dorénavant plus conscient du fonctionnement de la vie. Vous n'avez donc plus d'excuses pour des échecs futurs, à moins que vous négligiez d'apporter les changements nécessaires. Il y a des milliers de personnes, comme vous, qui ont transformé leur vie pour en faire de merveilleuses histoires de succès simplement parce qu'elles ont décidé de changer.

Vous pouvez faire la même chose. Vous le pouvez vraiment. Croyez en vous. Imprégnez-vous du savoir que vous avez recueilli dans ces pages et mettez le *focus* sur le premier pas, quel qu'il soit. Faites-en une priorité. Puis, allez-y d'un autre pas et, dans peu de temps, votre vie *changera*. Nous vous le garantissons. Avec un peu de pratique et de persévérance, de nouvelles habitudes deviendront bien enracinées. Dans un an, vous direz : « Vois comme j'ai changé, et regarde les résultats — je peux à peine y croire! »

Reportez-vous souvent à ces stratégies. Utilisez-les comme un guide constant pour vous venir en aide. N'oubliez pas que vous *pouvez* vraiment contribuer à changer ce monde. C'est votre responsabilité de le faire, et aussi votre destin. Allez de l'avant maintenant avec courage et un nouvel espoir. Votre futur vous appartient — saisissez-le à pleines mains.

Nous vous souhaitons la santé, la joie et la prospérité en abondance pour les années à venir.

P.-S. — Nous aimerions savoir comment ces stratégies ont réussi dans votre cas. Faites parvenir votre histoire d'une réussite à : Achievers, P.O. Box 30880, Santa Barbara, CA 93130. Vous pouvez envoyer une télécopie à (403) 730-4548, ou un courriel à *achievers@nucleus.com*.

ACCÉLÉREZ VOS PROGRÈS
AVEC DES EXPERTS EN FORMATION!

Le Achievers Coaching Program
(Programme d'entraînement des gagneurs)

*Un système éprouvé pour vous aider
à mettre le focus sur vos forces, afin de maximiser votre revenu
et d'avoir beaucoup plus de temps pour vous amuser.*

Les **Achievers Coaching Program** (Programme d'entraîne-ment des gagneurs), ce sont de petits groupes de gens d'affaires qualifiés qui sont motivés pour se lancer vers un plus haut niveau de performance et vers des revenus encore plus élevés. Chaque groupe se réunit tous les deux mois pour une journée complète sous le leadership d'un entraîneur d'expérience, un **Achievers Coach** (Entraîneur des gagneurs).

Le but de cette pause régulière est de réfléchir, de faire le *focus* de nouveau et de mesurer vos progrès, et aussi de faire du remue-méninges avec d'autres participants. Nous vous montrerons com-ment créer des *Plans d'action* pour une *Vision globale* qui triple-ront vos revenus et doubleront vos temps libres. De plus, nous vous apprendrons comment éliminer la procrastination, la pres-sion du temps et le stress inutile.

Le *Achievers Coaching Program* vous aidera à mettre en place les stratégies de *focus* que vous aurez apprises dans ce livre. Pour plus de détails et d'information, utilisez notre numéro de téléphone sans frais.

Téléphonez aujourd'hui pour obtenir votre exemplaire GRATUIT de la Carte de pointage Achievers [*The Achievers Scorecard*] — une liste de contrôle révélatrice en seize points qui identifiera clairement vos forces et vos faiblesses.

Téléphone sans frais : 877-678-0234

Téléphone : 403-295-0500   Télécopieur : 403-730-4548
Courriel : achievers@nucleus.com
Site Internet : www.achievers.com

* Pour des exemples de résultats auxquels vous pouvez vous attendre avec ce programme de formation de pointe, voir page suivante.

LA FORMATION
EST-ELLE VRAIMENT EFFICACE?

La meilleure réponse est de vous montrer des résultats

« *Achievers* m'a aidé à acquérir une vision globale. Je récolte maintenant des résultats, et je m'entoure d'experts. Au cours des deux dernières années, mes revenus ont plus que doublé. »

JOHN DAFOE
Directeur associé, Tomko Sports Systems

« Ma carrière dans les affaires s'achève et je songe à la retraite. *Achievers* m'a aidé à changer de nombreuses habitudes en affaires et m'a donné un nouveau *focus* pour le reste de mes jours. »

DALE TUFTS
Fondateur, Winterhawk Petroleum
Consulting Services Ltd.

« Grâce à vos stratégies de ventes, nous avons augmenté nos revenus de 200 000 $, et il ne s'agissait que d'un seul client! »

LORI GREER
Directrice nationale des ventes,
Company's Coming Publishing Ltd.

« C'est merveilleux de consacrer une journée tous les deux mois pour une réflexion profonde et une analyse de soi. La méthode *Achievers* m'a aidé à simplifier des choses et à jouir d'une meilleure qualité de vie. »

ROB HUNT
Vice-président, Akita Drilling Ltd.

« Nous en sommes à notre treizième année en affaires. Mon plus gros défi était de créer un meilleur équilibre entre le travail et la famille. *Achievers* m'a mis au défi d'apporter des changements. Cela a réussi. L'an dernier, j'ai pris trois mois de congé. Le plus intéressant est que nos ventes totales ont augmenté de 52 pour cent. »

PHYLLIS ARNOLD
Présidente, Arnold Publishing Ltd.
(gagnante du trophée ITV's Women of Vision)

« *Achievers* m'a aidé à développer de meilleurs talents organi-sationnels et un meilleur *focus*. Nous choisissons maintenant les clients avec qui nous voulons travailler dans notre cabinet d'avo-cat. De plus, je délègue plus efficacement et j'ai ainsi plus de temps libre. »

DANIEL SMITH
Associé, Gordon, Smith and Company

« Grâce à *Achievers*, je suis plus en *focus* que jamais aupara-vant. Notre chiffre d'affaires a augmenté d'au moins 25 pour cent et je prends deux fois plus de temps libre. Les discussions en ate-lier m'ont aidé à devenir plus responsable et plus ouvert aux changements. »

BARRY LLOYD
Directeur régional, Royal & Sun Alliance Financial

« Je suis plus en *focus* sur les activités qui produisent des résultats. Nous avons adapté une stratégie de l'atelier "Dévelop-per des relations" qui ajoutera 120 000 $ de plus à nos résultats financiers. C'est ce que j'appelle un bon retour sur l'investis-sement. »

RALPH PUERTAS
Président, Zep Manufacturing Company, Canada

Vous aussi pouvez obtenir des résultats semblables... et même meilleurs!

Recherchés! Partenaires sous licence

Nous sommes à la recherche de gens d'affaires ambitieux et expérimentés qui aimeraient établir le **Achievers Coaching Program** dans leur localité. Un investissement est nécessaire.

Excellentes occasions
de croissance personnelle et financière.

Pour plus d'information,
téléphonez à notre numéro sans frais.

Téléphonez sans frais à *Achievers* : 877-678-0234
Téléphone : 403-295-0500 Télécopieur : 403-730-4548
Courriel : achievers@nucleus.com
Site Internet : www.achievers.com

LE FORCE DU *FOCUS*

ATELIER D'UN JOUR
DIRIGÉ PERSONNELLEMENT PAR LES HEWITT

Dorénavant, vous et votre personnel-clé pouvez apprendre les stratégies du *focus* les plus importantes « en direct ». Idéal pour les réunions internes, les conférences, les congrès de ventes, les retraites corporatives, et autres.

Ce programme dynamique d'un jour comprend :

- une session complète sur la façon d'établir et de réaliser vos buts personnels, d'affaires et financiers, avec des *Plans d'action*;
- une méthode pour maîtriser l'habitude du *Focus* prioritaire — apprendre à dépenser 90 pour cent de votre temps à ce que vous faites le mieux et apprendre à abandonner tout ce qui vous empêche d'avancer;
- un système éprouvé qui vous promet un excellent équilibre entre le travail et la famille — sans culpabilité!

Bonus additionnel :

LA CARTE DE POINTAGE *ACHIEVERS* — Découvrez les seize stratégies utilisées par les personnes qui réussissent le mieux en affaires de nos jours. Comparez votre performance avec l'élite des gens d'affaires.

Note : Les dates sont limitées. Pour éviter les déceptions, réservez longtemps à l'avance.

Pour plus de détails et d'information sur le programme, téléphonez sans frais : 877-678-0234

Téléphone : 403-295-0500 / Télécopieur : 403-730-4548
Courriel : achievers@nucleus.com
Site Internet : www.achievers.com

GUIDE RESSOURCES

Vous trouverez ci-après une liste des livres, cassettes, vidéos et cours recommandés pour améliorer les dix stratégies de *focus* que nous avons décrites. Toutes les références mentionnées dans le livre *La force du Focus* sont incluses *(voir astérisques)*.

LECTURES RECOMMANDÉES

Atlas Shrugged, Ayn Rand. New York, New York : Division de Penguin Putnam, Plume, 1999.

*Bits & Pieces (brochures). Fairfield, New Jersey : The Economic Press Inc.

*Chicken Soup for the Soul, Jack Canfield et Mark Victor Hansen. Deerfield Beach, Floride : Health Communications, Inc., 1993.
Un 1er bol de Bouillon de poulet pour l'âme, Montréal : Éditions Sciences et Culture Inc., 1997.

*Chicken Soup for the Soul at Work, Jack Canfield, Mark Victor Hansen, Martin Rutte, Maida Rogerson et Tim Clauss. Deerfield Beach, Floride : Health Communications, Inc., 1996.
Bouillon de poulet pour l'âme au travail, Montréal : Éditions Sciences et Culture Inc., 1999.

* Chicken Soup for the Unsinkable Soul, Jack Canfield, Mark Victor Hansen et Heather McNamara. Deerfield Beach, Floride : Health Communications, Inc., 1999.

*Don't Sweat the Small Stuff... and it's all small stuff, Richard Carlson. Bolton, Ontario : H.B. Fenn & Co., 1997.

*Don't Worry, Make Money, Richard Carlson. New York, New York : Hyperion, 1997.

*Even Eagles Need a Push, David McNally. Eden Prairie, Minnesota : Transform Press, 1990.

Future Diary, Mark Victor Hansen. Costa Mesa, California : Mark Victor Hansen and Associates, 1985.

How to Handle a Major Crisis, Peter J. Daniels. Ann Arbor, Michigan : Tabor House Publishing, 1987.

How to Reach Your Life Goals, Peter J. Daniels. Ann Arbor, Michigan : Tabor House Publishing, 1985.

In Search of The Invisible Forces, George Addair. Phoenix, Arizona : Vector Publications, 1995.

It's Not What Happens to You, It's What You Do About It, W. Mitchell. San Francisco, California : Phoenix Press, 1999.

Leading an Inspired Life, Jim Rohn. Niles, Illinois : Nightingale-Conant Corporation, 1997.

* *Live and Learn and Pass It On,* H. Jackson Brown, Jr. Los Angeles, California : Rutledge Press, Inc., 1991.

Love is Letting Go of Fear, Gerald Jampolski, M.D. New York, New York : Simon & Schuster, 1995.

**Man's Search for Meaning,* Viktor Frankl. New York, New York : Pocket Books, 1984. *Découvrir un sens à sa vie,* Éd. de l'Homme, 1988.

**NLP: The New Art and Science of Getting What You Want,* Dr. Harry Alder. London, England : Judy Piatkus Ltd., 1994.

**Putting Your Faith into Action Today!* Dr. Robert H. Schuller. Garden Grove, Califonia : Cathedral Ministries, 1998.

Reclaiming Higher Ground, Lance H. K. Secretan. Toronto, Ontario : MacMillan Canada, 1996.

Relationship Selling, Jim Cathcart. New York, New York : Berkeley Publishing Group, Division of Penguin, 1990.

**Rich Dad, Poor Dad,* Robert Kiyosaki avec Sharon L. Lechter. Paradise Valley, Arizona : Tech Press Inc., 1997. *Père riche, père pauvre,* Un monde différent, 2001.

Success System That Never Fails, W. Clement Stone. New York, New York : Simon & Schuster, 1991.

**Success Through a Positive Mental Attitude,* Napoleon Hill et W. Clement Stone. Paramus, New Jersey : Prentice-Hall, 1977.

**Swim with the Sharks Without Being Eaten Alive,* Harvey Mackay. New York, New York : Ballantine Books, 1996.

Take This Job and Love It! The Joys of Professional Selling, Tim Breithaupt. Calgary, Alberta : The Professional Equity Group Ltd., 1999.

**Ten Golden Rules for Financial Success,* Gary Moore. Grand Rapids, Michigan : Zondervan Publishing House, 1996.

**The Aladdin Factor,* Jack Canfield et Mark Victor Hansen. New York, New York : Berkeley Books, Division of Penguin Putnam, 1995.

**The Bible.*

**The Eagle's Secret,* David McNally. New York, New York : Delacorte Press, 1998.

The E-Myth Revisited, Michael Gerber. New York, New York : Harper Business, 1995.

The Great Crossover, Dan Sullivan. Toronto, Ontario : The Strategic Coach Inc., 1994.

The Greatest Secret in the World, Og Mandino. New York, New York : Bantam Books, 1972. *Le plus grand secret du monde,* Un monde différent, 2000.

The 7 Habits of Highly Effective People, Stephen R. Covey. New York, New York : Simon & Schuster, 1989.

The Lexus and the Olive Tree, Thomas L. Friedman. New York, New York : Faraar, Strauss and Groux, 1999.

*The Millionaire Next Door, Thomas J. Stanley et William D. Danko. Marietta, Georgia : Longstreet Press, Inc., 1996. *L'esprit millionnaire* (ADA 2000).

*The On-Purpose Person, Kevin W. McCarthy. Colorado Springs, Colorado : Navpress, 1992.

*The Richest Man in Babylon, George S. Clason. New York, New York : Penguin Books, 1989. *L'homme le plus riche de Babylon,* Un monde différent 2000.

The Seasons of Life, Jim Rohn. Austin, Texas : Discovery Publications, 1981.

* *The 9 Steps to Financial Freedom,* Suze Orman. New York, New York : Random House, 1998.

*The Tomorrow Trap, Karen E. Peterson. Deerfield Beach, Floride : Health Communications, Inc., 1996.

* *The Wealthy Barber,* David Chilton. Don Mills, Ontario : Stoddart Publishing, 1989. *Un barbier riche,* Trécarré, 1997.

There Are No Limits, Danny Cox. Franklin Lakes, New Jersey : Career Press, 1998.

*Think & Grow Rich, Napoleon Hill. New York, New York : Fawcett Crest Books/CBS lnc., Division of Ballantine Books, 1960. *Réfléchissez et devenez riche,* Éd. de l'Homme, 1996.

Unlimited Power, Anthony Robbins. New York, New York : Simon & Schuster, 1986.

1001 Ways to Reward Employees, Bob Nelson. New York, New York : Workman Publishing Co., 1994.

Work for a Living and Still Be Free to Live, Eileen McDargh. New York, New York : Time Books, Division of Random House, 1985.

AUTOBIOGRAPHIES/BIOGRAPHIES

Buffet : The Making of an American Capitalist, Roger Lowenstein. New York, New York : Random House, 1995.

Hammer, Armand Hammer. New York, New York : Perigee Books, Division of Penguin Putnam, 1988.

Losing My Virginity, Richard Branson. London, England : Virgin Publishing Ltd., 1998.

Made in America, Sam Walton. New York, New York : Bantam Books, 1993.

Muhammad Ali : His Life and Times, Thomas Hauser. New York, New York : Simon & Schuster, 1991.

AUDIOCASSETTES

Happy, Healthy and Terrific, Ed Foreman. Dallas, Texas : Executive Development Systems. 800-955-7353.

How to Build High Self-Esteem, Jack Canfield. Niles, Illinois : Nightingale-Conant Corp., 1989. 800-323-5552.

Magic Words That Grow Your Business, Ted Nicholas. Niles, Illinois : Nightingale-Conant Corp. 800-323-5552.

Relationship Strategies, Jim Cathcart et Tony Alessandra. Niles Illinois : Nightingale-Conant Corp. 800-323-5552.

Self-Esteem and Peak Performance, Jack Canfield. Boulder, Colorado : Career Track Publications and Fred Pryor Seminars, 1995. 800-255-6278.

*The Aladdin Factor: How to Ask for and Get What You Want in Every Area of Your Life, Jack Canfield et Mark Victor Hansen. Niles, Illinois : Nightingale-Conant Corp., 1999. 800-323-5552.

The Challenge to Succeed, Jim Rohn. Dallas, Texas : Jim Rohn International. 800-929-0434.

Unlimited Power : The New Science of Personal Achievement, Anthony Robbins. San Diego, California : Robbins Research International, 1986. 800-898-8669.

VIDEOCASSETTES

*Chicken Soup for the Soul, Jack Canfield et Mark Victor Hansen. Boulder Colorado : Career Track Publications and Fred Pryor Seminars, 1996. 800-255-6278.

How to Have Your Best Year Ever, Jim Rohn. Dallas, Texas : Jim Rohn International. 800-929-0434.

Phone Power, George Walther. Niles, Illinois : Nightingale-Conant Corp. 800-323-5552.

Self-Esteem and Peak Performance, Jack Canfield. Boulder, Colorado : Career Track Publications and Fred Pryor Seminars, 1995. 800-255-6278.

The Man Who Would Not Be Defeated, W. Mitchell. Santa Barbara, California : W. Mitchell. 800-421-4840.

*The Power of Purpose (l'histoire de Terry Fox), David McNally. Eden Prairie, Minnesota : Wilson Learning Corp. 612-944-2880.

COURS

Soutien en affaires

The Achievers Coaching Program. Contactez : Les Hewitt.
Sans frais : 877-678-0234; Canada : 403-295-0500;
É.-U. : 408-357-0616; Royaume-Uni et Irlande : 0846-667227
www.achievers.com

The Strategic Coach Program.
Sans frais : 800-387-3206; Canada : 416-531-7399;
É.-U. : 847-699-5767 www.strategiccoach.com

Croissance personnelle

Insight Training Seminars. Santa Monica, California. 310-829-7402.

STAR/Success Through Action & Responsibility. Santa Barbara,
California. 805-563-2935.

The Dale Carnegie Course. Garden City, New York. 516-248-5100.

The Delta Vector. Contactez : George Addair, Phoenix, Arizona.
602-943-7799.

The Forum — Landmark Education. San Francisco, California.
415-981-8850.

The Facilitating Skills Seminar. Santa Barbara, California.
805-563-2935.

The Hoffman Quadrinity Process. Cambridge, Ontario. 800-741-3449.

The Successful Life Course. Contactez : Ed Foreman. Dallas, Texas.
800-955-7353 ou 214-351-0055.

Profils de personnalités

Kolbe Concepts Inc. Phoenix, Arizona. 602-840-9770.

Personality Plus. St. Paul, Minnesota. 651-483-3597.

Conférenciers professionnels

The National Speakers Association. Tempe, Arizona. 602-968-2552.

Toastmasters International. Rancho Santa Margarita, California.
949-858-8255.

AUTRES RÉFÉRENCES

"Agassi Returns to Top." Brian Hutchinson. *Calgary Herald,*
7 août 1998, E-5.

"Canadian Kid Wins U.S. Fans." Robert Russo. *Calgary Herald,*
3 mai 1996, A-7.

"A New Course of Commitment." Robin Brownlee. *Calgary Herald,*
25 janvier 1996, C-1.

"An Extraordinary Capacity to Forgive." Patricia Chisholm.
Maclean's, 10 février 1997.

AUTORISATIONS

LES AUTEURS

Jack Canfield a partagé les stratégies de *La force du Focus* dans douze pays, lors de ses ateliers *Self Esteem* et *Peak Performance*. Sa clientèle comprend Campbell Soup Company, Clairol, Coldwell Banker, General Electric, ITT, Hartford Insurance, Federal Express, Johnson & Johnson, NCR, Sony Pictures, TRW et Virgin Records, et autres organismes comme le Million Dollar Round Table, le Young Presidents Organization et le World Business Council.

Pour en savoir davantage sur les livres de Jack, ses enregistrements et ses programmes de formation, ou pour retenir ses services pour une présentation, adressez-vous à :

The Canfield Training Group
P.O. Box 30880, Santa Barbara, CA 93130
téléphone : 800-237-8336, télécopieur : 805-563-2945
site Internet : www.chickensoup.com
pour envoyer un courrier : *soup4soup@aol.com*
pour recevoir des informations par courriel : *chickensoup@zoom.com*

Mark Victor Hansen a enseigné ces stratégies de succès à des millions de personnes, dans trente-sept pays, au cours des vingt-cinq dernières années. Il a été interviewé à CNN, *Eye to Eye*, à QVC, le *Today Show*, à PBS et *Oprah*, et on l'a cité dans des douzaines de journaux et revues d'envergure nationale, tels *Entrepreneur, Success, Time, U.S. News & World Report, USA Today, New York Times, Washington Post* et *The Los Angeles Times*. Mark a aussi été le récipiendaire du prestigieux trophée Horatio Alger en mai 2000.

Jack et Mark sont aussi coauteurs de la très populaire série *Bouillon de poulet pour l'âme*, qualifiée par le magazine

Time du phénomène d'édition de la décennie, avec plus de 60 millions d'exemplaires vendus dans le monde entier!

Vous pouvez communiquer avec Mark comme suit :

P.O. Box 7665, Newport Beach, CA 92658
téléphone : 714-759-9304 ou 800-433-2314
télécopieur : 714-722-6912.

Les Hewitt, originaire de l'Irlande du Nord, est l'un des plus grands experts en formation en Amérique du Nord. Il est le fondateur du très populaire *Achievers Coaching Program.* Cette méthode unique de trois ans, présente-ment opérationnelle aux États-Unis, au Canada, au Royaume-Uni et en République d'Irlande, a été le catalyseur responsable de la transforma-tion remarquable de plusieurs de ses clients. Depuis ses débuts en 1983, *Achievers* a mené des programmes de forma-tion pour des milliers de gens d'affaires issus de domaines d'activité très diversifiés.

Les est un conférencier dynamique, un entraîneur dans le domaine des affaires de la vente, un écrivain et un chef d'entreprise. Au cours des vingt dernières années, il a formé personnellement des centaines d'entrepreneurs pour qu'ils réalisent des profits exceptionnels et atteignent une produc-tivité remarquable.

Pour rejoindre Les, ou pour obtenir de l'information sur des rabais de quantité, sur le *Achievers Coaching Program,* sur les possibilités de partenariat, de licence, sur les confé-rences, les séminaires et les ateliers d'une journée sur *La force du Focus,* adressez-vous comme suit :

Achievers Canada
5160 Skyline Way NE, Calgary, AB T2E 6V1
sans frais : 877-678-0234
téléphone : 403-295-0500, télécopieur : 403-730-4548
site Internet : *www.achievers.com*
courriel : *achievers@nucleus.com*

Déjà parus dans la série

1er bol

2e bol

3e bol

4e bol

5e bol

Survivant

Femme

Mère

Chrétiens

Ados II

Ami des bêtes

Golfeur

Ados

Ados – journal

Enfant

Couple

Célibataires

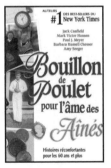

Aînés

Bouillon de poulet
pour l'âme au travail

Une partie importante de notre vie est consacrée au travail; que ce soit en servant des clients, en bâtissant une entreprise ou en cuisinant pour votre famille. De ce fait, nous avons tous des histoires intéressantes à raconter sur notre travail. Le courage au quotidien, la compassion et la créativité sont partout au rendez-vous sur les lieux de travail.

Ce livre puissant vous offrira de nouvelles options, de nouvelles manières de réussir et, plus que tout, une nouvelle façon d'aimer et d'apprécier votre travail, ceux qui vous entourent et vous-même.

AUTEURS : JACK CANFIELD, MARK VICTOR HANSEN, MAIDA ROGERSON, MARTIN RUTTE ET TIM CLAUSS

FORMAT 15 X 23 CM, 288 PAGES
ISBN 2-89092-248-0

SÉRIE POCHE

Un concentré de Bouillon de poulet pour l'âme

Petit recueil des histoires favorites des auteurs

Voici une édition spéciale des histoires favorites des auteurs des trois premiers volumes de la série, soit *Un 1er bol de Bouillon de poulet pour l'âme, Un 2e bol de Bouillon de poulet pour l'âme* et *Un 3e bol de Bouillon de poulet pour l'âme*. Cette anthologie revigorante sera en tout temps une source de réconfort, tant pour ceux et celles qui découvrent le pouvoir apaisant de *Bouillon de poulet* pour la première fois que pour les initié(e)s de la série. Une source d'inspiration et de croissance personnelle.

FORMAT 11 X 18 CM, 216 PAGES, ISBN 2-89092-251-0
AUTEURS : JACK CANFIELD, MARK VICTOR HANSEN
ET PATTY HANSEN

Une tasse de Bouillon de poulet pour l'âme

Histoires inédites

Parfois, nous avons uniquement le temps de prendre une tasse de bouillon. C'est pourquoi les auteurs vous offrent ce recueil de nouvelles histoires à savourer en portions individuelles. Cet ouvrage est le cadeau idéal à offrir aux gens d'affaires pressés, aux jeunes en quête d'inspiration ou à tous ceux et celles qui ont besoin d'un « petit remontant ». Savourez-le et partagez-en les bienfaits avec vos proches.

FORMAT 11 X 18 CM, 192 PAGES, ISBN 2-89092-245-6
AUTEURS : JACK CANFIELD, MARK VICTOR HANSEN
ET BARRY SPILCHUK

Savoir lâcher prise

Un livre unique
de méditations quotidiennes

L'auteure revient aux éléments essentiels du cheminement pour vaincre la codépendance – nous permettre de ressentir toutes nos émotions, accepter notre impuissance et nous approprier notre pouvoir.

Un livre de méditations pour vous aider à prendre un moment chaque jour pour vous rappeler ce que vous savez tous : chaque jour nous apporte une possibilité de grandir et de se renouveler.

AUTEURE : MELODY BEATTIE

FORMAT 14 X 21,5 CM, 416 PAGES
ISBN 2-89092-195-6

Insatisfaction chronique

Qu'est-ce qui m'empêche de me sentir bien?

L'insatisfaction chronique a peu de rapport avec ce que l'on est ou n'est pas, ni avec ce que l'on a ou n'a pas. Elle a des racines plus profondes et ce sont elles qu'il faut reconnaître et déterrer afin de pouvoir s'en débarrasser.

Avec ce livre, vous apprendrez à découvrir si vous êtes à la recherche de plus de sécurité, de reconnaissance, de compétence ou de confiance. Vous serez alors en mesure de vous libérer du cercle vicieux dans lequel vous avez vécu jusque-là et d'atteindre le contentement et l'estime de soi nécessaires pour que chaque vie prenne son sens.

AUTEURS : LAURIE ASHNER ET MITCH MEYERSON

FORMAT 15 X 23 CM, 304 PAGES
ISBN 2-89092-261-8

Risque, un vilain mot

La gestion du risque
dans nos investissements

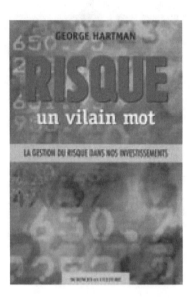

Hartman démontre une nouvelle fois que l'investissement tient plus de la démarche à suivre que du calcul. Comme il le dit si bien, mieux vaut avoir approximativement raison que d'avoir précisément tort. Il identifie les vérités fondamentales de l'investissement, en commençant par l'idée que les investisseurs ne devraient même pas penser au rendement avant d'avoir décidé du *degré de risque qu'ils sont prêts à assumer*. À moins de faire de la pensée magique, dit-il, vos attentes devront être à la hauteur de votre profil de risque.

AUTEUR : GEORGE HARTMAN

FORMAT 15 X 23 CM, 336 PAGES
ISBN 2-89092-275-8